Un travail comme un autre

Virginia Reeves

Un travail
comme un autre

roman

Traduit de l'anglais (États-Unis)
par Carine Chichereau

TITRE ORIGINAL :
Work Like Any Other

Couverture Coco bel œil
Photographie : © Tony Worobiec/Arcangel Images

ISBN 978-2-234-07979-3

Pour ma grand-mère, Therese Reeves

*Alabama ne signifie pas « Ici, on se repose ».
Ce ne fut jamais le cas.*

Mme L. B. Bush,
A Decade of Progress in Alabama, 1924

*En matière de gestion pénitentiaire la prison de Kilby
marque le transfert imminent de l'État d'Alabama depuis
l'arrière-garde vers les rangs des États les plus avancés.
L'Alabama a suivi les exemples des États de New York et
de Virginie en édifiant une prison centrale où seront envoyés
les détenus immédiatement après leur condamnation, et où
ils auront droit : premièrement, à une étude minutieuse de
leur passé ; deuxièmement, à un examen approfondi de
leur état mental et physique par des spécialistes ; troisième-
ment, à la mise en place d'un traitement de fond pour les
libérer de tout défaut lié à leur éducation ; quatrièmement,
à l'assignation au lieu de détention et à l'emploi pour lesquels ils sont le mieux adaptés ; enfin, cinquièmement, à un
traitement systématique destiné à les réformer et les rendre
aptes à retourner dans la société, si possible, en en faisant
des citoyens intègres, utiles, productifs et respectueux d'eux-
mêmes et des autres.*

Hastings H. Hart,
Social Progress of Alabama, 1922

PREMIÈRE PARTIE

CHAPITRE 1

Le transformateur électrique qui un jour allait tuer George Haskin était perché en haut d'un poteau, dans l'angle nord-est de la ferme où Roscoe T Martin vivait avec sa famille. Il y avait en tout trois transformateurs qui distribuaient l'électricité d'Alabama Power en recalibrant le courant pour l'envoyer dans de nouvelles lignes le long d'une clôture, à travers les bois, afin de l'amener directement à la ferme et à la grange. Roscoe avait construit ces transformateurs lui-même. Il avait également tiré les lignes. Il n'en avait pas l'autorisation.

L'idée de détourner le courant lui était venue un an plus tôt. Il aurait dû se trouver à table en famille, mais il avait brutalisé son fils et fait pleurer sa femme, alors il était parti marcher sur ces terres maudites, où son épouse l'avait forcé à s'installer. Il avait pris le chemin du nord, à travers le champ de maïs, pour se rapprocher des nouvelles lignes électriques qui longeaient Old Hissup Road. Le maïs encore jeune lui arrivait aux hanches et les herbes géantes le frôlaient, sensation rebutante, alors il se frottait les bras, comme pour chasser un insecte. Parmi toutes les cultures qui poussaient sur l'exploitation de sa femme, le maïs était celle qu'il aimait le moins, il voyait quelque chose d'obscène dans la taille de cette plante, sa façon de croître ses tiges, ses feuilles acérées, ses grains – tout était trop grand.

Sa femme et son fils lisaient ensemble sur le canapé, à la lumière d'une lampe à pétrole posée sur la table haute derrière eux. À l'époque où il faisait la cour à la mère du garçon, au début, Roscoe lisait ainsi en sa compagnie, seulement à présent c'était avec son fils qu'elle partageait ses lectures.

Ils n'avaient pas levé les yeux quand Roscoe était entré dans la pièce.

« Qu'est-ce que vous lisez ?

– Un livre », murmura son fils en se nichant tout contre sa mère.

Roscoe avait regardé la couverture. « *Parnassus on Wheels*, ah ? Ça raconte quoi ? »

L'ennui se peignit sur les traits de Marie. « C'est l'histoire d'une femme qui est propriétaire d'une librairie itinérante. Elle a un frère, et elle en a assez de s'occuper de lui. » Elle s'exprimait d'une voix lasse, comme si elle s'adressait à un enfant turbulent qui refusait d'apprendre ses leçons. « Il ne veut pas travailler à la ferme. »

Avant même que Roscoe réagisse, elle s'aperçut de sa maladresse et lui tendit une main conciliatrice qu'il repoussa violemment. Gerald s'enfonça encore davantage contre elle.

« C'est pas moi, le méchant, ici, dit-il. Tu savais bien que je n'étais pas un fermier. »

Elle voulut à nouveau lui prendre le bras, mais la colère envahit Roscoe, et soudain il se mit à grandir, à s'élever jusqu'à ce plafond dont le père de Marie avait lui-même fait les plâtres. Il lui arracha le roman des mains, le lança à travers la pièce et le livre vint s'écraser contre un plat en céramique accroché au mur, qu'il brisa.

« Monte dans ta chambre, Gerald », dit Marie.

Mais Roscoe se pencha tout près du visage de son fils. « Tu lis des trucs sur les moins que rien comme ton père ? Une espèce de fainéant qui veut pas s'occuper de sa ferme ? » Le garçon écarquilla les yeux, découvrant tout le blanc autour de ses prunelles, et il aspira ses lèvres à l'intérieur, comme un lâche.

Roscoe le saisit par les bras et l'arracha à sa mère. Marie agrippa son fils par la chemise, mais Roscoe le tenait fermement. Maintenant l'enfant par les bras face à lui, il murmura : « Je suis plus intelligent que tu ne le seras jamais. »

Puis Marie réapparut dans son champ de vision, toutes griffes dehors, hurlant à Roscoe d'arrêter, et il obéit : il lâcha le petit, qui retomba aux pieds de sa mère, et partit en claquant la porte à travers ces champs affreux pour retrouver les lignes électriques qu'il aimait tant.

Un électricien n'avait pas sa place dans une exploitation agricole. Il l'avait suffisamment répété, et il avait gaspillé l'année précédente à bricoler une batteuse mécanique et à lire dans la bibliothèque de son défunt beau-père. Tous les jours, Marie lui demandait ce qu'il comptait faire, et tous les jours il répondait : « Tout sauf bosser dans cette maudite ferme.

– Tu es pourtant venu y vivre, rétorquait-elle. Tu n'y étais pas obligé. »

Après cette scène avec leur fils, le ressentiment de Marie était aussi fort que celui de Roscoe, davantage, peut-être. L'enfant aurait des bleus.

Roscoe se tenait à présent sous les fils électriques les plus proches. Autour de lui, l'air s'obscurcissait, et les cigales entonnaient leur plainte, vibratoire et métallique. Si le père de Marie n'était pas mort, Roscoe travaillerait toujours à la centrale électrique, à Lock 12. Ils habiteraient au village, et il exercerait le métier qu'il aimait.

Roscoe avait reçu une lettre de son ancien contre-maître : la place était toujours libre si jamais il voulait la reprendre.

Il était précisément en train de considérer cette option quand lui vint l'idée du transformateur, pareille à une vision : deux ou trois transformateurs, accrochés à un poteau fraîchement élevé, reliés à de nouvelles lignes qu'il aurait posées lui-même. Il voyait les lampes dans la ferme, l'électroménager que Marie aimait tant lorsqu'ils vivaient au village. Et il voyait la ferme sauvée. L'électricité avait ce pouvoir, il en était certain.

L'épuisement l'avait finalement ramené chez lui, et c'est au beau milieu du champ de maïs qu'il avait su exactement comment l'électricité viendrait au secours des terres de Marie. Il allait transformer cette fichue machine en batteuse électrique – n'était-ce pas déjà ce qu'il tentait de faire ? – et elle accomplirait le travail des saisonniers que Marie devait payer avec l'argent qu'ils n'avaient pas. La batteuse travaillerait pour rien grâce au courant élec-trique détourné, et la ferme réaliserait à nouveau des profits, comme elle n'en avait jamais connus, sinon dans les légendes de l'enfance de Marie.

Il remâcha son idée pendant un mois avant d'en parler à Wilson.

Marie était devant la maison, sur la véranda, elle buvait son café en lisant l'almanach. Elle lui avait à peine adressé la parole depuis leur dernière querelle, juste avant sa virée dans le champ de maïs, et elle l'ignora lorsqu'il poussa la porte grillagée.

C'était une journée douce et verte, tout poussait sous le soleil d'avril.

« Tu sais où je peux trouver Wilson ? » demanda Roscoe.

Elle ne leva pas les yeux.

« Marie, tu sais où est Wilson ? »

Sans bouger, elle répondit : « Il travaille. »

Roscoe aurait bien voulu tout lui raconter, qu'elle soit la personne vers laquelle il puisse se tourner pour exposer ses idées, lui annoncer la nouvelle. Il guettait sur son visage une trace de bienveillance, une attente, l'ombre d'un sourire. *Marie*, aurait-il voulu lui dire, *j'ai pour toi quelque chose de comparable aux oiseaux.* Marie aimait les oiseaux – Roscoe appréciait cela en elle –, elle saisissait au passage un chant, une mélodie, une traînée d'aile bleue dans le houx, et ensuite elle définissait les gens, les idées, à l'aune des oiseaux qu'ils symbolisaient. Au début, alors qu'ils se promenaient tous les deux sur les bords de la rivière Coosa, elle lui avait dit qu'il était un jaseur des cèdres. Ce passereau est connu pour ses yeux de bandit et ses touches d'orange et de jaune. « Regarde, avait-elle dit. Tu les vois ? Ils mangent des baies desséchées. » Elle lui avait montré les oiseaux au vol hasardeux, qui tournoyaient autour de l'eau. « Ils sont ronds comme des barriques, là-haut. Les baies ont fermenté à présent. » Au bout d'un moment elle avait ajouté : « Tu es un jaseur des cèdres. Toute cette électricité t'enivre. » Plus tard, elle lui avait confié que c'étaient ses oiseaux préférés, ces passereaux ivres, et Roscoe y avait vu un compliment à la fois rude et tendre.

Il ne se rappelait pas à quand remontait la dernière fois où elle lui avait montré un jaseur des cèdres. Il ne se rappelait pas à quand remontait la dernière fois où ils s'étaient témoignés de la tendresse.

« Et où est-ce qu'il travaille ? demanda-t-il.

– Au champ nord. Il répare la barrière. Tu pourrais lui donner un coup de main. » À nouveau, elle regardait son livre, les traits tirés par la fatigue habituelle, et Roscoe s'en alla sans lui dire au revoir. Il y avait longtemps qu'ils n'échangeaient plus ce genre de politesses.

La peinture des marches de la véranda était abîmée, écaillée, et en descendant, Roscoe en détacha du pied quelques fragments. Elles étaient blanches, autrefois, toute la maison l'était, mais désormais elle était grise comme ces planches dénudées et les restes de peinture ternie par le temps. Roscoe se retourna pour jeter un coup d'œil à sa femme, assise sous l'avant-toit, et il vit combien son environnement était triste, le mauvais état de la maison et des terres de son père. Les plantes grimpantes envahissaient les cheminées et la structure de la véranda. En bas, les briques se délitaient, le mortier cédait sous les lianes. Ce n'était plus la maison de son enfance, et Roscoe comprenait la déception de sa femme – en cet instant, de là où il était. Elle était venue sauver cet endroit, lui rendre la gloire de l'époque de son père, hélas, ils étaient arrivés un an plus tôt, et il n'y avait aucun progrès. Ils n'avaient même pas su maintenir les lieux en l'état. Leurs revenus comme leur production déclinaient, la maison se détériorait, la terre les trahissait.

Fut un temps où Roscoe aurait partagé avec elle ces réflexions, un temps où sa compassion aurait réconforté Marie.

Il la laissa à sa maison décrépite et prit un sentier à travers un bosquet, bifurquant à droite lorsqu'il se dédoubla. À gauche, le chemin menait à la maison où Wilson vivait avec sa famille. À droite, au champ, pour s'achever devant les sillons.

Roscoe fit tant de bruit que Wilson avait déjà les yeux posés sur lui avant qu'il n'émerge du maïs.

« Qu'est-ce qui t'amène par là, Ross ? »

Roscoe s'appuya contre le morceau de la barrière que Wilson venait de remplacer.

« J'ai un projet en tête. Ton aide me serait utile. »

Wilson éclata de rire, comme cela lui arrivait quand ils jouaient aux cartes les soirs où Roscoe parvenait à le décider, ou lorsqu'ils lançaient leurs lignes dans l'étang, pour y pêcher des poissons-chats, des perches ou des crapets arlequins. Son rire était léger, sifflet d'air lui traversant le nez.

« J'imagine que ce projet a pas grand-chose à voir avec la ferme », répondit Wilson. Il planta un clou dans une branche épaisse, coupée de fraîche date, d'où coulait encore la sève.

« J'ai trouvé le moyen de sauver cet endroit », déclara Roscoe. Il y croyait. Et ce n'était pas seulement la ferme qu'il allait sauver, mais aussi sa vie de couple. Cette pensée éveilla un désir dans ses entrailles. Il était capable de réparer les choses. De les remettre sur les bons rails.

« Mais cet endroit n'a pas besoin d'être sauvé, Ross. »

Les mots de Marie. Elle les répandait telle la parole de Dieu. Elle parvenait à tous les convaincre, même les travailleurs saisonniers, que ce dont la ferme avait besoin, c'était de ses gens, rien de plus. Elle se trompait. Comme son père avant elle.

« Je veux amener l'électricité. Par là, le long du champ. L'endroit est parfait pour ça. Je peux me brancher sur ce poteau, juste après l'angle. »

Wilson planta un second clou, puis il secoua le nouveau barreau pour en éprouver la solidité. Le bois ne bougea pas. « Mais Ross, ces lignes-là, c'est pour la ville. Qu'est-ce qui te permet de croire qu'ils vont en amener une par ici ?

– Je n'ai pas l'intention de leur demander. »

Wilson rit de nouveau et avança le long de la barrière. Le morceau de rambarde suivant était complètement pourri et cassé en son milieu. « Tu veux dire que tu vas les voler ? »

Au tour de Roscoe de rire. « On perd déjà tellement de courant en l'acheminant : ce qu'on prendra n'est rien en comparaison. C'est une goutte d'eau dans un lac, Wilson. Ça manquera à personne. »

Wilson retira le clou qui maintenait le bois pourri.

« Et comment tu vas détourner le courant sans te tuer au passage ?

— On le coupera avant, et puis tu sais, je fais ce genre de manip depuis tellement longtemps. »

Wilson le regarda. « Mais même si tu y arrives. Qu'est-ce que l'électricité peut apporter à la ferme ? »

Les mains de Roscoe se plantèrent fermement sur la barrière solide, tant son idée était bonne. « J'ai trouvé comment convertir la batteuse qui marche au pétrole pour qu'elle fonctionne à l'électricité. Réfléchis : tout le ramassage et le battage, on en serait débarrassé. On pourrait cultiver davantage d'arachide. La machine accomplirait l'essentiel du boulot. Je suis sûr que ça rendrait cet endroit profitable, Wilson. Je le sais. »

Wilson balaya du regard la propriété voisine, l'herbe haute, et les vaches qui paissaient de l'autre côté du champ. Il s'efforça d'imaginer la batteuse. Roscoe aurait voulu implanter cette image dans l'esprit de son ami, la machine géante attendant dans la remise, qui débitait des épis débarrassés de leurs spathes, prêts à être vendus. *Tu la vois, Wilson ?*

Ce dernier secoua la tête. « C'est pas d'électricité qu'on a besoin, à la ferme, Ross. C'est de plus de bras.

— Nom d'un chien, Wilson ! C'est le discours de Marie, ça, et même moi, je sais qu'on n'a pas les moyens d'embaucher des bras supplémentaires. Avoir grandi ici ne fait pas d'elle une experte. Tu le sais très bien. Merde, tu travaillais déjà ici quand elle n'était qu'une écolière qui passait ses journées à lire dans la bibliothèque de son père, ensuite, dès qu'elle a pu, elle a filé à l'université. C'est une fichue maîtresse d'école, pas une fermière !

— Mais c'est sa ferme, Ross.

— Et c'est aussi la mienne. »

20

Wilson secoua la tête à nouveau. « Tu vas me sortir le couplet du patron, maintenant ? »

Roscoe donna un coup de pied dans une grosse touffe d'herbe près d'un piquet. Il n'était pas le chef de Wilson. Marie non plus. Wilson vivait sur cette exploitation depuis qu'il était petit, et il travaillait aux côtés de son père quand Marie était enfant. Si quelqu'un était le chef, ici, c'était Wilson, et Roscoe venait requérir sa permission, tel un subordonné amenant une idée révolutionnaire. *Laissez-moi une chance, patron ! Permettez-moi juste d'essayer.*

« Je ne suis pas ton maudit patron. Je suis électricien, et si je reste ici, il faut que je puisse faire quelque chose qui soit vraiment à moi. » Il s'accouda à la barrière. « Je sais bien que je n'ai pas fichu grand-chose ici pendant toute cette année. Et ça, justement, c'est mon boulot. »

Wilson poursuivait sa besogne.

« J'ai reçu un message de mon ancien contremaître à la centrale électrique. Il dit qu'il y a une place pour moi. La porte est ouverte. Si je ne peux pas mettre mon projet à exécution, je n'aurais plus qu'à retourner là-bas.

— Tu n'abandonnerais pas Marie et Gerald.

— Si », et en le disant, Roscoe sentit combien il en était convaincu. Si ça ne marchait pas – les transformateurs, les lignes, la batteuse – il s'en irait au village du barrage de Lock 12, sur les berges de la rivière Coosa où il avait rencontré Marie. Il se réinstallerait dans la maisonnette prévue pour les employés célibataires, et chaque matin il emprunterait le chemin de terre jusqu'au barrage, où l'attendaient tous ces câbles et ces fils, toutes ces nouvelles lignes à tirer. Il quitterait sa femme et son fils pour retrouver l'énergie et le sens que ce travail donnait à sa vie. Oh oui, il le ferait.

Wilson inséra le pied-de-biche dans l'espace entre le piquet et la planche, et fit sauter le morceau cassé. Roscoe l'observait, espérant presque que Wilson refuse sa proposition. Alors il retournerait à la maison, préparerait son balluchon, embrasserait son fils sur la tête, Marie une dernière fois sur ses lèvres sèches, et il prendrait la direction du sud. Il accomplirait tout ce chemin sans ressentir la fatigue.

« En quoi je peux t'aider ?

– J'ai besoin de toi pour élever les poteaux et raccorder les lignes.

– C'est tout ?

– C'est tout. »

Roscoe se voyait traverser des champs comme celui de leur voisin, suivre des sentiers crayeux de poussière rouge, longer des fermes dans un état bien pire que celle de Marie.

« Marie le saura ? »

Roscoe se vit faire demi-tour, remonter les marches de la véranda et prendre Marie dans ses bras.

« Elle saura qu'on a l'électricité.

– Mais pas comment on l'a obtenue.

– Pour elle, l'électricité viendra de la compagnie, et ça suffira comme ça.

– Tu vas fabriquer des fausses factures ?

– S'il le faut. Alabama Power nous raccordera dans cinq ans au plus tard. Les choses se régleront toutes seules.

– Donc j'aurai juste à mentir à ta femme pendant cinq ans ?

– Pas plus.

– Et Moa ? »

Roscoe n'avait pas songé à Moa, pourtant il aurait dû. Elle prenait part à tout ce qui se passait à la ferme. Moa était la femme de Wilson, la matriarche de ces terres, présence à la fois solide et enveloppante. Elle n'avait que huit ans de plus que Marie, mais quand Marie avait perdu sa mère, Moa l'avait en quelque sorte remplacée. Elle était grande et mince, la peau café au lait, bien plus claire

22

que Wilson, et elle enroulait ses cheveux de chaque côté en formant une espèce de vague. Roscoe savait qu'elle l'aimait bien, le défendait chaque fois qu'elle en avait l'occasion, mais il savait aussi que jamais elle ne mentirait à Marie. De même que Wilson ne mentirait pas à Moa. Leur relation s'était construite à force de promenades le long de l'étang, le soir, et grâce à la présence de leurs trois enfants dans la maison auprès de Gerald. Ils s'entendaient bien, se souriaient facilement, s'échangeaient de petites réprimandes.

« Tu pourrais ne rien lui dire ? » demanda Roscoe.

Wilson arracha le clou, qui sortit du bois en gémissant. « Ce serait sans doute préférable qu'elle ne sache rien. Si jamais ça se passe mal, mieux vaudrait qu'elle ne soit pas dans le coup.

– Tout va bien se passer. »

Wilson secoua la tête et retira le vieux morceau de bois qu'il jeta dans le champ du voisin. « Tiens, dit-il en attrapant le nouveau. Tu crois que tu peux tenir le bout ? »

C'était la première fois que Roscoe aidait Wilson dans les travaux de la ferme, et ça ne le dérangeait pas. Il songea qu'il n'était plus obligé de retourner à la centrale électrique de Lock 12. Il n'avait plus besoin de partir. Il allait rester pour faire prospérer cette terre. Il retrouverait son occupation, en prise directe avec les câbles et le courant, les forces et les réactions, et la ferme deviendrait si solide qu'elle tournerait toute seule. Marie pourrait recommencer à enseigner, si elle en avait envie. Elle pourrait créer une petite école sur ses terres et utiliser les livres de la bibliothèque de son père. Ils redécouvriraient le plaisir d'être ensemble, et Roscoe apprendrait à connaître son fils. Ils seraient heureux.

Au dîner, Moa remarqua sa bonne humeur.

« Dieu du ciel, monsieur Roscoe. Vous êtes en forme, ce soir. Qu'est-ce qui vous met dans cet état ? »

Marie le regarda, l'étonnement se lisait sur son front, elle avait l'air de demander : *Mais oui, que se passe-t-il donc ?* On sentait aussi le jugement dans son expression, raide comme les tiges de maïs.

« J'ai reçu de bonnes nouvelles, aujourd'hui. »

Roscoe et Wilson étaient assis chacun à un bout de la table. Roscoe avait Marie d'un côté et Gerald de l'autre, quant à Wilson, sa famille l'entourait lui aussi – Moa et Charles à gauche, Henry et Jenny à droite. Les deux familles se retrouvaient ainsi à la table de la grande maison, dans cet ordre précis, pour leur repas hebdomadaire, tous les mercredis.

« Alors ? insista Moa.

– Alabama Power va installer l'électricité en zone rurale, et nous sommes parmi les premiers concernés sur la liste. »

Sur le visage de Marie, la curiosité l'emportait sur la déception. « On va avoir l'électricité ici, à la ferme ? demanda-t-elle.

– C'est ça, et ils m'ont même demandé de poser les lignes – ils m'ont engagé.

– Ça veut dire qu'on va avoir la lumière, papa ? interrogea Gerald.

– C'est exactement ça, mon fils, et plus encore : on va remettre en marche la vieille batteuse.

– Tu sais bien que nous n'avons pas l'argent pour ça, rétorqua Marie. Sans parler du carburant nécessaire pour la faire fonctionner.

– Mais si. Je vais la convertir à l'électricité.

– L'électricité coûte cher, non ?

– Ça n'atteindra jamais les prix du pétrole. » Roscoe vit Marie réprimer un sourire, et s'efforcer de maintenir un calme rigide.

« Je croyais que tu ne voulais pas t'abaisser à travailler dans une ferme.

– Les travaux agricoles, c'est pas pour moi. Ça, oui. »

Roscoe vit le regard de Marie balayer la table pour s'arrêter sur Wilson, qui écoutait tranquillement. « Wilson, qu'est-ce que tu en penses ? » demanda-t-elle.

Son visage était aussi hermétique que son silence. « Eh bien, m'dame Marie, Roscoe et moi, on en a beaucoup discuté, et je crois que c'est bien de ça que la ferme a besoin. »

L'assurance de Wilson, sincère ou feinte, suffit à rassurer Marie, et Roscoe vit un sourire imperceptible empreindre son visage.

« Ce travail-là, tu le feras ? » interrogea-t-elle.

Roscoe hocha la tête, et ce geste les réunit. Un instant, ils furent seuls à nouveau, comme avant la naissance de Gerald, quand, jeunes, pleins d'espoir, ils se promenaient sur les berges de la rivière Coosa et regardaient l'eau couler jusqu'au barrage, où elle se transformait en électricité. Ils restaient médusés devant cet avenir – toute cette lumière, cette puissance, ce changement –, il les remplissait, et leur propre enthousiasme coulait et se précipitait. Roscoe s'aperçut que ces sensations lui manquaient. Sa femme lui manquait.

CHAPITRE 2 – ROSCOE

Le mur qui entoure la prison de Kilby mesure six mètres de hauteur et, au sommet, il y a quatre rangées de barbelés. Deux d'entre elles sont parcourues d'un courant électrique de 6 600 volts. Les autres sont reliées au sol et, à ma connaissance, personne n'a jamais réussi à les sectionner.

De l'extérieur, Kilby ressemble à une école en brique, un bâtiment pour une maîtresse d'école telle que ma femme. Des buissons bordent l'allée qui mène au double portail, flanqué de lampes en forme de globes. Un aigle déploie ses ailes en cercle autour des hautes lettres qui composent le nom de la prison.

On est en 1925, ça devrait signifier quelque chose, ce quart du siècle déjà passé. Il y a plus de trois ans que je suis ici, et ça aussi, ça devrait signifier quelque chose. Je viens d'avoir trente-trois ans, et ma vie se divise en deux, les années à Kilby, et celles d'avant Kilby. J'espère qu'il y en aura d'autres après, mais je préfère ne pas trop y croire. Quand l'espoir est déçu, c'est encore plus dur.

L'automne est de retour, fauve, au vent léger, et je viens d'achever ma tâche qui consiste à colmater les fissures qui

27

s'ouvrent tous les neuf mètres entre les sections, à cause des changements de température. Le directeur sélectionne un groupe de détenus pour badigeonner les fissures avec du goudron, et je fais partie de cette équipe depuis mon arrivée. On me dispense d'autres travaux, c'est un boulot agréable qui occupe quelques semaines. Loin de la fabrique de chemises, de la filature de coton et de la laiterie. Le long du mur, on respire l'air frais qui s'insinue par les fissures. De l'autre côté de la grand-route qui va de Wetumpka à Montgomery, il y a une chênaie. À l'est, des pâturages, et au nord, des champs de maïs, de haricots, de moutarde et de coton. Même la terre et le gravier du fossé, à l'ouest, ont un parfum plus doux que l'odeur qui règne entre ces murs. On colle un œil à ces fissures, et c'est le monde extérieur qui se déploie, un monde qu'on peint avec du goudron. Alors l'air devient noir, poisseux, et on se retrouve de nouveau enfermé à Kilby. Jamais on n'aurait le temps ni les outils nécessaires pour agrandir ces brèches de manière à ce qu'un homme puisse s'y faufiler, pourtant on en rêve, on cherche des prétextes pour se retrouver seul dans la cour. On arrive parfois à sortir une fourchette ou deux de la cantine. On creuse les failles avec des cailloux. On n'en parle pas entre nous. On ne partage pas ça ensemble. L'évasion est aussi solitaire que le mitard, enfin, ça devrait.

Je travaillais sur le mur quand Taylor, le directeur adjoint, est venu me voir.

« Tu t'es fait un nom, toi. Bondurant et le chapelain, ils chantent tes louanges. Le meilleur gars qu'ils aient jamais eu et tout ça. C'est vrai ?

— Je ne peux pas parler à la place des autres, monsieur, mais je fais de mon mieux quand on me confie un travail.

— Sans doute que tu serais une bonne recrue pour le chenil. Pointe-toi demain matin à la première heure. J'ai informé les contremaîtres pour qu'ils ne t'envoient pas ailleurs.

– Oui, monsieur », ai-je répondu, et voilà pourquoi aujourd'hui je me dirige vers le portail, pour le retrouver près du chenil.

C'est Beau qui garde l'entrée côté est, il crache son jus de tabac juste à mes pieds. « Alors, Taylor te prend avec ses petites chiennes ?

– Je ne sais pas, monsieur.

– Ça va pas faire grimper ta cote auprès de tes potes de cellule – déjà qu'elle est pas bien haute. » Il éclate de rire. « Je parie que tu croies que si ça marche pour toi au chenil, tu vas passer superviseur, pas vrai ? Je suis sûr que Mason t'a dit que ça te mettra à l'abri, comme ça, sauf que moi, des superviseurs, j'en ai vu plein qui débarquaient à l'infirmerie.

– Ça ne m'intéresse pas de travailler au chenil, monsieur.

– Ferme-la. »

Il frappe le portail de métal avant de déverrouiller son côté. Un autre gardien déverrouille l'autre côté et me fait signe de passer, du bout de son fusil.

« Amène-le à Taylor, dit Beau. Et enfonce-lui bien ton canon dans le dos. » Depuis mon arrivée, Beau a toujours son fusil pointé sur moi. « Tu te crois meilleur que nous autres, ici, hein ? m'a-t-il demandé deux mois après mon arrivée. Avec tes bonnes manières et ton éducation. D'après ce qu'on m'a dit, tu t'es même pas sali les mains quand t'as tué ce gars. Sûrement que tu étais assis dans ta maison bien éclairée à manger un bon repas avec ta petite femme. Pour moi, ça sent bien la poule mouillée, tout ça. »

Le gardien de l'autre côté du portail me pointe le canon de son arme entre les omoplates. « Avance. »

Je me sens un peu nerveux à l'approche du chenil. De près, l'adjoint Taylor ressemble à un chien lui aussi, avec une truffe et des moustaches, un cou épais. Ses bajoues tremblotent lorsqu'il hurle à mon escorte :

« Pourquoi diable est-ce que tu pointes ton fusil sur lui comme ça ? »

J'entends le gardien derrière moi, mal à l'aise : « On m'a dit de l'avoir à l'œil, celui-là, m'sieur. On m'a dit qu'il risquait de s'enfuir.

— Tu crois que je demanderai à un candidat à l'évasion de venir travailler ici ? Bon Dieu, mon garçon, je me demande si tu es assez malin pour bosser de ce côté du mur. »

L'autre vient se placer à ma hauteur, fusil baissé le long de ses jambes. « Je fais que suivre les ordres de Beau, m'sieur l'adjoint. »

Taylor éclate de rire et désigne le portail de la tête. « Retourne à ton poste, et arrête de suivre les ordres de Beau. Il est gardien, comme toi.

— Oui, m'sieur. »

Il s'éloigne, et Taylor lui hurle : « Et ne me ramène plus de détenu en pointant ton fusil dessus, tu m'entends ?

— Oui, m'sieur ! »

Voir un gardien ainsi réprimandé me réconforte.

« Très bien, Martin, on va voir ce que les chiens pensent de toi. »

Taylor tire doucement sur l'oreille d'une bête, puis il la lâche et s'écrie : « En arrière ! » Sa voix dure claque comme un fouet, et les animaux qui s'étaient précipités debout contre la grille retombent sur leurs pattes, dans l'attente.

Deux autres hommes à l'intérieur nettoient les crottes, remplissent les écuelles d'eau et de nourriture. L'odeur ici est pire qu'à la laiterie, tout y est nauséabond, pestilentiel, et je veux que Taylor comprenne que je n'y ai pas ma place, que c'est une erreur de m'assigner auprès de ces animaux.

« Première chose, tu vas les mener en laisse. Ils apprendront que tu es le maître quand tu es là, et que tu es l'odeur à suivre quand ils te pourchassent. S'occuper des chiens, c'est de l'entraînement, compris ? Va te chercher une ceinture, on va t'atteler à l'un d'entre eux, tu vois comment on s'y prend ? Jones ! crie-t-il à l'un des hommes. Va me chercher une ceinture et une laisse.

– Oui, monsieur. »

Jones se dirige vers une remise toute proche.

« Ces ceintures, je les ai conçues moi-même », m'explique Taylor. Tout chez cet homme est gros : son ventre, sa voix, ses mains. « Je les ai faits pour que vous, les gars, vous vous attachiez à neuf chiens si vous voulez. »

Sauf que moi, je ne veux pas.

Il continue au sujet des laisses en cuir, et c'est au beau milieu de ce discours que les sirènes se mettent à hurler, elles fusent et tourbillonnent comme un grand rapace qui descend du ciel. Chaque fois que je les entends, je songe à Marie et à sa connaissance des oiseaux, elle est capable de les nommer rien qu'en écoutant leur chant.

« Buse à queue rousse », dirait-elle de cette sirène. « Plumage épais moucheté. Elle protège son territoire, fait fuir les autres oiseaux. »

À nouveau, les chiens sont debout sur leurs pattes arrière, appuyés contre le haut de la grille de leur enclos, leurs aboiements se joignent aux hurlements des sirènes.

« Jones ! s'écrie Taylor. Jackson ! Attachez ces chiens ! »

Jones accourt depuis la remise en passant une ceinture autour de sa taille. Il en laisse choir une autre à mes pieds.

« Enfile ça, mon gars, m'ordonne Taylor. C'est le baptême du feu pour toi. » Puis s'adressant à Jones : « Amène Ruthie. Elle se moque de savoir à qui elle est attachée du moment qu'elle a une piste à suivre. »

Large d'environ cinq centimètres, cette ceinture est d'une épaisseur comme je n'en ai jamais vue. Il y a deux anneaux de chaque côté de la boucle, et à la base sont cousus d'autres morceaux de cuir. C'est sans doute avec ça que je devrais pouvoir attacher neuf chiens.

Le gardien qui m'a pointé son fusil dans le dos arrive en courant, un chiffon à la main.

Je passe la ceinture par-dessus mon pantalon et ma chemise. « Prends cette laisse », me dit Taylor. Il se tourne vers le gardien. « L'odeur est fraîche ?

– Il l'avait sur le dos. »

J'ai la laisse en main et Jones amène du chenil une chienne geignarde en la tirant. « Attache un bout à son collier, me dit-il, et l'autre à un anneau de ta ceinture.

– Qu'est-ce qui se passe ?

– Taylor adore jeter les nouveaux dans l'action. T'as qu'à suivre la chienne. Elle sait ce qu'elle fait.

– Le fugitif est encore en vue, nous crie Taylor. Dans le champ de coton, là. Amenez vos chiens par ici. »

La mienne me tire vers le morceau de tissu que Taylor tient dans la main. Elle y enfouit sa truffe, le flaire, grogne, puis elle relève son museau et laisse retentir sa sirène personnelle. « Allez, Martin, suis-la », me dit Taylor. Les deux autres sont auprès du haillon, où leurs chiens fourrent le museau, et déjà je pars, mes pieds me mènent en avant, la grande bête accrochée à mes hanches m'entraîne avec une force que je n'ai encore jamais rencontrée. C'est une charrue, un bœuf, un moteur, qui se met en marche, tourne, et nous tire en avant. Je voudrais avoir des rênes attachées à sa gueule pour pouvoir la retenir.

La chienne baisse la truffe vers le sol mais ne ralentit pas pour autant, tous ses mouvements se joignent dans un même élan. J'entends les autres derrière moi, le martèlement des sabots d'un cheval, puis Taylor apparaît, bien haut sur la selle de son grand bai. Il ressemble à celui de Marie, autrefois, lorsqu'ils étaient jeunes tous les deux. Quand je suis parti pour la prison de Kilby, la jument broutait l'herbe autour de la ferme comme une grosse chienne paresseuse, son échine ployait au niveau de la croupe, cuvette profonde qui ne pouvait plus supporter le poids d'une personne. Je me demande si elle est encore en vie.

La chienne me conduit dans le champ de coton et là, on ralentit. Difficile de se frayer un chemin parmi les plants. Au moment de la récolte, le coton est déjà déshydraté, et les tiges sont dures, acérées. Taylor passe devant. Sa Winchester sur les cuisses. J'entends toujours les cris des autres gars et des chiens derrière nous.

« Là ! » s'exclame Taylor, et j'aperçois le fuyard, sa chemise largement déchirée qui a fourni le lambeau donné aux chiens, erreur fatale quand on veut s'évader. Il est toujours au milieu du coton, son dos luit parmi les plantes.

Un des gardes du champ le poursuit, ensuite viennent Taylor et son cheval, puis la chienne et moi, et les autres.

« Eh, toi ! lui crie Taylor. Arrête-toi ! »

L'homme ne ralentit pas. Dans un instant, il atteindra le bois, j'ignore ce que cela signifie pour moi, s'il me faudra le suivre. Si cette grande bête puissante continue à ce train d'enfer, mon corps lâchera, telle une ancre traînée à travers le sous-bois, ma peau et mes vêtements se déchirant contre le sol et les buissons.

Taylor immobilise son cheval juste devant nous et met pied à terre.

« Arrête-moi ce chien ! » me crie-t-il. Je sens mes talons s'enfoncer et je m'accroupis en arrière, descendant jusqu'à terre parmi le coton. La chienne agite la tête, et laisse échapper le gémissement le plus triste du monde.

« Halte ! » hurle Taylor à l'homme qui court.

Les autres gars et leur chien arrivent auprès de moi. Ils m'aident à me relever.

« Assis, dit Jones aux bêtes. Pas bouger. » Les trois chiens s'exécutent, le museau toujours pointé vers Taylor.

Devant nous, il dirige son fusil vers le ciel. Appuie sur la détente, et la balle se perd. « Un coup de semonce, en général, ça suffit à arrêter la plupart des fuyards, murmure Jones. Disons, neufs sur dix. »

Mais l'homme ne s'arrête pas, même si le coton ralentit sa progression. Il continue, en haillons, il boite, et puis… il tombe. Je vois les plants l'avaler.

« Vous voulez qu'on le poursuive ? demande Jones.

– Bouge pas », lui répond Taylor comme si c'était un de ses chiens.

Taylor avance, le visage tendu vers l'endroit où le fugitif a disparu. J'imagine qu'il continue, se fraie un chemin vers les bois sous couvert du coton, jouant des coudes entre les lignes des plants.

Comment Taylor peut-il se mouvoir aussi vite, je n'en sais rien. Il est déjà à plusieurs mètres. Le gardien dans le champ s'est déplacé pour sortir de sa ligne de mire. Alentour d'autres hommes travaillent, tous en uniforme rayé. En entendant le coup de feu, ils se sont redressés, leurs mains ont cessé la cueillette, leurs yeux suivent l'action. Ils soutiennent tous l'homme à terre. Je le vois. Ils lui font un tunnel, un passage secret, exactement là où il est tombé, un corridor menant à l'océan où l'attend un bateau. Je lui souhaite d'y arriver, moi aussi.

Mais il ressurgit, son corps déchiré s'élève au milieu du champ, criblé d'épines.

« Arrête-toi ! » lui crie Taylor une fois de plus. Il pointe son fusil. Je suis assez près pour l'entendre dire : « Très bien. Je vais tirer. »

Comment est-ce possible que la détonation d'un coup de feu à hauteur d'homme soit tellement plus assourdissante que quand on tire vers le ciel ? Jamais je n'ai entendu pareille déflagration.

Le fugitif s'écroule, Taylor regarde autour de lui. Le choc se lit sur son visage, la peur. Il est en sueur, blême, et il hurle aux hommes dans le champ : « Continuez à travailler ! »

À moi et aux deux autres, il dit : « Vaudrait mieux amener les chiens jusque là-bas, au cas où il est pas tombé où je crois. »

L'autre gardien est déjà sur place, il marque l'endroit, et Taylor marmonne pour lui-même tout en marchant. Ma chienne est tranquille, mais elle tire toujours sur sa laisse. On arrive au niveau de Taylor et je l'entends compter : « Neuf. » Puis : « Dix, onze. » Il compte ses pas.

Il arrive à dix-neuf. Il a tiré à dix-neuf pas.

Ma chienne aboie lorsqu'elle voit l'homme à terre, qui se couvre le visage. « Lâchez pas ce chien sur moi. Je bouge plus. Je vous en prie, lâchez pas les chiens après moi. »

Je retiens l'animal, et Taylor lui ordonne de s'asseoir.

Le fugitif a le flanc déchiré, et lorsqu'il retire ses mains, c'est à peine si je le reconnais sous le masque de la douleur. Il s'appelle Jennings. On se livre à de petits trafics tous les deux – je lui passe du lait de la laiterie en échange de cigarettes. Il s'agit là encore d'un vol, je le sais, et j'ai déjà suffisamment volé, mais fumer est l'une de mes seules consolations ici, l'une de mes ultimes habitudes d'antan.

« Mieux vaudrait l'emmener à l'hôpital, dit Taylor au gardien. Rassemble des hommes. Ils peuvent faire un brancard avec leurs sacs. Allez-y, il perd son sang. »

Les détenus apparaissent autour de nous, émergent du coton comme s'ils avaient toujours été là. Un grand type avec une seule dent – une incisive – glisse son sac sous la tête et les épaules de Jennings. Il attrape une extrémité, et un petit gars prend la seconde. Deux autres lui saisissent la taille, et deux autres encore les pieds. Ils le soulèvent, et de sa bouche sortent des gargouillis noirs qui proviennent directement de ses entrailles, comme le sang qui imbibe le sac à sa taille et éclabousse les plants. Rutilant sur le coton, sombre sur les tiges, le sol. Les plants sont écrasés sur toute une zone, piétinées en un cercle presque parfait.

« Ramenez les chiens », nous dit Taylor en repartant.

Nous regardons les hommes qui emportent Jennings. Ils se dirigent vers une allée plus large, pour avancer facilement. Le champ est plongé dans un désordre immobile, les gardes occupés à discuter à mi-voix, les détenus en groupe. Si jamais un gars du chenil voulait fuir, ce serait le moment. On pourrait pousser nos bêtes vers les bois pour suivre une piste qu'on a préparée, s'enfoncer dans les fourrés avant que quiconque s'aperçoive qu'on n'a pas pris le bon chemin. Ensuite, on pourrait se séparer et partir chacun dans une direction, moi avec ma chienne attachée à la taille, on traverserait les ruisseaux, on effleurerait Montgomery, on traverserait les rivières et les lacs à la nage, jusqu'à ce qu'on arrive sur les terres de Marie. Je remonterai l'allée avec la chienne, on serait tous les deux fatigués d'avoir chassé – « Le lapin, dirais-je à ma femme et mon fils. On est allés chasser le lapin. »

« Qu'est-ce que tu fous encore là, toi ? »

Je ne connais pas le gardien qui braque son fusil sur moi, mais il se rapproche. Il me fait signe d'avancer avec son canon. « Taylor t'a dit de rentrer ce chien, crie-t-il. Alors vas-y !

– Oui, monsieur », je réponds, et j'entraîne la chienne vers le chenil, mes camarades sont devant moi. Quand je les rattrape, ils sont silencieux.

« Ramène la chienne à l'enclos, et tu pourras te détacher », me dit Jones.

Je n'ai pas envie d'entrer dans le chenil, avec cette meute de chiens qui poussent en avant, mais je réussis quand même à me faufiler par la barrière qui ploie. « Quel enfer », poursuit Jones. Il me dévisage quand je relève les yeux. « Quel enfer.

– Ouais », je lui réponds. C'est vrai que ça ressemble à l'enfer, cette scène avec les chiens et les sirènes, le champ de coton et les hommes en tenue de bagnards, les coups de feu et le sang.

« C'est pas ça, ce boulot. J'ai jamais vu ça avant. Jamais vu Taylor tirer sur un gars.

– Nan, confirme Jackson. C'est une première pour moi aussi, et je m'occupe de ces chiens depuis que Taylor a eu l'idée de sa maudite meute. »

Je détache ma chienne au milieu de la horde des corps – gueules et queues se poussent les unes contre les autres. Les bêtes ne s'intéressent pas à moi, elles se pressent autour de celle que je viens de ramener, venant aux nouvelles. *Comment c'était, la chasse ?* Je les entends le lui demander du regard. *Tu l'as eu ?*

Taylor est resté avec Jennings, les autres gardes sont de retour à leur poste. Nous sommes trois détenus seuls ici parmi les chiens, et fuir à mon tour me démange à nouveau, je sens l'idée prendre possession de mes épaules, me secouer, pour que je me tienne droit et prêt.

« Y a plus aucun gardien, je m'aventure à dire.

– Tu penses à te faire la malle ? demande Jones en riant. Tu crois que c'est le moment ?

– Bonne chance, ajoute Jackson en riant lui aussi.

– Pourquoi ? dis-je.

– Tu trouveras pas mieux qu'ici, m'explique Jones. On te met à t'occuper des chiens, après, tu peux espérer devenir superviseur, être libéré plus tôt, passer du temps hors de ces murs. Mais si tu essaies de fuir ? Si tu trahis leur confiance, tu te retrouves tout en bas de l'échelle. Et tu grimpes plus nulle part, et par l'enfer, t'auras jamais ta liberté conditionnelle.

« – Pour sûr », renchérit Jackson.

Je sais ce que Marie me conseillerait dans pareille situation. « Patience, Roscoe. Accomplis ta besogne. La récompense viendra plus tard. »

Mais j'ai vu de mes yeux un homme se faire tirer dessus, lui répondrais-je. *Je suis électricien. Ma place n'est pas ici.*

« Le mieux pour toi, c'est de retourner à l'intérieur, reprend Jones. Repasse de l'autre côté du mur, et attends d'avoir des nouvelles de Taylor. » Il me lance un regard honnête d'égal à égal. « Ils sont bien, ces chiens. Et suivre ta trace sera un jeu d'enfant pour eux, en partant d'ici. »

L'image des chiens lancés à mes trousses fait fondre tout désir d'évasion – moi, dans le rôle du fugitif, eux, à ma poursuite, attachés à leur chien. J'entends les cris des hommes, les jappements des bêtes derrière moi, leurs pattes rapides, leur souffle bruyant. Ils inspirent chaque parcelle de mon odeur, minuscules grains de poussière qui allument le feu dans leur cervelle. *Suis-le*, s'écrient ces grains. *Cherche.*

Je ne veux pas être pourchassé.

Alors je quitte le chenil, je laisse Jones et Jackson avec les chiens. Je reviens vers le gardien devant le portail, qui me pointait son fusil entre les omoplates tout à l'heure, et je détourne les yeux de son sourire suffisant. Beau déverrouille la porte côté intérieur, et me fait entrer en me poussant de son canon.

« Retourne à la laiterie. T'as pas ta place dehors, toute façon.

– J'y vais, monsieur », je réponds, heureux que le portail se referme derrière moi. Je préfère le calme tiède et fétide de l'étable à ce que j'ai vu aujourd'hui. J'imagine comme Marie rirait de l'ironie des choses : moi, heureux de rentrer à l'étable.

Jennings quitte l'infirmerie le lendemain matin.

« C'était pas si terrible, nous dit-il dans la cour. Ils ont retiré tout le plomb. » Dans sa voix résonne un accent triomphal qui jure avec ses yeux injectés de sang, son pas traînant, la manière dont sa main ne cesse de se poser sur son côté, d'appuyer. Le jour suivant, il est courbé, et jamais plus il ne se redressera, puis il se met à transpirer, son visage est gris, mangé d'ombre.

Il vient me voir dans la cour, il veut que je lui raconte à nouveau toute l'histoire. « Ça fait quoi, Ross, de voir quelqu'un descendu comme ça ? Comment je suis tombé ? J'arrive pas à voir. Ça va trop vite pour moi.

– Je sais pas. Tu es tombé en avant.

– Et qu'est-ce qu'il a fait, ce vieux Taylor ?

– Il est venu vers toi.

– Ce salopard, il a compté les pas, pas vrai ? »

J'ai acquiescé.

« Dix-neuf », a ajouté Jennings. Tout le monde le connaît, ce chiffre, maintenant, il a fusé à travers les champs et les cellules comme un secret qu'on aurait mis des années à deviner – assez loin pour rater son coup et que le tir se perde dans le coton, mais assez près pour déchirer le flanc d'un fugitif s'il visait bien. *Dix-neuf*. On murmure ce nombre telle une malédiction.

Jennings transpire beaucoup trop. Des gouttes de sueur se forment sur ses lèvres, son front.

« Tu te sens bien ? je lui demande.

– J'ai un peu chaud, à vrai dire. Je crois bien que j'ai la fièvre. » Il appuie à nouveau sur son côté, essaie de se redresser. Mais son dos bloque, il reste courbé, tombe à genoux. Un gardien s'approche.

« Qu'est-ce qui se passe ? »

Jennings ne répond pas.

« Je crois qu'il faudrait l'amener à l'infirmerie, dis-je.

– C'est ce crétin qui s'est fait descendre ?

– Oui, monsieur. »

Le gardien éclate de rire. « Eh, Chevrotine. Debout. On va t'emmener à l'infirmerie. » Jennings ne bouge pas et le gardien le relève en le soulevant par les bras. « Mais putain, à quoi tu t'attendais ? »

La chapelle est juste après l'hôpital et je sais qu'ils vont appeler le chapelain pour qu'il s'occupe de l'âme de Jennings une fois dans son lit. Il est là pour avoir enfreint la loi sur l'alcool. Il ne peut pas lui rester plus d'un an ou deux à tirer. Et c'est un être brisé qui suit le gardien, ce n'est plus l'homme qui me vendait des cigarettes, ni même celui qui fuyait dans le champ il y a seulement deux jours. On change si vite, ici.

Taylor vient me chercher à l'étable le lendemain et m'ordonne de retourner au portail est.

« Nom de dieu », s'exclame Beau.

Il me pousse par la porte, et le gardien de l'autre côté m'escorte jusqu'au chenil, fusil pointé vers le sol.

« Tu as entendu parler de Jennings ? » me demande Taylor dès que j'arrive à sa hauteur. Sans reprendre son souffle, il ordonne au gardien : « Va-t'en, toi.

– J'étais avec lui quand il est retourné à l'infirmerie.

– Il est mort ce matin. Empoisonnement du sang. Ce crétin de docteur n'a pas retiré tout le plomb. La radio a montré qu'il avait un morceau logé dans le rein. On n'y pouvait rien. »

J'ai vu un homme se faire tuer à dix-neuf pas.

« Une mort pareille, ça n'a aucun sens, Martin », poursuit Taylor, et je ne sais s'il est vraiment touché par cette disparition, ou s'il s'agit seulement d'un prisonnier perdu pour lui, un homme qui a eu une sorte de libération anticipée. « Aucun sens », répète-t-il en secouant la tête.

J'entends la voix de Marie dans le frottement des corps des chiens. « Tu en sais long sur les morts qui n'ont aucun sens, n'est-ce pas, mon chéri ? »

Taylor et Marie ont tort de croire que le sens des choses est un instrument de mesure. Là où il y a du sens, il y a de la logique, et la logique suit des principes, comme l'électricité qu'on produit avec de l'eau et qu'on achemine à travers des fils. Si on dirige le courant quelque part, il suivra sa course jusqu'à ce qu'il frappe quelque chose. Ça, ça a du sens.

« Alors Martin, comment tu le sens, ce boulot ? dit Taylor en se détournant des chiens pour me regarder. Ça te convient ?

— Avec tout le respect que je vous dois, monsieur, je n'en suis pas sûr. »

Il sourit presque. « Tu te trompes, Martin, mais bon, tes débuts ont été rudes, je te l'accorde. Tu peux rester encore un moment à l'étable.

— Merci, monsieur.

— Je ne fais pas ça pour toi, Martin. Mais je ne peux pas envoyer ici un gars qui n'est pas prêt. La prochaine fois, t'as intérêt à l'être.

— Oui, monsieur.

— Allez, va donc. »

Je jette un dernier coup d'œil à la meute, aux chiens roux, noirs, qui ont besoin de soins, tellement différents des vaches laitières à l'étable.

« Va donc », répète Taylor.

Je pourrais m'évader tout de suite, en prenant par le champ de maïs plutôt que par le champ de coton, me frayer un chemin à travers les tiges, jusqu'aux bois. Et ça se répète sans cesse. Je cours. Je fuis. Je retourne auprès de ma femme et de mon fils.

Je ne sais même pas s'ils sont encore là.

CHAPITRE 3

Pour les boîtiers des transformateurs, Roscoe utilisa des cylindres en métal galvanisé, mais il lui fallut se rendre à Rockford pour trouver du fil de cuivre. Le magasin local s'appelait Chez Bean, la famille de Marie s'y approvisionnait depuis qu'Edgar Bean l'avait fondé, et il y avait toujours un compte ouvert chez lui, même s'il n'y avait plus d'argent pour payer.

Roscoe prit la charrette et la mule. Il laissa Wilson à la ferme, il ne voulait pas le mêler à une action malhonnête.

Quand il entra, Bean s'écria : « Roscoe Martin ! Qu'est-ce qui t'amène ici ?

– J'ai enfin un travail d'électricien.

– Ah, toi et ton électricité fantaisie. »

Comme le père de Marie, Bean préférait les flammes aux ampoules. Ils avaient tous les deux juré que jamais ils ne laisseraient leur canton tomber dans les griffes de l'électricité, et que si jamais cela se produisait, alors, merde, eux au moins résisteraient. « Tu ne verras jamais une lampe branchée par un fil ici, dans cette boutique », avait un jour dit Bean à Roscoe. « Le feu doit être libre, dans un endroit où on peut le surveiller.

Pas enfermé dans des câbles. » Le père de Marie avait accepté quelques concessions puisque son gendre était du métier. « Jamais dans ma bibliothèque. Qu'on installe l'électricité dans la maison un jour, c'est une chose. Mais pas dans ma bibliothèque. Je veux savoir ce qu'il y a auprès de mes livres.

– Elle est emprisonnée, avait tenté d'expliquer Roscoe à Bean comme au père de Marie. Toute cette puissance est emmagasinée dans des câbles, eux-mêmes protégés par des gaines de caoutchouc. Vous n'avez rien à craindre. En fait, c'est même plus sûr que le feu. Quand on casse une ampoule, la lumière s'éteint. Par contre, si on casse une lampe à pétrole, on risque de voir sa maison partir en fumée.

– Non, non, fils », lui répliquaient-ils, et Roscoe d'argumenter jusqu'à ce que Marie pose la main sur son bras, ou que quelqu'un oriente la conversation dans d'autres directions.

Roscoe ne comprenait pas leur méfiance, leur hésitation. Il n'avait jamais éprouvé que de la fascination pour ce mystère, le désir d'en savoir plus. La première fois où il avait vu des réverbères électriques à Birmingham, il avait cru à de la magie : un phénomène échappé des contes de fées qu'il racontait naguère à sa sœur. Ces bulbes étincelants appartenaient à des princes capables de se changer en crapauds puis de reprendre leur forme grâce à un baiser. Ils venaient du même univers que les animaux doués de parole, les créatures sans ailes capables de voler, plutôt que du monde de son père, constitué de charbon et de tunnels, de richesses gagnées sur le dos brisé des mineurs et des familles en deuil. Et puis il avait découvert Faraday, et la science l'avait emporté sur la magie – de longues expériences qu'il lui avait fallu des mois, voire des années pour comprendre – et tout ça alors qu'il travaillait au côté de son père à la mine, et que la flamme des bougies éclairait les pages des livres auxquels il retournait dès qu'il le pouvait, objets de confiance et d'estime. L'électricité l'affranchissait du destin de son père.

Il l'avait raconté à son beau-père, et le vieil homme l'avait écouté, ses yeux pâles exprimant un intérêt sincère.

« On trouve tous notre salut, fils. Tu as ton électricité, j'ai ma ferme, et nous partageons mon adorable fille et un wagon de livres. Nous avons en commun plus qu'il n'y paraît. Reste auprès de tes câbles, je m'en tiendrai à ma ferme, et nous nous retrouverons à la table du souper pour discuter de nos lectures. »

Le père de Marie était un homme bon. Bean aussi. Lui mentir au sujet de ce projet, c'était comme mentir au père de Marie, ça ne plaisait pas à Roscoe. Ils seraient fiers de lui un jour, il dissiperait leurs craintes et prouverait le bien-fondé de l'opération. Ça valait le coup de mentir pour ça.

« J'ai besoin de fil de cuivre, dit-il à Bean. Les travaux sont à mi-chemin entre le barrage et notre ferme, et ils m'ont demandé de me procurer les matériaux pour notre raccordement. C'est une première, pour sûr. D'habitude ils fournissent tout, mais on dirait que les lignes partent dans toutes les directions sauf vers chez nous. Quelle longueur vous avez, là ? »

Bean regarda des pages affichées sur le mur derrière lui. En souleva quelques-unes. « On dirait qu'il y a dix rouleaux dans la remise.

— Je prends tout. Mon contremaître vous apportera le chèque dès que possible, nous le garantissons avec nos avoirs.

— C'est une grosse quantité, Roscoe.

— Oui, monsieur. »

Bean gratta sa barbe poivre et sel, ses yeux chassieux dévisageaient Roscoe, à croire qu'une réponse se trouvait écrite quelque part, un signe de garantie sur ses lèvres ou ses mâchoires.

« Si tu n'arrives pas à rembourser, je serai obligé de récupérer mon argent quoi qu'il arrive. Je pourrais vous prendre vos terres.

– Oui, monsieur.

– C'est la terre de ton beau-père, fils.

– Oui, monsieur. »

Bean acquiesça, puis il griffonna quelque chose sur un morceau de papier. « Va derrière et donne ça aux gars. Ils t'aideront à tout charger dans la charrette.

– Merci, Bean.

– Cette histoire me rend nerveux, Roscoe.

– Ça ira, le rassura-t-il. Attendez de voir. »

Roscoe demanda à Wilson de souder le noyau de fer des transformateurs, épais anneau, d'environ trente centimètres de diamètre.

« Tout ce que tu voudras, répondit Wilson.

– Voilà. » Roscoe feuilleta les pages du registre qu'il conservait à présent. Il retrouva son plan de transformateur, conçu d'après ses connaissances des travaux de Faraday mais aussi de son expérience d'employé auprès d'Alabama Power. « Je vais enrouler les fils de cuivre autour de l'anneau. » Il tapota la page. « Le fer doux canalise le champ magnétique, donc le passage du courant dans le circuit primaire se transmettra à la bobine secondaire plus fine, de l'autre côté de l'anneau. Une partie de l'énergie sera transmise, et il nous restera dans l'enroulement secondaire environ la moitié du voltage d'origine. On branchera ces câbles à l'anneau suivant, qui enverra dans la bobine secondaire encore moins de puissance, et on répétera l'opération encore une fois, et quand il aura franchi les trois anneaux, on aura un courant à peu près au voltage voulu. Je vais faire en sorte qu'il soit un peu plus puissant pour franchir la distance entre la route et la ferme. Si on le diminue trop, vu qu'on risque d'en perdre une partie sur le trajet, à l'arrivée il sera trop faible. Je vais rajouter un transformateur plus près pour le ramener à 220 volts.

– Tu parles une autre langue, mon ami.

– Mais non, insista Roscoe comme naguère auprès de Bean et du père de Marie. C'est pareil qu'avec ces automates à ressort qu'on remonte. Comme en ont les gosses. Tu leur injectes de la force, mais la leur est plus faible. La force de ta main reste la même, mais le mécanisme à l'intérieur est plus lent. Tu as seulement changé la taille du ressort. »

Wilson inclina la tête. « Pourquoi c'est tellement important pour toi que je comprenne ?

– Tu n'en as pas envie ? »

Wilson sourit de ce lent sourire plein d'aisance qu'il arborait en toute circonstance. « Je réfléchis à beaucoup de choses, Ross. Tu m'as vu à l'œuvre : les récoltes de cette terre, les différents stades de croissance des plantes, tout ce que je pourrais faire pour les rendre plus solides, plus abondantes. La musique aussi m'intéresse. Et même la cuisine de Moa, parfois, avec ses levures et ses arômes. Mais ça… » Il tapota le dessin. « Ce n'est pas pour moi. J'ai accepté de t'aider parce que c'est bon pour la ferme, mais je n'ai pas envie d'être ton élève. »

Roscoe lui tapa dans le dos, heureux de sa franchise. « Je t'entends, je n'arrêterai pas pour autant les leçons.

– Tu aimes hurler à l'oreille d'un sourd. C'est ton problème. »

Ils éclatèrent de rire tous les deux et Roscoe lui sut gré de cette camaraderie. Il travaillait seul depuis que Marie leur avait fait quitter le village, et l'émulation, la discipline du groupe lui manquaient. Il appréciait Wilson depuis leur première rencontre – l'homme lui-même, mais aussi ce que Marie lui en avait dit – pourtant c'est seulement à la faveur de cet ouvrage qu'il sentit entre eux l'amitié, la loyauté, la vie partagée. Il voyait désormais leurs familles grandir dans le confort et la sécurité tandis que Wilson et lui entretenaient les terres, les câbles, il voyait leurs femmes et leurs enfants heureux, de grands repas, un quotidien agréable. Peut-être qu'avec Wilson ils pourraient même monter une petite affaire pour installer des transformateurs dans d'autres fermes, mariage de leur savoir-faire.

Il laissa Wilson poursuivre avec les soudures et reprit le chemin que suivraient les fils.

Les anneaux fin prêts, Roscoe commença à fabriquer les bobines. Wilson venait par intervalles voir où il en était, et Roscoe essayait à nouveau de lui expliquer en tenant un anneau à la main. « Tu vois ? Le voltage va faire des tours. »

Wilson secouait la tête. « Quand est-ce qu'on plante les poteaux ? Je suis prêt à passer aux choses sérieuses, moi.

– Bientôt », répondait Roscoe, mais il fallut encore du temps pour terminer les transformateurs. Un bon mois s'était écoulé quand il se sentit assez sûr de lui pour les mettre à l'épreuve.

Ensemble, ils élevèrent leur premier poteau à neuf mètres de la ligne officielle. Puis ils apportèrent des brouettes remplies d'outils ; les trois transformateurs étaient méconnaissables dans leur coffrage galvanisé, les anneaux et les bobines cachés à l'intérieur, avec les leviers pour allumer et éteindre. Pour l'instant, ils étaient en position éteinte, et resteraient ainsi jusqu'à ce que Roscoe raccorde le premier à la ligne électrique, puis aux deux autres.

Wilson aida Roscoe à installer les transformateurs sur le poteau en les disposant à distance égale, le premier à trois mètres du sol. Roscoe attacha le premier câble menant à la maison et à l'atelier.

« Tu as l'air tout à fait à l'aise, dit-il à Wilson.

– C'est seulement parce qu'on n'est pas encore raccordés. Quand tu auras connecté tout ça à la ligne, tu verras comme je prendrai mes jambes à mon cou.

– Bien sûr que non. » Roscoe savait que Wilson jouait la comédie. Il l'avait vu absorber les informations qu'il lui avait fournies. Il l'avait même surpris un jour qui enroulait le fil de cuivre autour de l'anneau de fer doux. « C'est pour pas perdre de temps », avait alors expliqué Wilson.

Roscoe lui avait montré un anneau et des bobines achevées, fait observer les différences sur les côtés, puis il avait laissé Wilson achever ce qu'il avait commencé.

Se relier à une ligne de 10 000 volts était dangereux, aussi Roscoe et Wilson devaient-ils couper temporairement le courant. Roscoe avait déjà choisi le pin qu'ils abattraient à trois kilomètres en direction du barrage, juste après le croisement, pour qu'il soit facile à localiser – il ne voulait pas que les ouvriers battent la campagne à la recherche de la panne. Les fortes averses des dernières semaines rendaient crédible le scénario que Roscoe avait échafaudé : un vieil arbre déraciné par les pluies, prêt à tomber.

Ils laissèrent leur matériel auprès des transformateurs et se rendirent à cheval jusqu'à l'arbre en question. « Même quand il sera à terre, on n'aura pas beaucoup de temps, dit Roscoe. Ils viendront réparer le plus vite possible.

– Donc une fois l'arbre tombé, faut qu'on fonce.

– Exactement. »

Wilson avait déjà passé quelques jours sur les lieux et l'arbre vacillait sous les coups de hache qu'ils donnaient dans ses racines et dans le sol. Ils attachèrent leurs chevaux à de longues chaînes enroulées autour du tronc et les poussèrent en avant. Le pin céda facilement et s'écrasa sur les lignes électriques dans une gerbe d'étincelles et de branches cassées qui firent détaler au grand galop les chevaux remplis d'effroi.

Roscoe et Wilson retirèrent les chaînes, sautèrent en selle et repartirent à vive allure. Ils filèrent dans l'allée dégagée pour les poteaux électriques, et Roscoe se mit à hurler comme un gamin partant à l'aventure avec son copain Wilson.

De retour sur leurs terres, ils laissèrent leurs montures à la barrière et placèrent l'échelle contre le poteau de la compagnie Alabama Power. Roscoe attacha autour de sa taille sa ceinture d'outils. Il enroula le nouveau câble autour de son épaule, prit un bâton et grimpa de nouveau à l'échelle, jusqu'aux câbles. « Si on a raté notre coup, ça va faire des étincelles, cria-t-il à Wilson. Tiens-toi à l'écart. » Des attaches maintenaient ensemble les câbles. Il devait mettre en contact les lignes – des courants différents parcouraient ces câbles. Si rien ne se passait, cela signifierait que le courant était coupé. Dans le cas contraire, Roscoe serait projeté au bas de l'échelle par le choc. Il hésitait, connaissant les risques.

« Ross, l'appela Wilson d'en bas. C'est ton boulot. »

Ross acquiesça. Compagnie, camaraderie, objectif commun. Oui, c'était son boulot. Il était dans son élément, tout à ce qu'il connaissait, il était chez lui.

Puis il sentit que tout s'arrêtait – le vent, les oiseaux, les trains sur leurs rails, les poissons dans l'étang. Même la grande turbine là-bas, à Lock 12, cessa de tourner, l'eau se figea, la centrale stoppa net. Il n'y avait plus de courant.

« C'est bon ? demanda Wilson.

– C'est bon. »

À présent, il pouvait se mettre à l'œuvre.

Avec soin, il retira l'enveloppe de caoutchouc qui enserrait les fils, les dénudant. Il s'agissait tout simplement de les nouer ensemble. Les câbles de cuivre de la nouvelle ligne étaient prêts. Il y avait un mois qu'il y travaillait, et il y avait passé des années avant ça.

Quand la nouvelle ligne fut rattachée, il découpa une autre entaille dans la gaine et la replaça sur le câble découplé.

C'était fait.

« Il leur faut combien de temps pour dégager l'arbre ? s'enquit Wilson.

– Ça peut-être dans l'heure, en tout cas pas plus tard qu'en fin de soirée. On reviendra les tester. »

Roscoe n'était pas patient, mais cette longue après-midi qui s'étendait devant lui ne le gênait pas, avec à son terme l'arrivée de l'électricité. Il fut heureux d'ôter la selle des chevaux, de les brosser, de pomper de l'eau pour qu'ils s'abreuvent dans leur auge. Il retrouva Gerald derrière la maison, occupé à attraper des fourmis, les enfournant dans un bocal avec de la terre pour étudier leurs habitudes, et Roscoe s'agenouilla à côté de lui et l'aida à saisir les minuscules créatures quand elles sortaient de leur trou. Gerald était assez malin pour choisir les petites noires qui ne piquaient pas. Il ne demanda pas à son père de s'en aller, et Roscoe y vit là un encouragement. Au crépuscule, il retrouva Wilson là où le chemin se divisait, et ils retournèrent jusqu'aux transformateurs. Roscoe avait fabriqué un petit moteur électrique, simple cercle en fils de cuivre, attachés ensemble avec du caoutchouc et monté sur une tige de fer par-dessus un aimant. Le courant serait sans doute trop fort, mais s'il arrivait, ils le verraient.

Il connecta les derniers câbles – un ensemble plus mince – au dernier transformateur. Puis il le relia à son petit moteur.

« Il est temps de mettre en marche », dit-il à Wilson.

Ils appuyèrent l'échelle contre leur poteau, Roscoe grimpa jusqu'aux transformateurs et releva les trois interrupteurs. Puis il bondit à terre encouragé par les cris de Wilson.

Le cercle de cuivre était une preuve étincelante, brûlante, que ça fonctionnait. Ils le regardèrent, comme envoûtés par sa beauté, sa magie, jusqu'à ce que la base de bois du moteur prenne feu, alors sous les encouragements de Wilson, Roscoe détacha les câbles. Ils écrasèrent les petites flammes, puis se serrèrent la main dans les volutes de fumée.

Construire le moteur électrique de la batteuse présenta quelques difficultés, mais ce n'était rien en comparaison de l'installation initiale des câbles et de la pose de la ligne. Roscoe travaillait sans relâche, divisant son temps entre la batteuse et les poteaux. Il s'employait à insérer les fils dans les isolateurs en céramique qu'il avait rapportés du village – il avait des caisses d'isolateurs pas tout à fait conformes qu'on lui avait donnés pour rien. Marie ne voulait pas les emporter quand ils avaient déménagé à la ferme, mais il avait insisté et c'était l'un des rares combats qu'il ait gagné au cours de leur mariage. Les boîtes d'isolateurs les avaient donc suivis à la ferme, et à présent, ils servaient enfin.

Roscoe tirait les lignes le long de la barrière où il avait parlé de son projet à Wilson la première fois. Ils élevèrent de grands poteaux à travers les bois, dont l'un, juste au niveau de la fourche d'où partait le sentier menant chez Wilson et Moa – « Bientôt on va s'occuper d'amener le courant jusqu'à chez toi », promit Roscoe –, et ils maintinrent les fils en hauteur jusqu'au dernier poteau, entre la grange et la maison. Il fallait encore électrifier la maison, même si Gerald était le seul qui ait vraiment envie d'un tel luxe.

Marie les observait, manifestant un intérêt qu'elle n'avait plus montré depuis l'époque où il lui faisait la cour, au village. Elle vint voir Roscoe à l'atelier et le suivit jusqu'aux lignes électriques.

« Explique-moi encore comment marchent les transformateurs », et il la ramena vers ses croquis en disant : « Tu te souviens, tout démarre avec la double attraction », puis il expliqua à nouveau comment certains corps étaient doués d'une force extraordinaire cachée sous la surface. « Il faut réveiller cette force, la créer. Tu te souviens de l'expérience de Faraday avec la cire et la flanelle ?

— Non. Remontre-moi. »

Il était certain qu'elle se rappelait tout, mais ça ne le dérangeait pas de lui démontrer les bases de l'électricité une fois de plus. « On observe l'électricité depuis toujours, dans les chocs qu'on éprouve quand on est chargé en électricité, dit-il en empoignant un bâton de cire d'Espagne sur une étagère. » Il frotta la cire contre sa chemise de flanelle et l'approcha de la tête de Marie, qui se mit à rire en sentant ses cheveux se dresser pour s'y coller.

« Quand tu frottes la cire contre ta main, le phénomène disparaît, reprit-elle, ce qui fit sourire son mari.

— Donc tu écoutais mes explications, hein ? »

Il la revoyait au village, jeune, curieuse, enthousiaste, assise face à lui à table tandis qu'il parlait sans fin. Un jour elle lui avait dit que ces discours sur l'électricité étaient une sorte de poésie.

« On peut déclencher la force magnétique, puis l'arrêter. Faraday a mené les choses plus loin en trouvant le moyen de transférer cette force, comment la maîtriser et la déplacer.

— Grâce au cuivre.

— Et à d'autres matériaux. Mais c'est vrai, le cuivre est l'un des meilleurs conducteurs. C'est pour ça que je l'ai utilisé au cœur des transformateurs », et là, il lui dévoila leurs entrailles, le travail de soudure effectué par Wilson, ses bobines de fils.

Quand Marie n'était pas avec Roscoe, elle s'occupait de l'éducation de Gerald, lui enseignait la géographie et l'histoire, la lecture et l'écriture, l'arithmétique, les sciences. On les trouvait parfois devant la maison, qui étudiaient les fourmis, ou plus loin dans les champs, prenant note des récoltes. Marie enseignait à nouveau – tout ce temps passé avec un seul élève – et Roscoe voyait leur fils grandir à mesure de son éducation, passant du stade de garçon maussade à celui de jeune homme prêt à apprendre. Ils étaient tous dans leur rôle – électricien, maîtresse d'école, fils.

Parfois Roscoe craignait de voir Bean arriver pour réclamer l'argent des fils de cuivre. Il lui avait envoyé un petit chèque, pas assez pour payer le quart d'une des bobines, ainsi qu'un message lui promettant le reste pour bientôt. Bean lui avait retourné une facture détaillée, en déduisant le montant du chèque. Roscoe avait encore besoin de quelques mois. Alors, le maïs serait prêt pour la récolte, et une grosse somme d'argent serait économisée sur le dos des saisonniers qu'on n'embaucherait pas. Ils moissonneraient avec le tracteur et mettraient tout dans la batteuse. Ils seraient la première ferme du pays à proposer son maïs et l'argent tomberait. Roscoe le savait. Il rembourserait Bean, et sa famille connaîtrait la prospérité – les lampes éclaireraient le salon comme en plein jour, Gerald pourrait lire un de ses romans d'aventures, Marie étudier ses oiseaux, et Roscoe retournerait aux écrits de Faraday comme un religieux à sa bible. Peut-être à la lumière de ces ampoules, Gerald s'intéresserait-il à l'électricité, alors Roscoe aurait la chance d'être un père en expliquant à son fils une partie du monde.

CHAPITRE 4 – ROSCOE

On est serrés en cellule, mais ils ne manquent jamais de nous rappeler que Kilby est pourvu d'un système de ventilation de première classe. Les fenêtres occupent plus de place que les murs, et assurent la ventilation entre le haut et le bas. Le bâtiment qui abrite les prisonniers est pourvu en son milieu de grilles, le toit possède des pignons ouverts, où est nichée tout une rangée d'énormes ventilateurs, cylindres râblés qui ressemblent aux pneus couchés du fond de la cour. *C'est l'effet cheminée*, disent nos gardiens, et *profitez de la brise, les gars.*

L'été, ils rajoutent des ventilateurs sur pied qui rafraîchissent l'atmosphère du bâtiment, et même si les gardes souffrent eux aussi de la chaleur et de la puanteur, un de leurs jeux préférés consiste à nous les confisquer. Quand quelqu'un fauche une fourchette à la cantine, on passe une journée à suer sang et eau tant qu'elle n'a pas réapparu.

« Fourchette en vue », s'écrie soudain quelqu'un tout là-haut, et on entend l'ustensile qui dégringole sur les grilles de métal d'un étage à l'autre, tintant en chemin jusqu'au sol, puis des bruits de pas, le grincement d'une ceinture, d'un étui au moment où les gardes se baissent. La fourchette ensuite ricoche le long des barreaux des cellules les plus proches, et Beau ou Henry ou Stanley déclare : « Vous entendez ça, vous autre ? Joli bruit, hein ? Si on l'écoutait un peu plus longtemps ? »

Les ventilateurs sont bruyants.

Les tours de guet sont faites du même ciment que les murs, espèce d'agrégat de sable et de gravier extraits du sol sur lequel est bâti Kilby. Des tours marquent les quatre angles, solitaires, guère plus hautes que les murs eux-mêmes, avec des fentes pour fenêtres. Celle de l'entrée, c'est autre chose. Un hexagone avec une base de ciment et des flancs de brique, la partie supérieure se compose de belles fenêtres à carreaux. Le toit est en forme de tourelle, et le projecteur juché au sommet dans sa lanterne ressemble plus à un phare qu'à la lumière au bout du tunnel. Je la vois de ma cellule.

« Pourquoi est-ce que la tour de l'entrée ressemble à un phare ? ai-je demandé.

– T'as déjà vu un phare, toi ? m'a rétorqué le gardien ou contremaître. Retourne à ton boulot. »

Les chênes dans le bois de l'autre côté de la route sont des *quercus falcata*. Beaucoup d'entre eux ont été abattus pour construire le village des employés de la prison, qui se trouve au-delà de la carrière de gravier. Il y a là-bas une salle municipale et un hôtel pour loger les célibataires. Ça me rappelle notre village à Lock 12, en un peu plus sec puisqu'il n'y coule pas la rivière Coosa.

Le café est allongé avec les glands des chênes. Mieux que de badigeonner du goudron sur les murs, il y a le ramassage des glands. Très peu d'hommes se voient confier cette tâche. Seulement ceux qui purgent des peines courtes pour lesquels le risque d'évasion est faible. Ils sont repartis avant même de s'être fait des ennemis.

Aujourd'hui, c'est dimanche et je suis à l'église, assis à côté d'Ed. On partage notre cellule, Ed et moi, avec quatre autres gars, mais c'est la seule personne ici que je puisse qualifier d'ami. Ed Mason. Ébéniste de son métier, reconverti dans le cambriolage, il purge une peine de dix ans de prison pour vol avec effraction. Il est arrivé dix mois avant moi, juste après l'ouverture de Kilby, et ils l'ont assigné à la menuiserie où il fabrique des cadres pour photos, des paniers et des berceaux. La prison vend le produit de son travail, et ça me réconforte de penser à ces mères qui couchent leur nouveau-né dans les berceaux conçus par Ed.

Le directeur est venu le voir il y a quelques mois pour lui demander : « Tu crois que tu pourrais nous construire un modèle de chaise particulier, Ed ? Voilà les plans. » Le directeur les lui a tendus.

« C'est bien la chaise que je crois ? » a demandé Ed

« Et tu sais ce qu'il m'a répondu, m'a-t-il rapporté plus tard. Ce salopard m'a dit : "C'est pas pour toi, Mason." »

C'est la vérité. Rien de ce qu'Ed a commis ne peut le conduire sur la chaise, aussi, quand le directeur s'est montré prêt à lui accorder une permission d'un mois, il a accepté. Un mois, c'est long, et Ed vient de Londres. Comme les autres, il ne sait pas très bien comment il a échoué à Mobile, puis à Kilby. Il cherche à partir depuis son arrivée, et le directeur vient de lui en fournir le moyen.

La chapelle de la prison est toute simple, de même que celle où j'accompagnais parfois Marie et Gerald, et sans ces prisonniers autour de moi, j'aurais encore l'impression d'être là-bas. Les fenêtres sont hautes, en verre blanc, les bancs en pin brut, ainsi que la chaire et la croix.

Aujourd'hui le chapelain nous lit la Genèse. Comme souvent, il a choisi l'histoire de Joseph. En quoi Joseph est-il des nôtres, aucun de nous ne le sait.

Il ne parle pas de Jennings, bien que sa mort soit encore récente.

Comme je sais lire, le chapelain m'a nommé lecteur. À l'heure des repas, il poste un lecteur à chaque extrémité des longues tables de la cantine, avec une bible. On doit lire cinq minutes au début de chaque repas pendant que les hommes attendent sans toucher à leur assiette. C'est l'une des pires tâches qu'on m'ait confiée.

« Tu crois que le chapelain tire son coup ? » me murmure Ed.

Je secoue la tête.

« Mais il a le droit, lui ? »

J'acquiesce.

« Pas comme ces prêtres qui font vœux de chasteté toute leur vie. Faudrait vraiment que Dieu me promette monts et merveilles pour que j'accepte ça. » J'acquiesce à nouveau. « J'ai bientôt ma permission. Je vais me trouver une femme tout de suite.

— Élevez vos voix, mes frères », crie le chapelain. On se met debout pour le Notre Père, que les hommes autour de moi entonnent haut et fort. Ed cesse de murmurer.

« Comme si une femme pouvait avoir envie de toi, je lui réponds quand les voix se taisent. Nous demandons, au nom de Jésus.

— Je crache pas sur une bonne prière. »

Ed m'a prévenu qu'il n'a pas l'intention de revenir.

« Tu connais la date ? je lui demande.

— Nan. Faut d'abord qu'ils soient sûrs de plus avoir besoin de moi. Ils me donnent un mois, Ross. Un mois. Même Taylor et ses chiens ne pourraient pas suivre une piste aussi ancienne. »

Le désir de s'évader est très profond. Prenons Oscar, un gamin d'à peine dix-huit ans, condamné en premier lieu à quatre semaines de prison. Il a commis une bêtise, on ne sait pas quoi. Un gars a quitté notre cellule récemment, donc ils l'ont casé avec nous, Ed, moi et les autres.

« Ils ont suspendu ma sortie. Ils vont revenir avec un truc qui va me faire croupir ici pour toujours.

– Attends », qu'on lui a dit. Parfois ça peut déboucher sur une peine, mais pas forcément. Souvent, les nouvelles charges ne tiennent pas debout. Dans d'autres cas, ils refont tout le procès depuis le début pour te charger un maximum. Ça peut tourner dans un sens comme dans l'autre.

Comme il présentait peu de risques, ils ont envoyé Oscar à la ferme. Il s'est sauvé dès le premier jour. Les chiens sont revenus crevés, Taylor avait mal aux fesses à force d'être en selle. D'après ce qu'on raconte, Taylor donne toujours le maximum pour rattraper les fugitifs, qu'il s'agisse de meurtriers ou de vagabonds. L'évasion est une question d'orgueil, pas de sentence. Quand un type se barre avant la fin de sa peine, ça jette le discrédit sur son superviseur.

Six mois ont passé et on a oublié Oscar. Quelqu'un d'autre a pris sa place dans notre cellule. Idem pour son poste à la ferme. Quelqu'un de plus jeune. Et puis, un beau jour, il est revenu. Il est entré par la grande porte en disant : « Ils ne m'ont pas condamné à plus, alors je suis revenu faire mon temps. »

L'État ne prévoit rien pour sanctionner les évasions, rien d'officiel, Oscar a donc purgé sa peine – quelques semaines – et il est ressorti en homme libre.

« Pourquoi t'es revenu ? » lui a demandé Ed à la cantine.

Oscar était un drôle de gosse, avec de grosses dents et un grand front, des cheveux qui se dressaient sur la tête, et une ample tache de naissance qui allait de son cou, sous l'oreille, jusqu'à sa mâchoire. On le repérait tout de suite parmi la foule.

« T'as déjà essayé d'être un hors-la-loi ? »

J'ai ri, mais Ed a répondu : « J'y pense tous les jours. »

À l'église, Ed me dit : « Ils me donnent cette permission, et je me tire. » Autour de nous, les autres se lèvent, déjà fatigués par la tâche qui les attend. La chapelle est pleine car ça permet de faire une pause, de s'asseoir un moment. Une heure de repos peut transformer n'importe quel homme en croyant.

« Ta peine est trop longue pour qu'ils t'oublient », je dis à Ed. Je suis gêné de ce ressentiment que je sens dans ma voix, de l'envie que j'éprouve non seulement à l'égard de sa permission, mais aussi du travail qui la lui a procurée. S'ils venaient me demander de m'occuper du câblage électrique, je dirais oui tout de suite.

Mais ils ne m'ont rien demandé.

« Ça va aller, Ross », répond Ed. On se lève à notre tour. Il va retourner à la menuiserie, et moi à l'étable. « Tu seras libéré plus tôt pour bonne conduite. Je le sais. »

Je secoue la tête.

« C'est pas après nous qu'ils en ont. »

Mais là, il se trompe. On est exactement le genre de gars qu'il faut à Kilby. Les gardiens ne savent rien faire d'autre que crier, lever le fouet, mener les chiens. Ils ignorent tout du bois et de l'électricité. Ils n'ont aucune compétence. Ils ne sauraient même pas arracher une souche ou planter un rang de maïs. Ni remettre le courant dans les barbelés électrifiés qui s'élèvent en haut des murs, si jamais quelqu'un les sectionnait. Ils ne pourraient pas fabriquer la chaise d'Ed.

« Ils vont la peindre en jaune. Le jaune comme sur la grand-route. Il leur reste de la peinture. Je leur avais demandé de la laisser au naturel. Elle est en érable et en chêne. »

Il ne lui a fallu que six jours pour la fabriquer. Ed est un bon ébéniste. Je suis sûr que c'est une chaise d'enfer.

« T'as eu des nouvelles de ton copain dans les mines ? demande-t-il.

– Nan.

– De Marie ?

– Tu connais la réponse. » Ed est au courant du silence de Marie, et que je n'ai pas non plus de nouvelles de mon fils. Il sait aussi qu'en toute probabilité, Wilson a été vendu à Sloss, condamné à une vie de ténèbres sous terre.

Rayons de soleil obliques – lumière d'hiver. Il fait un peu froid, aussi tôt dans la journée. J'ai toujours préféré l'hiver à l'été, enfin, l'hiver version Alabama, c'est-à-dire doux et gorgé de soleil. J'ai toujours aussi préféré le matin, qui rachète les choix de la nuit ou du jour précédent. Les matins en prison sont d'une autre espèce cependant, mais je ne dirai pas qu'il est absolument affreux de traverser la cour poussiéreuse pour se rendre à l'étable où je vais me casser le dos à pelleter les stalles des vaches, où mes bras et mes jambes seront douloureux à force de transporter des seaux.

Ed prend la direction de l'atelier. « On se voit à la cantine. Tu crois que tu peux m'apporter un verre de lait ? »

Voilà l'objet de mon commerce : le bon lait crémeux des vaches de Kilby. Il est trop bien pour nous. On le met en bouteille pour le vendre à Montgomery et réaliser des bénéfices, mais en détourner un peu, ce n'est pas tellement différent de détourner de l'électricité. Quand il y a surplus, c'est toujours facile de siphonner.

Kilby échange son lait contre de l'argent, et moi contre des cigarettes et de la tranquillité. Les gardiens et les employés ne sont guère mieux nourris que nous, et quand je leur apporte du lait, c'est comme si c'était un dû. Seulement personne n'obtient une bouteille de lait de guerneseys s'il ne m'a pas grassement payé. Ce sont les meilleures vaches de l'État.

« On va se boire un verre de lait », je réponds à Ed, tout en rejoignant le groupe en route vers la laiterie.

Il y a différentes tâches à mener à l'étable, et on s'en acquitte tour à tour. Un jour, je nettoie les stalles, j'enlève les bouses dès qu'elles ont touché la paille. Sous l'œil vigilant de tant de gens, le lait ne peut souffrir de contamination – celui que nous commercialisons n'a connu ni terre ni bouse ni autre salissure.

D'autres jours, je m'occupe des veaux, je les prépare pour qu'ils soient vendus, je veille à leur sevrage, malgré leurs mères qui meuglent quand je les ramène au pré. Et puis il y a la traite. Il faut appliquer les coupelles sur le pis, puis relier les coupelles au couvercle du seau au moyen d'un tuyau, et maintenir le seau par des sangles qui passent sur le dos de la vache. Notre contremaître, Bondurant, est fier de ces seaux couverts. « Notre toute dernière invention, dit-il aux nouveaux. Le lait n'est jamais en contact avec une main humaine. Et le seul moment où il se retrouve à l'air libre, c'est quand on le verse dans les récipients de stockage. » Attacher le seau constitue une précaution supplémentaire. La vache ne peut pas donner un coup de sabot dans un seau suspendu, elle ne peut donc pas répandre le précieux liquide sur la terre durcie.

Autant je détestais les travaux de la ferme, autant je me suis accoutumé à la laiterie, à sa besogne, à son vacarme, au beuglement des veaux et des vaches, au doux grognement des pistons des trayeuses. Il y a des bruits de ratissage, l'espace recouvert de paille et de foin, les bottes dans la boue, sur la terre durcie, les hommes qui murmurent aux animaux : « Arrête de beugler comme ça. Tout va bien maintenant. T'as pourtant l'habitude, ma belle. Enlève ta queue de ma figure. » Bondurant traverse l'étable en lançant des ordres que nous connaissons déjà, et les gardiens passent la journée assis, les pieds juchés sur un ballot de paille. Jamais personne n'a tenté de s'évader. Peut-être qu'on reste à cause des bêtes.

Je pense à mon père, qui nous a toujours dit qu'on n'était pas des paysans. Qu'on possédait une maison respectable avec du terrain. Mon père établissait une distinction très claire. « Ce n'est pas une ferme. On a une maison respectable sur un bout de terrain.

– On n'est pas des fermiers », répétions-nous.

L'étable me fait penser à mes sœurs, qui étaient trois. Mais Marie ignore que j'ai eu trois sœurs. Elle sait seulement que je suis le grand frère de Catherine, la fille qui a exaucé le désir de notre père – épouser un mineur – et qui est restée avec lui en Alabama assez longtemps pour le voir mourir. Il n'a passé qu'un an auprès d'eux, mais ma mère a toujours dit que c'était beaucoup. « Enfin, il a un fils mineur, aimait-elle dire. C'était tout ce qu'il désirait avant de mourir. »

Mes deux autres sœurs sont mortes d'une pneumonie à la fin de l'école élémentaire, alors que notre père était absent pour son travail. Il était parti pour un mois et n'a rien vu de tout ça. Mes deux sœurs, celles du milieu, n'avaient que dix mois d'écart et elles partageaient tout, donc c'était pratique en quelque sorte qu'elles soient parties en même temps. Quand elles ont commencé à tousser très fort, ma mère nous a envoyés, Catherine et moi, vivre dans l'étable.

Il n'y avait ni vaches, ni cochons, ni moutons dans notre étable. Quelques poules dans un poulailler derrière le bâtiment, mais aucun animal à l'intérieur. On possédait des chevaux aussi, mais ils restaient dans le pré et les arbres leur servaient à s'abriter du soleil et de la pluie. Mon père tolérait ces animaux sur nos terres parce qu'ils étaient vraiment utiles et faciles à soigner.

« On a besoin de chevaux pour le transport, disait-il. Et un homme doit manger des œufs frais le matin.

– Oui, père. »

L'étable de mon père était négligée, poussiéreuse. Il y avait des années que mes sœurs et moi, on ne jouait plus là-bas, aussi, quand Catherine et moi on s'est retrouvés au milieu des stalles, avec le grenier au-dessus, on est partis dans des directions opposées pour en redécouvrir les recoins. J'ai trouvé dans le foin deux colombes mortes, sept souris et les restes de ce qui avait dû être un chat. Les colombes étaient mortes de fraîche date, elles commençaient juste à se décomposer. Quelques-unes des souris ressemblaient à des momies poudrées, d'autres avaient rendu l'âme plus récemment. Le chat en revanche n'était plus depuis fort longtemps, et il n'en subsistait que le crâne, les côtes et quelques touffes de poil.

J'ai entassé tous ces cadavres avec une fourche, et le bruit de mes pas, les raclements, ont fait grimper ma sœur au grenier. Elle s'est approchée de la pile où je jetais la dernière souris.

« Y en a d'autres en bas dans les stalles et là où on range les rênes et tout.

– On dort en haut, alors ? »

Elle a acquiescé. Elle devait avoir huit ans à l'époque, et moi j'allais en avoir treize. J'ignorais que mon enfance arrivait à sa fin, qu'un an plus tard je commencerais à travailler à la mine, et que j'accomplirais cette besogne jusqu'à ce que je n'en puisse plus.

J'imaginais la présence de notre père, une parcelle de lui demeurée en son absence. Je sentais son regard posé sur moi dans l'étable avec ma sœur, tandis que je rassemblais les corps de ces animaux. Il était toujours là quand je les ai balancés par la porte du grenier et qu'ils sont tombés en se brisant, s'éparpillant, poussière, plumes et os. Notre mère nous a apporté le nécessaire pour coucher là, et on s'est installés sur les planches rugueuses du grenier, en se serrant l'un contre l'autre, effrayés par les frottements, les ululements, les cris. Catherine a mal dormi la première nuit, mais le lendemain, je lui ai raconté des histoires, et elle a fini par s'assoupir au beau milieu. Je lui racontais des histoires que je connaissais déjà – *Jack et le haricot magique, Le renard et le chat* et plus tard *Cendrillon, Blanche-Neige* –, mais elle croyait que j'en étais l'auteur, et je ne l'ai pas détrompée. Qu'elle me prenne donc pour un des frères Grimm. Mon père flottait toujours alentour, juge de ma malhonnêteté, de mes histoires, de mon désir de réconforter une petite fille.

Elle est assez grande pour s'endormir toute seule, je l'entendais dire.

Et regarde-toi donc maintenant, se moque-t-il en me voyant ainsi dans l'étable de Kilby. *À enfiler les gobelets sur les pis de ces foutues vaches. Tu vois où ça t'a mené, ta maudite électricité ? Dans la bouse et la crème jusque-là, femme et enfant abandonnés, et la mort d'un homme sur les bras. Moi je te le dis, c'est clair comme de l'eau de roche.*

Ce n'est qu'une parcelle de lui, mais elle crie fort.

Ça aurait été indigne que tu travailles les terres de ta fichue bonne femme, mais là, à t'occuper d'une ferme d'État, tu vaux pas mieux que les nègres que j'envoyais au fond de la mine.

« Nom de Dieu, ferme-la. »

La vache tourne sa grosse tête pour me regarder en battant des cils. Ce sont de jolies vaches, luisantes, couleur de miel.

« Mais non, pas toi, dis-je en prenant soin de ne pas parler trop fort. C'est très bien ma jolie. Allez, on va attacher ces gobelets. Et voilà. »

J'ai continué à raconter des histoires à Catherine après la mort de nos deux sœurs, mais quand notre père est rentré, il est venu lui-même me sommer d'arrêter. « Tais-toi. On essaie de roupiller, nous, dans cette fichue baraque. »

Catherine avait pris l'habitude de venir dormir avec moi, elle se glissait dans mon lit une fois les parents assoupis. Mon père l'a trouvée là et il l'a arrachée de mon lit, l'a traînée jusque dans sa chambre, pleine de l'absence de nos deux sœurs avec qui elle la partageait.

« Vous êtes trop grands pour ça, tous les deux », s'est-il écrié.

J'ai attendu que la maisonnée se calme, puis je me suis faufilé dans le couloir et je suis allé m'agenouiller au chevet du lit de Catherine pour lui murmurer une fois encore l'histoire du chat qui savait grimper très haut dans l'arbre pour échapper au chasseur et à ses chiens, tandis que le renard aux mille ruses mourait entre leurs mains. C'était sa préférée parce que le chat s'en tirait tout seul.

Environ trois semaines après la disparition de nos sœurs, j'ai trouvé Catherine endormie en entrant dans sa chambre. La nuit suivante, il en était de même, alors je ne suis plus revenu.

Par la suite, nous n'avons évoqué l'épisode dans la grange qu'une seule fois. Lorsque j'ai rencontré le mari de Catherine, le jour de leur mariage. C'était un géant aux mains noircies de mineur.

« Heureux de faire ta connaissance, a-t-il dit en me serrant la main. Catherine m'a parlé de l'époque où vous avez couché dans la grange, tous les deux, quand vos sœurs sont tombées malades. Je te remercie d'avoir veillé sur elle. »

Catherine le tenait par le bras, elle était tout sourire. Ces jours dans la grange furent les derniers où nous avons partagé quelque chose. Elle ne comprenait pas plus que mes parents que j'aie abandonné la mine.

« Elle a veillé sur moi elle aussi, ai-je répondu à son mari.

— Mais comment voulais-tu que je veille sur toi, Roscoe ? J'étais une gamine ! » a-t-elle répliqué en riant.

Son mari aussi s'est mis à rire, ils ont pris cela comme une blague mettant fin à la conversation et se sont tournés vers les autres invités – des propriétaires et des contremaîtres de la mine, flanqués de femmes élégantes. Jamais on n'aurait pu deviner qu'ils étaient mineurs, ainsi propres et soignés. Seules les mains des hommes les trahissaient, et encore, rarement. Ceux-là avaient depuis longtemps quitté les galeries. Mon père était de l'autre côté de la pièce, avec ma mère. Quand je me suis approché, il est parti.

On naît avec quelque chose dans les veines, pour mon père, c'était le charbon, pour Marie, c'est la ferme, pour moi, un puissant courant électrique. Dans le cas de mon père, la nécessité l'y a poussé, je suppose ; chez mon beau-père, c'est venu de la terre ; et pour moi, c'est en découvrant les réverbères de Birmingham. La première fois que je les ai vus, je ne pouvais plus détacher mon regard de ces ampoules, la rue était illuminée par une force plus vaste que j'en avais jamais connue – plus grande que moi, que mon père, que toutes ses galeries.

« Je veux m'occuper de l'électricité, je me souviens lui avoir dit.

– Ces lumières brillent grâce au charbon, fils. »

Mais extraire la houille, ce n'était pas ça que j'avais en tête.

Quand j'ai quitté la mine, je suis retourné à Birmingham, et je suis allé voir un électricien du nom de Wheeler qui m'a pris comme apprenti. Ma mère ne répondait à mes lettres que de manière occasionnelle, et la voix de mon père en était absente. Ils sont morts depuis onze ans pour lui, six ans pour elle. Catherine n'écrit pas et je ne l'ai pas revue depuis son mariage.

Mes autres sœurs s'appelaient Anna et Margaret. C'est important pour moi de le préciser.

CHAPITRE 5

Les années passent vite en temps de prospérité. Elles se remplissent de grains de maïs, de sillons, de jeunes pousses, de nouveaux champs et de récoltes, de belles lampes en verre soufflé de Birmingham, de repas pris sous d'imposants lustres. Il y a toujours une autre pièce à raccorder (jamais la bibliothèque), une nouvelle lampe à installer, la batteuse à nettoyer, les lignes à vérifier. Ainsi pendant deux ans Roscoe travailla à la ferme – aux composantes électriques, bien sûr –, mais il s'occupa aussi de passer les commandes, vendre, revoir les comptes. Il aimait contempler les chiffres apposés par Marie dans le registre, la productivité si facilement mesurée, soulignée.

Marie enseignait à nouveau, Roscoe était électricien, et Gerald un garçon qui aimait son père. De plus, la ferme familiale rapportait bien. Tout le comté parlait de leur prospérité, tous ces gens, ces paysans envieux de leur raccordement aux lignes électriques, des relations de Roscoe avec Alabama Power.

À Rockford, Marie tentait de minimiser leurs privilèges, mettant plutôt en avant l'investissement de Roscoe et Wilson à la ferme. Elle voyait son mari gagner le respect de leur petite communauté. Les rumeurs sur sa paresse s'éteindre. Les murmures sur son incompétence cesser. Roscoe T Martin était un fermier. Il avait apporté bien plus à cette exploitation que le père de Marie. Les gens étaient certes envieux, mais également remplis d'admiration.

Quand vint le shérif, Roscoe dînait en compagnie de Marie et Gerald. Ils dégustaient une tourte au bœuf, l'une des spécialités de Marie, avec un épi de maïs à côté.

Marie inclina la tête en direction du bruit. « Qui peut bien venir ici à cette heure ? » Elle plia sa serviette en forme de rectangle, puis la posa près de son assiette. « Messieurs, restez assis. Je vais voir de quoi il s'agit. »

Elle posa la main sur l'épaule de Roscoe et se pencha pour déposer un baiser sur ses lèvres. Roscoe vit son fils détourner la tête. Il devait s'habituer à la nouvelle intimité de ses parents depuis deux ans. Roscoe avait vu comme il les observait les premières fois où ils s'étaient à nouveau donné la main, embrassés, étreints longuement, la tête de Marie nichée sous le menton de Roscoe. Il lisait la jalousie en son fils, mais aussi la confusion, la trahison. Marie n'appartenait qu'à Gerald, elle l'entourait de ses bras, ses lèvres lui mangeaient le visage, sa voix le noyait d'amour et d'attention. Et soudain, elle reportait son affection sur un autre. Roscoe comprenait le besoin de Gerald de détourner les yeux. Il avait éprouvé les mêmes émotions douloureuses dans les années suivant sa naissance, et à présent il était tiraillé entre l'empathie qu'il ressentait à l'égard de son fils, et le sentiment d'avoir vaincu son concurrent.

Ils avaient aussi construit des liens neufs, et Roscoe voyait bien que Gerald était déchiré entre la haine de son rival et son amour pour ce nouveau père.

Roscoe pressa la hanche de Marie puis elle alla à la porte, et il se remit à manger, murmurant, la bouche pleine : « Tu crois que c'est qui ? »

Depuis deux ans, l'imagination du garçon débordait de récits d'aventures.

« Un pirate, chuchota-t-il. Il lui manque un œil, il vient chercher notre or.

– Alors il va falloir se battre. Tu veux faire diversion ou l'affronter à l'épée ?

– L'épée », répondit Gerald à mi-voix en empoignant son couteau.

Roscoe entendit la porte d'entrée s'ouvrir, puis la porte grillagée grincer. Des voix – celles de Marie et d'un homme – mais pas de mots, quelque chose d'assourdi, de solennel dans le ton. Roscoe craignait que ce soit un voisin qui ait besoin d'un service, ce qu'il n'avait nullement envie d'offrir, non par paresse ou mépris de ses voisins, mais parce qu'il n'aimait pas le genre de tâches requises. Les voisins à la campagne venaient chercher un coup de main pour relever un cheval à la patte cassée, ou une vache malade. Pour bâtir une grange et labourer leurs champs. Au village, c'était différent. Marie apportait des tourtes et Roscoe assistait ceux qui n'y connaissaient rien en électricité. Marie s'occupait des enfants qui avaient du mal à apprendre à lire, tandis qu'il enseignait à leurs pères à tirer des fils dans leur remise ou leur boutique. Il préférait les travaux du village.

Les voix se turent.

« Je crois bien qu'on a raté l'occasion, murmura Roscoe quand Marie apparut à la porte de la salle à manger.

– C'est le shérif Eddings, annonça-t-elle doucement. C'est pour toi, mon amour. »

Roscoe regarda son fils au visage tendu par la peur et la curiosité.

« Je parie que tu ignorais que c'était un pirate, hein ? »

Gerald sourit et Roscoe lui ébouriffa les cheveux avant de s'avancer vers Marie.

« De quoi s'agit-il ? lui demanda-t-elle.

– C'est rien, répondit Roscoe en posant la main sur son épaule pour l'embrasser. Rien du tout. » Le shérif était là pour l'électricité – il fallait bien que ça arrive un jour –, mais ce n'était pas très grave, la quantité siphonnée en douce était mineure par rapport aux profits engrangés. Roscoe voyait déjà la ferme devenir pionnière en matière d'électrification rurale. L'État constaterait leur succès et ferait de l'élargissement de l'offre aux campagnes une priorité.

Marie serra sa main, il la prit par les épaules, puis il s'éloigna.

« Finissez de dîner, dit-il. Je serai de retour avant que vous soyez au lit. »

Le shérif Eddings patientait sur la véranda récemment repeinte, les mains derrière le dos. Il avait toujours le cuir chevelu irrité et des pellicules sur les épaules. De ses narines s'échappaient des poils bruns et la verrue sur sa tempe gauche avait grossi depuis la dernière fois que Roscoe l'avait vu.

« Roscoe, dit-il.

– Shérif. »

Il lui prit le bras, juste au-dessus du coude, comme le père de Marie le jour de leur mariage.

« Vous savez pourquoi je suis là ?

– Je suppose que c'est à cause de l'électricité.

– Disons que ça commence par là.

– Nous prenons si peu, shérif. » Ils descendirent les marches. « Je peux prouver que c'est très peu. Nous pourrons facilement rembourser.

– Il y a autre chose, Roscoe.

– C'est-à-dire ? »

Ils arrivèrent dans l'allée, près de l'automobile neuve du shérif. Il lui lâcha le bras et sortit ses menottes.

« Voulez-vous bien tendre les mains ?

– Shérif.

– Désolé, Ross, mais je suis obligé. Pas moyen de faire autrement. »

Roscoe obéit. Eddings essaya de ne pas serrer trop fort, mais le métal paraissait dense et étroit autour des poignets de Roscoe.

« Venez vous asseoir devant », dit-il en lui ouvrant la porte. Roscoe monta, les mains lourdes et gauches. Eddings lui tenait la portière, immobile comme un domestique. « C'est une véritable tragédie, ajouta-t-il en regardant ses pieds.

– Shérif, vous pouvez m'expliquer ? »

Il secoua la tête : « Je vous raconterai en chemin. On va à Montgomery.

– Pas à Rockford ? » La prison du comté se trouvait à Rockford.

« Ce n'est plus de mon ressort. »

Roscoe vit le shérif contourner l'automobile à pas lents. L'inquiétude marquait son front de rides profondes. En quoi l'ouvrage de Roscoe pouvait-il causer tant de souci ? Si un transformateur avait explosé, toutes les lumières dans la maison se seraient éteintes. Ils auraient dîné sous un lustre obscur, les ombres du soir prenant possession de la pièce.

Le shérif ouvrit sa portière et grimpa sur son siège. Ils remontèrent le chemin qui menait de la ferme de Marie jusqu'à Old Hissup Road, puis continuèrent vers la route 22. Enfin, le shérif prit la parole.

« Qu'est-ce que je donnerais pour ne pas avoir à vous annoncer ça, commença-t-il. Mais vous aurez droit à un deuxième service avec les agents de l'État à notre arrivée, du coup, je pense qu'il vaut mieux que vous soyez prêt.

Vous savez, je ne voulais pas faire trop de scandale à la ferme, avec Marie et votre garçon, c'est pour ça que j'ai demandé à venir vous chercher moi-même. Vous êtes en état d'arrestation, Roscoe. Il ne s'agit pas de moi et de quelques questions. Ni même de l'électricité. Enfin si, à la base, oui bien sûr, mais il y a beaucoup plus. Vous avez raison, ça n'aurait pas été une affaire si vous aviez juste pris un peu d'électricité, seulement vous êtes accusé de la mort d'un homme. Voilà le problème. Un type qui travaille pour la compagnie vérifiait les lignes, il est tombé sur vos transformateurs et il s'est électrocuté. Je l'ai vu de mes yeux, le pauvre bougre. C'est la mort la plus affreuse que j'ai jamais constatée, Roscoe. Un vrai cauchemar. »

Roscoe se força à regarder le shérif dans les yeux. Ses mains entravées se relevèrent à hauteur de poitrine, sans véritable raison. Peut-être allait-il les joindre, prêt à supplier. Ou serrer les poings pour frapper le devant de l'automobile. À moins qu'elles se dirigent vers la poignée de la portière pour l'ouvrir, soulever le loquet, et basculer dans un élan qui précipiterait tout son corps au-dehors. Il se voyait heurter le sol, rebondir, rouler, membres désarticulés, à terre, les cailloux lui arrachant la peau. Il se voyait à moitié mort sur le sol, en travers de la chaussée et de l'herbe au bord de la route, et le shérif d'appuyer sur le frein, de bondir hors de l'automobile avant qu'elle soit totalement à l'arrêt pour se précipiter vers le tas de chair qui naguère était Roscoe T Martin.

« Roscoe, restez calme. J'ai encore quelque chose à vous dire. Baissez vos mains, mon garçon. Restez tranquille. »

Il plongea donc les mains dans l'espace entre ses cuisses. Il commençait à avoir mal dans les épaules.

« Wilson a déjà été arrêté. Il était sur place quand c'est arrivé. »

Roscoe leva les mains de nouveau.

74

« Baissez vos mains, mon garçon. »

Il obéit. « Ça vous dérange si je fume une cigarette, shérif ?

– Pas si vous m'en donnez une. »

Avec les menottes, Roscoe eut du mal à attraper son paquet de cigarettes dans sa poche de chemise, et plus encore à le manipuler. Pour finir, il renversa le contenu sur ses genoux. Il ne lui en restait plus que six, il en donna une à Eddings et coinça la sienne entre ses lèvres, puis il gratta une allumette sur le plancher. Il la tendit au shérif, et il entrouvrit la vitre de son côté.

« Wilson procédait juste à des contrôles sur la clôture. Il n'a rien à voir avec tout ça.

– Il était grimpé sur l'échelle, Ross, pour rétablir le courant. »

Wilson était donc allé là-bas pour remettre les interrupteurs en marche. Voilà pourquoi ils ne s'étaient aperçus de rien à la maison – les lampes étaient éteintes en pleine journée et on ne s'était pas servi de la batteuse. La vérification des lignes n'incombait pas à Wilson, il ne s'occupait pas de la maintenance, pourtant, il s'en mêlait quand même. Roscoe souffla la fumée, ses deux mains vinrent attraper la cigarette pour jeter la cendre à l'extérieur, sa main gauche suivant la droite, comme si elle était paralysée.

« Wilson est un fermier. Il travaille ces terres depuis que Marie est enfant. Il ne connaît rien à l'électricité.

– Mais vous, oui. Et il a bien fallu que quelqu'un vous aide à monter un projet pareil. D'après moi, c'était soit Wilson, soit Marie. Vous voulez qu'on fasse demi-tour ? Qu'on retourne chercher votre femme ? » Roscoe tourna la tête pour regarder les arbres qui défilaient, les cornouillers se détachaient, jaunes, contrastant avec l'écorce des grands pins à torche. Il songea que ces arbres aux feuilles brunes devaient être des chênes noirs, mais ça pouvait aussi bien être des chênes châtaigniers. Difficile de les différencier à l'automne. Toute la flore des bois se dépouillait en cette saison – les branches défeuillées des arbustes aux bonbons apparaissaient décorées de leurs grappes pourpres, les paviers rouges rendus à des brindilles. En arpentant l'exploitation de Marie, il s'était étonné de la diversité des espèces d'arbres et de buissons. Il y avait un guide de botanique dans la bibliothèque de la maison, alors Roscoe avait pris l'habitude de prélever des échantillons de plantes lors de ses promenades, pour les rapporter et les comparer aux planches de l'ouvrage. Il avait été surpris de constater la variété de la végétation qui poussait sur les terres de Marie. Il lui avait été facile de mémoriser tout cela, et il s'était mis à exposer à Marie le nom des espèces et leurs caractéristiques, ainsi qu'elle le faisait avec les oiseaux.

Depuis qu'ils avaient l'électricité, ils avaient coutume de se promener le soir, à la manière de Wilson et Moa.

« Clethre à feuilles d'aulne, disait-il. Tu vois ses fleurs en épis ? Dans une semaine elles auront disparu. »

« Fothergilla à petites fleurs. Ces petites corolles blanches tiendront jusqu'à la fin du mois. À l'automne, les feuilles vont virer au rouge vif. »

Marie, songea-t-il dans l'automobile du shérif. *J'ai fait ça pour toi.*

CHAPITRE 6 – ROSCOE

Notre bibliothécaire est une espèce de brindille du nom de Ryan Rash. Avec une grande fierté dans la voix, il m'annonce avoir obtenu que je vienne travailler à la bibliothèque le vendredi. « Ton contremaître à la laiterie ne veut pas te lâcher plus d'une journée par semaine, mais c'est déjà ça. Et ne va pas t'imaginer que je te fais une faveur, hein. J'ai besoin d'avoir des conversations sur les livres de temps en temps, et tu es le seul qui sais lire dans cette fichue prison, donc ça tombe sous le sens. Les gars qui travaillent ici le reste de la semaine sont à peine capables de recopier des chiffres. »

Comme ils sont rares ici, je prends les compliments de Rash pour ce qu'ils sont.

Ces vendredis sont les bienvenus, la bibliothèque est toujours fraîche et sombre, espèce de caverne profonde aux relents de moisi. Les ouvrages ne sont pas nombreux, mais il faut du temps pour les trier et les ranger. J'aime bien pousser le chariot grinçant de Rash dans les allées étroites, m'arrêter ici et là, glisser un livre entre les autres. C'est une organisation rassurante, vaste structure capable de tout cataloguer, de tout numéroter.

Je préfère la classification décimale de Dewey à la manière dont Rash range la fiction par ordre alphabétique. Dewey attribue le numéro 800 à la littérature, mais les bibliothécaires aiment bien lui consacrer un territoire à part, pour que le public retrouve facilement ses auteurs préférés. Comme si les détenus avaient des auteurs préférés. Soustraire la fiction à ce système brise les règles du classement, et cela me gêne autant que les seaux et les gobelets mal rangés à la laiterie. La moindre entorse à l'ordre fiche en l'air tout le système, et le rayon 800 est trop maigre sans les romans.

Les usages de l'électricité se trouvent dans la catégorie 600, c'est-à-dire les sciences appliquées. La religion, c'est 200. S'il y avait des livres sur la peine de mort, ce serait en 300 – sciences sociales –, mais il n'y en a pas. Rash possède un exemplaire du *Manuel pour les bibliothèques institutionnelles*, où l'on conseille aux bibliothécaires dans les prisons de s'assurer une « bonne censure. Il ne faut rien proposer qui dépeigne le vice sous des dehors attirants, qui contienne des scènes suggestives sur le plan sensuel, ni qui traitent de criminalité et de justice ».

Rash trouve ce manuel amusant et m'a fait lire la section qui nous concerne. « Ça ne nous laisse pas grand-chose, hein ?

– Vous avez *Crime et châtiment* en accès libre ? »

Il acquiesce. « J'espérais que le titre pousserait certains détenus à le lire. » Il me montre la carte : emprunté quatre fois, rendu le lendemain dans chacun des cas. « Tu l'as lu ?

– Oui.

– Pourquoi ?

– Le père de ma femme avait une grande bibliothèque chez lui. Le titre a attiré mon attention. »

Rash éclate de rire. « Ah ! Tu vois ? Voilà pourquoi j'ai besoin de toi ici. » Rash est le seul membre du personnel dans cette prison qui partage son opinion avec les autres, et je pense que ça vient de son travail. Il est bibliothécaire de formation, il aurait pu aller travailler n'importe où mais, m'a-t-il dit, il a choisi Kilby. Il croit en l'idée que l'homme puisse être réhabilité par la prison et il veut apporter sa pierre à l'édifice. Parfois, j'ai envie de lui demander en quoi le lait que je vole de temps à autre pour lui peut me réhabiliter, mais Rash est un homme bien comparé aux autres.

Dans notre bibliothèque, il y a sept livres consacrés à l'élevage des vaches laitières – dans les 600. On y trouve également le coton. L'agriculture en général. Ça me fait drôle d'y voir aussi l'électricité. Dewey devait considérer le courant qui traverse les câbles comme les racines qui traversent la terre, et il a mis tout cela dans le champ des sciences appliquées. Si Rash est capable d'envisager que l'électricité et l'agriculture appartiennent au même domaine, alors il n'y a pas de raison pour que les romans ne trouvent pas leur place auprès de la poésie.

La bibliothèque de Marie me manque toujours, sombre avec ses boiseries et ses lourdes tentures. « La lumière abîme le papier et les reliures, m'a-t-elle expliqué la première fois que j'y suis entré. Pendant la journée, on tire les rideaux. »

Le père de Marie était un fermier, mais c'était aussi un grand lecteur. Il m'a dit un jour que c'était là ses deux occupations.

« Est-ce que tu lis, fils ? m'a-t-il très tôt demandé.

– Oui, monsieur.

– C'est bien. Une pile de livres, voilà le seul fondement dont un homme a besoin. »

Si mon père avait vécu assez longtemps pour le rencontrer, ou qu'il l'ait souhaité s'il en avait eu la possibilité, cela ne l'aurait guère impressionné. « Un bon métier, voilà le seul fondement dont un homme a besoin, l'entends-je dire. Ce sont ces fichus bouquins qui t'ont perdu. »

Pourtant, le père de Marie apprécierait le passage du manuel de Rash concernant la fiction. Voilà ce qu'on lit au dernier paragraphe : « La bibliothèque d'une prison ne doit pas seulement correspondre aux besoins connus des hommes, mais elle doit leur inspirer davantage d'efforts. L'habitude de lire fermement ancrée est le meilleur des remparts pour tout homme. »

Rash apprécie lui aussi ce passage, et il s'en sert auprès du comité pour développer le rayon fiction. Pour moi, ce passage ne désigne pas les romans, mais tous les livres, peu importe leur contenu. Je veux lire des livres qui m'apportent des informations aussi bien que des histoires, et c'est pareil pour les hommes qui m'entourent. Roberts veut des livres d'art. Powers, des biographies des gouverneurs d'Alabama. Ceux qui ne savent par lire apprécient de regarder des gravures et des photos. Il y a ici un ouvrage sur le parc national de Yellowstone. Il plaît énormément, avec toutes ses illustrations sur les geysers et sources d'eau chaude. Peut-être avons-nous simplement envie de connaître les beautés du monde maintenant que nous en sommes si loin.

Ed est toujours à la recherche de livres sur les bateaux. Rash a créé une section navale exprès pour lui.

« Mais pourquoi ne veut-il pas lire *Moby Dick* ? Il passe son temps à lire et relire les sept mêmes ouvrages, et chaque fois qu'il termine sa série, j'y glisse *Moby Dick*. Ça revient le lendemain, exactement comme *Crime et châtiment*. »

Je ne lui propose pas d'explication. Il sait déjà qu'Ed ne s'intéresse pas à la littérature. Entendre cette vérité ne l'empêchera pas de continuer à essayer.

J'entends des pas, des bottes sur le sol rude. C'est Dean. Il est là pour avoir tué le fiancé de sa fille, certains disent qu'il y avait plus que ça – une affaire qui a tourné au vinaigre. Le chapelain lui apprend à lire.

« T'as ça ? il me demande en posant un papier par-dessus le chariot de livres. Le chapelain dit que ça y est, dans la bibliothèque. »

Je reconnais son écriture. Raffinée, précieuse comme celle d'une dame, elle me rappelle un peu celle de Marie. Leurs M et leurs T sont identiques. Il a écrit : *The Old Tobacco Shop*, de William Bowen. C'est un livre pour enfants, et je m'en rappelle des bribes, quand Marie le lisait à voix haute à Gerald à sa sortie. Je l'entends encore.

« Tu l'as ? questionne-t-il.

– Oui », dis-je en l'amenant vers le rayon 800. Rash a acquis quelques livres pour enfants et accepte de les laisser parmi les rares volumes de poésie dont nous disposons.

Je prends *The Old Tobacco Shop* sur l'étagère. La couverture est verte, les coins brunis à force de manipulations... Dean feuillette quelques pages. Il s'arrête à la première illustration. « Qu'est-ce qu'y a écrit, Roscoe ?

– "Que le Seigneur nous bénisse ! s'écria le bossu. Regardez-moi ça !"

– Y a un bossu dans l'histoire ?

– Oui. »

Il hoche la tête et fourre l'ouvrage sous son bras, comme si la présence du bossu lui suffisait. Dean apprécie les récits bibliques qui parlent des particularismes, des difformités. Il lui est arrivé de venir me trouver après l'office, sa bible à la main : « Lis-moi ce passage, Roscoe, sur les créatures à quatre visages. »

Alors je le lui lisais.

« Comment ils font pour ne pas se retourner quand ils s'en vont ? demandait-il.

– Je ne sais pas. Demande au chapelain. »

Voilà tout ce dont le chapelain avait besoin pour le convaincre d'apprendre à lire. Et c'est ainsi qu'à présent Dean lit *The Old Tobacco Shop*. Un exemplaire se trouve à la ferme, sur l'une des nombreuses étagères de la bibliothèque drapée d'ombre. Je vois Gerald demander à Marie de le lui lire à nouveau. Il ne s'en lasse pas car, dans ma tête, il n'a pas grandi.

Je crains qu'ici, entre ces murs, on ne grandisse pas non plus. Au contraire, nous régressons. Autour de moi, bien des hommes sont redevenus des enfants, emportés par les légendes. Nous imaginons tous de nouvelles créatures dans l'obscurité de nos cellules. Des bêtes à quatre têtes, avec les sabots des veaux de nos guerneseys, là-bas dans les champs.

Je me demande souvent ce que Marie dirait de cette bibliothèque, de cette lueur de savoir et d'instruction coincée entre les murs de la prison, de ce que nous continuons de partager – les livres pour enfants, les dictionnaires, la Bible.

Dean dépose *The Old Tobacco Shop* sur le bureau de Rash, une grosse bête de métal vert jonchée de papiers et de cartes. « Voyons voir, voyons voir, déclare Rash. Monsieur Thomas. Vous avez rapporté votre dernier livre ?

– Oui, monsieur. »

J'aime le son du tampon de la date sur la carte, puis sur l'enveloppe dans le livre, lourd, définitif.

« D-E-A-N, dit Rash. C'est bien, monsieur Thomas. Votre écriture s'améliore. T-H-O-M-A-S. Non, pas comme ça. Comme un serpent. Une courbe en bas, une courbe en haut. »

Les roues du chariot tournent sur elles-mêmes au lieu d'avancer. C'est une manœuvre difficile, et au milieu des couinements, des gémissements, j'entends la voix de Marie qui lit l'un des livres de son père. J'entends le souffle hilare de Gerald, lors des passages amusants.

Ils sont silencieux, tous les deux, pas comme cette nuit où je suis parti à travers champs, quand j'ai eu l'idée des transformateurs et de la batteuse.

Ils sont tellement différents à présent, Marie et Gerald, informes et malléables.

Je termine avec les piles et m'assois à une table pour mettre en ordre les cartes. Rash m'a demandé de répertorier les livres en retard, et il faut des heures pour examiner toutes ces petites fiches. Quand j'ai fini, je dépose un paquet sur son bureau. « Rien de bien récent, je lui rapporte. Mais ceux-là sont manquants depuis au moins un an. Et celle-là, dis-je en tapotant le dessus de la pile, ça va en faire trois. »

Rash ramasse la liasse, parcourt les titres, puis jette tout dans la corbeille à papier. « Ce sont des détenus, Roscoe. Nous sommes dans la bibliothèque d'une prison. Je n'ai aucune illusion sur nos lecteurs. »

Il agite la main pour me congédier. Même Rash n'est pas exempt de ce genre de gestes, celui qui nous renvoie à l'état de vagues moucherons ou bestioles.

Chapitre 7

Roscoe se vit attribuer par l'État un avocat commis d'office qui refusa d'écouter toutes ses explications au sujet de l'électricité, du courant, et du fait qu'il en avait pris si peu à Alabama Power.

« Rien de tout ça n'a d'importance. Notre défense consistera à mettre l'accent sur les difficultés de la famille : la mort de votre beau-père, la ferme en déficit.

– Elle n'est plus en difficulté maintenant.

– Alors gardez cela pour vous. C'est mieux pour nous que la ferme soit en mauvaise posture.

– Et Wilson ? Vous le défendez aussi ?

– Non. Il a son propre avocat. Il y aura deux procès séparés. »

Roscoe écrivait des lettres à Marie. *Est-ce que tu paies les frais d'avocat de Wilson ? Pourquoi avons-nous deux avocats différents ? S'il te plaît, viens me voir.* Mais Marie ne répondait pas.

L'avocat de Roscoe n'avait aucune information sur ce qui se passait en dehors du tribunal – rien au sujet de Marie, ni de Gerald ni de Wilson. Roscoe supposait qu'il était détenu dans la même maison d'arrêt, mais les gens de couleur étaient dans une aile séparée, aussi leurs chemins ne se croisaient jamais. Roscoe n'avait plus aucun lien avec son ancienne vie, et il passait la plupart de son temps à se rappeler les détails qu'il ne voulait pas oublier. Il revisitait la demeure, montait lentement les escaliers. Sur le palier, il tournait à droite pour entrer dans la bibliothèque. Il longeait les murs de livres, les étagères qui montaient du sol au plafond. Y prenait un ouvrage, tournait quelques pages, lisait un passage, le remettait en place. Et il recommençait, incessamment. Parfois, Marie se joignait à lui, ou Gerald.

Le procès arriva vite, couvert par le *Birmingham Ledger*. Les gardiens de prison lui donnaient leurs exemplaires quand ils avaient terminé de les lire, le raillant car il faisait les gros titres. À la lecture des articles, Roscoe avait l'impression d'être un étranger, le temps passé dans cette maison d'arrêt en ville, une strate parmi différentes réalités. Il avait ses propres souvenirs, sa compréhension des événements, puis il y avait le récit hostile et biaisé du procureur, et ensuite la version des journaux, limitée aux minutes les plus sensationnelles. Par moments, Roscoe se sentait balloté par certaines informations, à d'autres, la colère montait en lui, comme à l'époque qui précédait l'arrivée de l'électricité à la ferme.

Le procureur demanda à un expert d'Alabama Power d'expliquer comment la compagnie mesurait l'électricité. « En termes compréhensibles par tout le monde, s'il vous plaît. Afin que nous puissions vous suivre.

– On mesure l'électricité en kilowattheures. Un watt ou kilowatt est la puissance d'un système énergétique, où une énergie d'un joule est transférée uniformément pendant une seconde.

– J'ai dit en termes compréhensibles par tout le monde, s'il vous plaît ! » s'exclama le procureur, et toute la salle éclata de rire.

Le journaliste écrivit : « *Le procureur met dans sa poche le jury en le faisant rire.* »

L'expert en électricité sourit. « Disons en kilowatts alors.

– Et à combien estimez-vous la consommation de M. Martin ?

– Les données préliminaires nous montrent que la consommation moyenne d'une maison est de vingt kilowatts par jour. Disons que cette ferme, avec la batteuse et la maison entièrement électrifiée, utilise environ quarante kilowatts par jour. » L'homme avait préparé un diagramme, et le pointait du bout d'une longue baguette. « Alabama Power facture à ses clients huit cents du kilowattheure, ce qui porte la consommation de M. Martin à environ quatre dollars par jour. »

Il exagérait, pour ne pas dire qu'il mentait effrontément, Roscoe le savait. Chaque jour, environ 10 % de l'électricité se perdait rien que dans le processus d'acheminement, ce qui rendait négligeable la part qu'il avait prélevée. N'importe lequel des employés du barrage ou de la centrale électrique le savait, mais Roscoe avait compris que l'expert de la compagnie n'était pas du genre à se mouiller. Les schémas et théories étaient intéressants à partir du moment où il y avait des preuves pour les étayer – Faraday procédait toujours à de nombreuses démonstrations lors de ses conférences –, mais le témoin ici présent n'avançait rien pour appuyer ses dires.

« Quatre dollars par jour ! s'écria le procureur. Mais ça me paraît beaucoup d'argent, ça, monsieur, à moi qui ne suis qu'un petit procureur. » Une fois encore, la salle était hilare. *The News* écrivit : « *À nouveau, un murmure jovial parcourt l'assemblée.* » Jovial ?

Roscoe voyait bien que le jury se forgeait une opinion. Il sentait la colère monter. *Quatre dollars par jour.*

« Bon, nous pensons que M. Martin a illégalement alimenté sa maison en électricité pendant deux ans, reprit le procureur en faisant les cent pas devant le jury. D'après vous, cela se chiffrerait à combien ?

– Deux mille neuf cent vingt dollars. »

The News : « *Le public et le jury restèrent bouche bée.* »

En effet. Ils toisaient Roscoe avec dédain, comme s'il leur avait volé leurs propres économies.

« Est-ce là une estimation a minima ?

– Oui. En gonflant sa consommation, M. Martin aurait très bien pu doubler ce chiffre, voire plus.

– Avez-vous une idée du revenu moyen par ménage dans ce pays ?

– Oui, monsieur. »

L'avocat de Roscoe fit objection, disant que la question était hors sujet, mais le juge ne le suivit pas. Pendant toute la durée du procès, il ne retint que deux objections de l'avocat de la défense.

« Pouvez-vous nous dire alors quel est le revenu moyen des ménages de ce pays ? demanda le procureur.

– Mille deux cent trente-six dollars, monsieur. »

L'autre n'ajouta rien, il demeura immobile, laissant le chiffre s'ancrer dans le cœur des jurés, d'extraction modeste. Au bout d'une longue minute, il déclara : « Mesdames et messieurs, un innocent a payé de sa vie le prix de cette cupidité. » Ça aussi, les journaux le rapportèrent.

L'avocat de Roscoe appela très peu de témoins à la barre. Edgar J. Bean en était. « C'est un bon témoin, expliqua-t-il à son client. Il va prouver votre intégrité, que vous savez tenir vos promesses. »

Bean raconta au jury que Roscoe avait entièrement réglé sa dette, et avec les intérêts. « Je ne lui avais rien demandé, mais Roscoe a tenu à me verser 5 % d'intérêts en plus. » Bean le regarda. « Je suis prêt à refaire des affaires avec Roscoe quand il voudra », et ce dernier hocha la tête par gratitude.

Au cours du contre-interrogatoire, Bean montra une certaine gaucherie, et le procureur transforma Roscoe en escroc qui avait su profiter d'un commerçant dans une petite ville. Enfin, Roscoe remerciait quand même Bean de ses tentatives pour l'aider.

Marie et Gerald n'assistèrent pas au procès, ni ne rendirent visite à Roscoe à la prison de Montgomery. Pragmatique, il se disait que c'était un long voyage pour eux, mais tout au fond de lui, il savait que c'était un choix délibéré, et il ne comprenait pas pourquoi. Comment Marie ne se serait-elle pas investie dans toute cette affaire ? Roscoe la voyait prendre sa défense de la même manière qu'elle enseignait. Impavide, elle travaillerait jusqu'à ce qu'elle trouve une solution. Il savait qu'elle l'aurait mieux défendu que son avocat commis d'office. Et puis il se posait aussi cette question : pourquoi un avocat commis d'office ? Pourquoi ne pas engager un véritable avocat qui aurait vraiment su quoi dire devant le tribunal ? Ils en avaient les moyens à présent.

Mais Marie n'était pas là.

Roscoe se sentait la proie du fantôme de l'abandon, tout comme après la naissance de Gerald. Marie l'avait quitté alors, en tout point, mais en préservant les apparences. Ils partageaient certes leur foyer, mais plus leur lit. Ils étaient les parents du même enfant, mais ne l'élevaient pas ensemble.

Dans sa cellule, Roscoe songeait à l'époque de leurs fiançailles, comme ils étaient vite devenus inséparables, entremêlés, enracinés. Ils étaient demeurés ainsi bien plus longtemps qu'il ne convenait, car ni l'un ni l'autre n'était pressé de passer à autre chose. Ils passaient leur temps à l'auberge du village, dînaient en discutant, ou se promenaient sur les berges de la rivière Coosa, et Marie lui apprenait les oiseaux. Il vint visiter l'école de Marie, et elle découvrit le barrage, guidée par Roscoe. Ils se marièrent deux ans après leur rencontre, lors d'une petite cérémonie à la ferme, à laquelle très peu de gens assistèrent – le père de Marie, Wilson, Moa et leurs deux premiers enfants, le contremaître de Roscoe, la meilleure amie de Marie à l'université. L'enfant mit deux ans à venir, même s'ils essayaient régulièrement, et à présent, Roscoe comprenait que ces deux années-là avaient été les meilleures. On leur avait attribué une maison au village, une minuscule maison au pied du barrage, mais c'était un pas de géant depuis les appartements réservés aux employés célibataires qu'ils occupaient tous les deux auparavant. Ils partageaient désormais un lit, dormaient ensemble toutes les nuits, se levaient ensemble chaque matin. Ils buvaient leur café, mangeaient des œufs, du pain et du jambon, et Roscoe accompagnait Marie à l'école. Elle finissait toujours la première, si bien qu'elle allait attendre près de la centrale que Roscoe ait terminé son service.

Ils étaient bien mieux ainsi isolés – loin de la famille de Marie et des fantômes de celle de Roscoe, sans enfant entre eux.

Dans sa cellule aux fenêtres hautes, derrière les barreaux, Roscoe se remémorait la naissance de son fils, ce moment où son couple avait basculé comme un arbre arraché par la tempête, dont les racines se déploient soudain en l'air et non plus dans la terre. Ce n'était pas la faute du garçon, ce gonflement et cette inondation n'avaient pas pour but cet arrachement – les tempêtes ignorent leur propre cruauté –, pourtant, Roscoe l'en avait rendu responsable. L'arbre de leur couple demeurait, constitué des mêmes composantes, mais il était désormais de travers, ses différentes parties n'étaient plus alignées, sa croissance à l'arrêt.

Sans doute Roscoe était-il plus à l'aise dans l'intimité, les tête-à-tête, avec une personne à la fois. Peut-être n'y aurait-il jamais qu'une faction de deux personnes, la troisième restant en dehors, tournant autour d'eux, attendant pour saisir sa chance de faire irruption. Peut-être avaient-ils commis une erreur mathématique – ils auraient dû savoir qu'à trois, ça ne marchait pas. Et s'ils avaient eu la possibilité d'être quatre, six ou huit même – ils avaient rêvé d'avoir tous ces enfants – alors peut-être auraient-ils réussi à supporter les jours impairs, leur investissement dans l'avenir aurait suffi pour les lier ensemble.

Roscoe essayait d'envisager la vie avec son fils. Ils devenaient à leur tour inséparables, entremêlés, enracinés, et Marie cherchait à s'immiscer dans leur intimité.

Et il avait eu sa part – une petite intimité avec Gerald. Mais c'était Marie qu'il voulait, au bout du compte. Plus que tout il avait tenté de défaire leur petit confort et de reconquérir sa femme. Et il avait réussi ! Il était venu s'installer sur ses terres, avait fabriqué les transformateurs, tiré les lignes, électrifié la batteuse, et il avait remis la ferme sur les rails. Il avait redressé ce maudit arbre, remis ses racines en terre, relevé ses branches vers le ciel. Leur couple s'était reformé, et même si Gerald s'était senti un peu mis de côté, quelle importance ? Il serait adulte bientôt, et irait à son tour chercher ailleurs sa moitié.

Et pourtant c'était Roscoe qui se retrouvait seul en cellule, loin de la terre où il avait apporté l'électricité, de la femme qu'il avait reconquise. Gerald avait récupéré sa place auprès d'elle. Roscoe le savait bien.

Le procès se poursuivait, et le procureur s'intéressait désormais à George Haskin. Sur les photos prises avant l'accident, on voyait bien qu'il était né avec un nez mal formé, en creux là où il aurait dû s'avancer. La crête au-dessus des yeux apparaissait tel un promontoire, ceint par ses sourcils. Son visage était inquiet, ce qui pour Roscoe rendait sa mort pire encore.

Pendant que le jury regardait les photos, le procureur décrivait la victime sous les traits d'un gentil garçon bien comme il faut, pieux et respectueux des autres. Il vivait dans l'un des appartements pour travailleurs célibataires du village Lock 12 et avait emménagé environ sept ans après le départ de Roscoe et Marie. Il avait un chien de chasse, car la chasse aux canards était l'un de ses passe-temps favoris. George et Roscoe gagnaient tous les deux leur vie grâce à l'électricité. Comme Roscoe, il avait installé des câbles en haut des poteaux avant de se voir assigner d'autres tâches. On disait qu'il avait une belle voix. Mais bien qu'il n'y eût aucun élément attestant du contraire, Roscoe avait du mal à y croire. Peut-être à cause des photos : un homme affligé d'un nez pareil ne pouvait être bon chanteur.

Roscoe était également persuadé que George devait être stupide, ce qui ne concordait pas non plus avec le chant. Les bons chanteurs que Roscoe avait connus étaient des gens intelligents, ce qui lui paraissait logique. Le chant relevait d'une sorte de puzzle physique, un défi aux capacités intellectuelles pour diriger le corps. George Haskin ne pouvait être bon en ce domaine s'il était assez idiot pour se laisser tuer par son propre gagne-pain.

Le procureur décrivit à l'envi l'état du cadavre de George Haskin : les mains calcinées, méconnaissables, des moignons de doigts carbonisés. Ses cheveux avaient pris feu, son visage et sa tête étaient brûlés. Le courant avait parcouru ses veines, et on voyait les ramifications rouges apparaître sur sa peau telles des racines. Le procureur n'avança pas cette comparaison, mais c'est ainsi que Roscoe le voyait.

L'avocat concentra sa plaidoirie sur les difficultés de la ferme et l'effort héroïque de Roscoe pour redresser la situation. Hélas, l'absence de Marie et de Gerald lui causait beaucoup de tort. « J'ai essayé de la joindre un nombre de fois incalculable, lui dit son avocat. Je ne peux pas l'assigner à comparaître parce que c'est votre femme – et je ne suis pas certain que son témoignage vous aiderait – mais elle refuse d'assister au procès. Y a-t-il quelque chose que je puisse entreprendre ? Un moyen de la convaincre de venir s'asseoir à vos côtés au tribunal ? Cela ferait une énorme différence aux yeux du jury. Ils veulent voir votre famille, Roscoe. »

Roscoe secoua la tête. Il avait essayé lui aussi.

L'avocat conclut sur ces mots : « Mon client a tenté de sauver sa ferme. Il a tenté de sauver sa famille. Il a pris très peu d'électricité – une goutte d'eau dans un lac – et la dernière chose à laquelle il s'attendait, c'était la mort d'un homme. La mort de M. Haskin est une tragédie. C'est une tragédie pour toutes les parties impliquées. Mais je vous demande de considérer mon client tel qu'il est réellement : un homme profondément affligé qui ne voulait rien d'autre que pourvoir aux besoins de sa femme et de son fils. »

Mais la femme et le fils n'étaient nulle part, et Roscoe fut reconnu coupable de vol et d'homicide. Condamné à purger une peine de vingt ans dans un pénitencier d'État. Il partit pour la prison de Kilby le lendemain.

Même alors, Marie ne vint pas.

CHAPITRE 8 – ROSCOE

Aujourd'hui, c'est ma première audition devant la commission de libération anticipée, ce qui signifie que je suis là depuis quatre ans. Ce chiffre n'a pas grand sens. Quatre, c'est l'âge qu'avait Gerald quand il a commencé à lire. Un numéro sur un graphique dans l'ancienne salle de classe de Marie. Le nombre de barreaux à la fenêtre de ma cellule, d'égratignures dans la poussière de la cour, et de tentatives d'évasions cette année. Ces « quatre »-là, je peux me les représenter. Mais si l'on calcule les années en semaines, et en jours, alors ce nombre ne correspond pas à mon temps. C'est à la fois beaucoup trop, et loin d'être assez. J'ai toujours été là, et en même temps, je viens d'arriver.

Ed, lui, est déjà passé devant la commission, et la fabrication de la chaise assortie de sa permission ont rapidement suivi. Je sais que la chaise n'a toujours pas été électrifiée, et j'espère que c'est le boulot qui me vaudra ma permission. Je me dis qu'ils ne me l'ont pas encore proposé parce que c'était trop tôt, alors je m'apprête à les devancer. J'échangerai le prix de ces vies interrompues par l'électrocution contre ma liberté. Si Ed n'avait pas construit cette chaise, quelqu'un d'autre l'aurait fait. Si je n'en fabrique pas le circuit électrique, ils donneront le boulot à un autre. L'État aura sa chaise. Nul ne peut l'empêcher.

La commission se réunit dans le bâtiment administratif et deux gardes m'emmènent à travers une galerie qui relie ce bâtiment à celui où sont logés les prisonniers. D'autres gardes ouvrent et ferment des portes à notre passage.

« Encore un qui rêve, hein ?

– Quoi, il a toujours pas fait ses valises ? »

Ceux qui me connaissent m'appellent par mon nom.

« Je suis sûr qu'ils vont te libérer tout de suite, Martin !

– Ben alors, Martin, tu dis pas au revoir ? On se reverra peut-être plus. »

Ceux qui m'escortent rient à leur tour, sans en rajouter.

Nous entrons dans un hall en forme de losange, la porte d'entrée se trouve en face de nous. Je sais que le phare est juste après, et la chênaie encore un peu plus loin. Des portes en verre dépoli ferment le côté est, et j'entends des voix derrière, au milieu d'un cliquetis de machines à écrire. Sensation insolite de se trouver parmi ces bruits étrangers, semblables à ceux des secrétaires dans les bureaux, ou des employés de banque.

« C'est par là », me dit un gardien en me poussant de l'avant.

Il frappe à la porte et une voix douce nous dit d'entrer. Un gardien reste dehors, l'autre me suit.

La pièce est dépouillée, les fenêtres hautes, dépourvues de barreaux ou de grillage. J'aperçois la tour de l'entrée, avec son ancrage nautique. Si les trois hommes assis derrière la grande table de chêne m'accordent une remise pour bonne conduite ou une permission, j'irai voir l'océan. J'en suis sûr. Je me trouverai un phare comme celui-là, et j'en deviendrai le gardien, alors j'allumerai ma lanterne dans l'obscurité pour tenir les navires loin du péril.

Ou bien, si Marie le permet, je rentrerai chez moi.

« Asseyez-vous, s'il vous plaît », dit l'un des hommes. Face à eux, une chaise en bois, libre et vulnérable. En m'asseyant, j'ai le sentiment d'être un enfant ne sachant que faire de ses mains. D'abord je les pose à plat sur mes cuisses, puis je croise les bras sur mon torse.

« Roscoe T Martin », commence celui du milieu. Il a les tempes dégarnies, des cheveux fins et raides d'un jaune moutarde. Comme pour compenser, ses sourcils forment deux haies touffues sur son front. Il porte un costume bleu foncé. Ses comparses sont vêtus de la même couleur.

« Vous êtes ici pour votre première audience devant la commission de libération anticipée.

– Oui, monsieur.

– Vous comprenez bien que nous ne sommes pas ici pour déterminer si vous êtes coupable ou innocent, et que nous respectons le verdict rendu par la cour de l'État d'Alabama à votre sujet ?

– Oui, monsieur.

– Le but de cette audience est de déterminer si vous pouvez être rendu à la société sans mettre en danger la sécurité publique. » Il s'arrête, comme s'il venait de me poser une nouvelle question, et je suis prêt à répondre « *Oui, monsieur* », quand il reprend : « Nous nous basons sur différents facteurs pour prendre cette décision, monsieur Martin, comme votre évaluation interne, votre comportement durant votre incarcération, vos progrès en matière d'instruction et de formation pendant votre incarcération, et vos projets au cas où vous seriez libéré. Comprenez-vous bien tout cela, monsieur Martin ?

– Oui, monsieur.

– Très bien. » Il ouvre un dossier posé devant lui, et je songe à tout ce qu'il peut contenir à mon sujet, toute l'histoire qu'ils ont écrite quand je suis arrivé. « Nous commencerons par revenir sur votre crime. » Ed m'a prévenu que ça démarrait de cette façon. Je suis revenu bien des fois sur mon crime. J'y reviens tous les jours.

« Monsieur Martin. Vous avez été condamné pour deux chefs d'accusation distincts : vol et homicide. Dans le premier cas, vous avez été condamné à une peine de dix ans de prison.

– Oui, monsieur.

– Pour l'accusation d'homicide, à vingt ans de prison. Je vois que vos deux peines peuvent être purgées en même temps.

– Oui, monsieur.

– Messieurs, dit-il en s'adressant à ses voisins. Voulez-vous ajouter quelque chose ? »

Ils en prennent acte.

« Je commencerai par des questions sur le dossier principal. N'hésitez pas à apporter votre contribution. »

Les deux autres acquiescent, et je repose les mains sur mes cuisses, le dos incroyablement raide contre les barreaux de la chaise.

Le dégarni reprend : « Je vois qu'on vous a assigné à la laiterie. Comment cela se passe-t-il ?

– Très bien, monsieur.

– Vous sentez-vous fait pour ce travail ?

– Oui, monsieur. »

L'homme de gauche m'interroge : « Pensez-vous que vous pourriez poursuivre ce travail à l'extérieur de la prison ?

– Oui, monsieur. Ma famille possède une ferme, je pourrais en augmenter la productivité en rajoutant un petit troupeau de vaches laitières au bétail et aux cultures déjà présents. »

L'homme de droite me demande : « Vous ne souhaite-riez pas reprendre votre travail d'électricien ? »

Je mets trop de temps à répondre, et l'homme du milieu inscrit quelque chose dans le registre.

« Je suis électricien de profession, je réponds. S'il y avait une place d'électricien, je…

– C'est bon, monsieur Martin, coupe l'homme dégarni. Je vois que vous intervenez aussi à la bibliothèque. Trouvez-vous du réconfort dans ce travail ?

– Oui, monsieur.

– Pourquoi ? demande celui de gauche.

– J'aime lire, monsieur, et j'apprécie la présence des livres.

– Pensez-vous que vous pourriez mettre à profit les enseignements que vous avez reçus à la bibliothèque une fois rendu à la vie civile ?

– Oui, monsieur. Mon beau-père nous a laissé une vaste bibliothèque, et j'aimerais l'organiser suivant le système de classification que nous employons ici.

– Mais imaginez-vous que vous pourriez prendre un emploi dans ce domaine ? interroge celui de droite.

– S'il y avait une place dans le secteur, monsieur. »

Le dégarni note à nouveau quelque chose dans mon dossier.

« D'autres questions, messieurs ? »

Ses deux collègues secouent la tête.

« Si vous obteniez votre libération anticipée à présent, monsieur Martin, de quelle manière chercheriez-vous à réintégrer la société ?

– Je reviendrais dans ma famille, monsieur, et je les aiderais à la ferme.

– Vous ne chercheriez pas un emploi d'électricien ?

– Non, monsieur.

– Tout à l'heure, vous avez dit que vous prendriez un emploi d'électricien si l'occasion se présentait. »

Je songe aux réverbères, au barrage, aux turbines. Aux poteaux et aux pylônes, aux câbles et aux isolateurs. Et ce ne sont là que des emballages, des contenants. À l'intérieur, se trouve cette puissance électrique que j'ai passé une si grande partie de ma vie à étudier. Je sais qu'ici, à Kilby, je l'ai perdue, mais pourquoi ne pourrais-je pas la retrouver lorsque j'aurai échappé à ces murs ?

« Monsieur Martin ? »

Je vois Wilson debout en contrebas, pendant que je raccorde nos propres câbles aux lignes d'Alabama Power. Je repense à ce qu'il m'a dit.

« C'est mon métier, monsieur – l'électricité. »

Il fronce le nez et ferme mon dossier. « Monsieur Martin, dit-il et ce que j'entends dans sa voix n'est pas de la patience mais une lassitude profonde. Je vais être clair. Étant donné votre passé, vous ne serez plus jamais employé par une compagnie d'électricité dans l'État d'Alabama. Sans doute que vous ne retrouverez jamais ce genre d'emploi dans ce pays. Ce que nous essayons de définir, c'est si vous êtes apte à prendre un nouveau départ dans un autre type de profession pour redevenir un membre productif de notre société. Comprenez-vous cela ? »

Bien sûr que je comprends, de même que ses explications sur la procédure. Contrairement aux quatre années que j'ai passées ici, absolument tout ce qui a été dit dans cette pièce fait parfaitement sens à mes oreilles.

« Monsieur Martin, est-ce clair ? »

Je hoche la tête.

Le gardien qui m'a escorté me crie : « Réponds à la question ! »

– Oui, monsieur. » Puis je me tourne vers les autres membres de la commission. « Il y a un travail électrique que je pourrais faire ici-même, pour le bien de la prison.

– Ferme-la, Martin, reprend le gardien. T'es cuit. »

Mais le chef de la commission m'interroge : « Et de quel travail parlez-vous, M. Martin ?

– D'électrifier la chaise. La chaise qu'Ed Mason a fabriquée. J'ai entendu parler des paramètres : 2 200 volts, avec deux ou trois points de contact. C'est facile à réaliser. »

Il me regarde d'un air perplexe. « Monsieur Martin, je ne recommanderais pas qu'on mette à profit votre expertise en matière d'électricité dans cette prison, et encore moins à propos d'un élément aussi sensible que celui que vous évoquez. Vous avez réussi à électrocuter un homme, mais vous l'avez fait de manière accidentelle. Je ne souffrirais pas de voir ce qu'il adviendrait du pauvre bougre que vous tenteriez de tuer de manière intentionnelle cette fois. »

Le gardien glousse, mais le dégarni ne sourit pas. Pas plus que ses voisins.

« J'imagine que je puis m'exprimer au nom de la commission en disant que nous refusons votre libération anticipée, monsieur Martin. » Les deux autres acquiescent. « Vous pourrez vous présenter à nouveau devant cette commission dans deux ans.

– Vous n'avez pas besoin de délibérer ? »

Le chef de la commission écrit quelque chose dans mon dossier. Il ne répond pas à ma question mais dit : « J'espère que vous aurez accompli des progrès lors de notre prochaine audience, monsieur Martin. » Le ton est cassant, sans appel. Le gardien me remmène. Je tourne la tête pour avoir une dernière vision de cette tour, et je songe au phare où je n'habiterai jamais, sur cette côte rocheuse que je ne verrai jamais.

CHAPITRE 9

Marie n'engagea pas d'avocat pour défendre Roscoe. Elle déclara à la cour qu'ils n'en avaient pas les moyens, et qu'il lui faudrait donc un avocat commis d'office. Elle fit ce choix, certaine que tout irait bien pour Roscoe. Lorsqu'un homme était jugé coupable en Alabama, en 1922, sa peine dépendait principalement de la couleur de sa peau. Les blancs étaient emprisonnés dans des pénitenciers modernes ; les nègres vendus à des compagnies privées. Le père de Marie s'était beaucoup intéressé à ce système, et il avait passé une grande partie de sa vie à le combattre – il écrivait des lettres, adressait des pétitions aux hommes politiques. Hélas, la voix de l'industrie minière était la plus forte, et le travail des forçats, le moins cher du marché.

Marie savait que Wilson serait envoyé dans les mines s'il était condamné, et c'est aussi bien pour lui qu'en mémoire de son père qu'elle décida de se battre à ses côtés. Elle engagea un bon avocat, mais il ne put contrer les accusations. Wilson s'était trop impliqué dans cette affaire pour ressortir en homme libre. Il fut condamné à une peine de dix ans.

Marie imaginait son père criant sur les marches du tribunal. *Ce bel État vend la force de travail de ses prisonniers à des compagnies privées à des taux inférieurs à ceux des mules et des chevaux de trait* ! Elle le voyait marcher aux côtés de Wilson. *L'Alabama condamne ses détenus à un sort pire que l'esclavage. Et cet homme va rejoindre leurs rangs !*

« Je suis tellement désolée », murmura-t-elle à Wilson quand les gardes l'emmenèrent du tribunal. Elle le murmura aussi à son père, à Moa, à ses enfants.

Elle se représentait l'avenir de Wilson : loué à une grosse mine de charbon, une des nombreuses compagnies dont elle avait appris l'existence grâce à son père, puis dont sa connaissance s'était affinée avec Roscoe, fils d'un contremaître de Banner. Comment avait-elle pu lui pardonner ce passé noir, cette enfance dans le charbon ?

Elle se souvenait de la nuit où il le lui avait avoué, ils n'étaient pas encore mariés, ils étaient assis dans cette atroce cantine de village, un repas rebutant devant eux. Elle lui avait parlé de son père, aussi connaissait-il les conséquences de cet aveu et savait que jamais leurs familles ne se rencontreraient.

« Mon père était contremaître à Banner. Il est devenu à moitié sourd lors de l'explosion en 1911. » Il ne regrettait guère la perte d'audition de son père, se rappelait Marie, il en parlait plutôt comme d'un coup dur qui s'était abattu sur lui.

« Je n'étais pas au courant de cet accident, mentit-elle, voulant connaître la version du père de Roscoe.

– C'était un samedi matin au début du mois d'avril », commença-t-il, puis il lui raconta une histoire qu'elle avait entendue, petite, car son père lui faisait la lecture des journaux. Mais Roscoe en savait bien plus long.

John Wright, l'un des rares bagnards blancs employés à la mine, procédait à des travaux d'électricité non loin d'un endroit où étaient stockés des explosifs, dans un des tunnels principaux. Quatre mineurs boutefeux se trouvaient avec lui. Personne – pas même Roscoe ni son père – ne sut ce qui avait déclenché l'explosion, mais la déflagration fut terrible. « John a été mis en pièces, et les quatre boutefeux sont morts instantanément. » Marie se rappelait vaguement ces détails.

Le souffle emporta le ventilateur qui faisait circuler l'air à travers les tunnels, et le ventilateur de secours ne démarra pas. Le père de Roscoe était au fond du puits, cependant assez proche de la surface pour avoir le temps de remonter avant que le grisou ne l'engloutisse, tout oxygène ayant disparu pour ne laisser derrière lui que des gaz toxiques. Malgré le sifflement dans sa tête, il demeura à la mine. Marie n'aimait guère l'espèce d'orgueil qui transparaissait dans la voix de Roscoe. *Il aurait dû y rester,* se surprit-elle à penser. *Il aurait dû mourir avec les hommes qu'il forçait à descendre dans les puits.*

Les premiers secours ne furent envoyés que le lendemain, et les douze personnes qui composaient l'équipe s'évanouirent sous l'effet du grisou dès qu'elles pénétrèrent dans la mine. Le groupe était pour l'essentiel composé de médecins, et on les exfiltra aussitôt. Pas de victimes. Aucune autre tentative n'eut lieu jusqu'à la remise en marche des ventilateurs. Marie n'était pas au courant de ce détail. Elle n'en haït que plus encore le père de Roscoe.

Quand enfin la ventilation fut rétablie dans les tunnels, les sauveteurs purent s'aventurer dans les entrailles de la mine. « Ils ont sorti des wagons et des wagons de cadavres. Mon père a pris un groupe de forçats en main pour creuser une longue tranchée dans le cimetière réservé aux prisonniers.

– Ton père ? C'est ton père qui leur a ordonné de creuser ? »

Il hocha la tête. Marie n'était pas certaine qu'il baisse suffisamment le front étant donné le poids qu'il aurait dû supporter. Elle ne s'était jamais écartée de la ligne politique de son père, de sa conception du bien et du mal, aussi il lui était difficile de concevoir qu'un enfant soit si différent de son père. N'étions-nous pas tous au fond de nous à l'image de nos parents ? Roscoe n'était-il pas le disciple de son père ?

Elle ravala ses soupçons.

« Les badauds ont commencé à arriver dès le jour de l'explosion, et ça a continué pendant le week-end. » Il lui raconta que les familles n'étaient pas présentes sur les lieux, ce que Marie savait déjà. Les bagnards étaient envoyés à Banner depuis les quatre coins de l'Alabama ; leurs familles étaient loin, elles ne savaient même pas qu'ils se trouvaient là. « La foule est devenue si importante qu'ils ont dû fermer la zone avec des cordes et des gardes armés. La mine a eu l'idée de leur vendre à manger. Les employés ont fait un malheur avec le jambon en boîte et les biscuits salés. » Marie apprit ainsi que les contremaîtres avaient empoché une bonne partie des profits réalisés sur les ventes clandestines d'alcool, car ils laissaient les trafiquants opérer en échange de généreuses commissions.

« C'est un événement sportif que tu décris là, quelque chose de récréatif.

– C'était exactement ça, d'après la manière dont mon père l'a décrit », acquiesça Roscoe.

Le nombre officiel des victimes atteignait cent vingt-huit. Seuls cinq d'entre elles étaient des hommes libres. Les cent vingt-trois restantes étaient des forçats, comme Wilson à présent. La mine en soi n'avait guère subi de dommages, et dix jours plus tard le travail reprenait. Cela aurait pu advenir plus tôt, mais il fallait attendre l'arrivée d'un nouveau contingent de prisonniers.

« Comment as-tu fait pour vivre avec lui ? » avait demandé Marie à Roscoe. Et elle, comment faisait-elle pour vivre avec lui ? Ce passé meurtrier, si profondément différent du sien, aurait dû lui suffire pour mettre un terme à leurs fiançailles.

« Quand mon père est rentré à la maison et nous a raconté toute cette histoire, j'avais seize ans. J'avais déjà l'intention d'aller vivre à Birmingham pour faire mon apprentissage chez Wheeler. »

Ainsi donc il avait fui, et Marie lui avait pardonné son père. Cependant, aujourd'hui, elle comprenait bien qu'elle avait eu tort. Au bout du compte, Roscoe s'était comporté exactement de la même manière. Il avait utilisé Wilson pour arriver à ses fins, sans songer aux conséquences. Il la voulait tellement, cette électricité, qu'il avait sacrifié Wilson pour l'obtenir. Et pas seulement Wilson, mais aussi George Haskin. Marie avait lu les récits du procès dans les journaux, les dommages subis par le corps du jeune homme. Si Roscoe s'était contenté d'être un fermier, rien de tel ne serait arrivé. S'il avait changé le cours de sa vie, puisant sa force en sa femme et en son fils plutôt qu'en du courant électrique, alors son passé aurait fini par se taire complètement, remplacé par celui de Marie, avec Wilson et Moa et les enfants, la ferme et la bibliothèque, de bons repas et de longues journées.

Elle aurait pu lui pardonner le reste aussi, les mutilations de son corps, les enfants qu'ils n'avaient pas eus, toutes ces années au village quand il était si loin, si distant, si totalement engagé auprès de ses lignes électriques, ses machines, ses turbines, et qu'elle se raccrochait à leur enfant, leur fils unique, Gerald, son petit chéri.

Marie savait que certains épisodes de leur histoire n'étaient pas imputables à Roscoe, tout comme elle savait que son ressentiment était rarement rationnel. Par moment, cela lui était apparu de façon très claire, pour de longues périodes même, comme par exemple ces deux dernières années avec les lignes électriques, la batteuse, la ferme redevenue prospère. Elle s'était laissé bercer par cette abondance, avait tu ses doutes. Elle n'avait rien dit au sujet des factures, tellement différentes des chiffres annoncés par le procureur lors du procès de Wilson, n'avait jamais demandé pourquoi leur ferme était la seule qui fût électrifiée. Elle avait permis le secret, l'avait fait sien, l'avait entretenu, et ce pour voir en son mari l'homme qu'elle aimait, un homme qui passait du temps dans la bibliothèque de son père, savait identifier les plantes et constituer un herbier, bref, l'homme qu'elle avait choisi. Son père avait insisté pour qu'elle décide elle-même qui elle voulait épouser. « Pas de ces sottises arrangées. Foin de la stabilité et de l'ordre domestique. Choisis celui avec qui tu veux passer ta vie. C'est ce qu'a fait ta mère. Dieu sait pourquoi elle m'a pris, moi, mais c'était ainsi. » Son père lui manquait. Roscoe lui manquait aussi, mais seulement par bribes – les promenades le long de la rivière Coosa ; les après-midi passés au lit, à la ferme ; dans la cuisine de leur maison au village, lorsque Roscoe tenait son fils encore bébé dans ses bras. Quand elle l'envisageait dans tous ses aspects en revanche, elle éprouvait un sentiment de rejet. Pris d'un seul bloc, avec son passé, ses choix, ses actes, Roscoe n'avait plus sa place à ses côtés.

CHAPITRE 10 – ROSCOE

Août s'attarde, si chaud et lourd que même les vaches se plaignent. Les veaux troquent leurs grognements et leurs cabrioles pour les gémissements de leurs mères, et le troupeau se regroupe à l'ombre des bâtiments et des arbres.

Pour Ed, l'heure approche. Le directeur et ses hommes ont achevé de tester sa chaise. On l'a peinte en jaune vif. On sait même qui va l'inaugurer. Il est là depuis janvier, et de lui on ne connaît que son nom et son crime. Horace DeVaughn. Son nom, aussi célèbre que les dix-neuf pas de Taylor, se murmure de cellule en cellule.

Il paraît que DeVaughn est un assassin, qu'il a tué deux personnes à Birmingham.

DeVaughn n'est jamais ressorti de la première cellule où on l'a enfermé à la prison. Je me demande s'ils ont pris la peine de retracer son histoire, ou s'ils croient déjà la connaître. Les condamnés à mort ont leur propre secteur ici, à l'étage au-dessus de l'obscur secteur de l'isolement. Là, il n'y a qu'un homme par cellule, alors au moins, ils ont de l'espace.

Ils vont l'exécuter entre minuit et l'aube, et si tout se passe bien, ils accorderont à Ed sa permission. Je lui ai dessiné un plan pour se rendre chez Marie, et j'ai préparé un paquet avec les lettres que j'ai refusé de lui envoyer au bout d'un an passé sans la moindre réponse. Je veux être sûr que mes paroles lui ont été apportées, que le silence de Marie n'est pas le fruit d'une erreur de la distribution, ou de la négligence d'un facteur.

« Tu crois qu'une année entière de courrier s'est perdue ? m'a demandé Ed un jour.

– Non. »

Il m'a donné une tape dans le dos. « T'as besoin de te raconter des histoires, hein, vieux ? Alors je vais te dire un truc : et si on en faisait une vraie bonne histoire ? Si on mettait un méchant dans l'affaire, un salopard qui attend le facteur en douce, et qui intercepte chacune des lettres. Tu piges, il a un œil sur ta dame, et il peut pas supporter que tes belles paroles viennent lui titiller les oreilles. Il veut te faire taire. Alors tous les jours, il s'assoit là, et il saute sur ce pauvre facteur, jusqu'à ce que le gars, il en ait marre, et qu'il décide lui même de plus apporter les lettres. » Il a souri. « Qu'est-ce que t'en dis ? Pas mal, hein ?

– Non.

– Merde, dit-il en riant. Tu sais rien de rien. » Puis il est redevenu sérieux. « Franchement, Ross, je suis désolé pour toi – quelle que soit la raison. C'est vraiment une honte. »

Je l'ai remercié.

« Et je serai heureux d'apporter tes lettres. Je casserai la gueule à ce petit salopard s'il essaie d'y toucher avant que je les aie remises à ta femme en mains propres.

– Je sais que tu tiendras parole. »

À un moment, pendant qu'on attend que le directeur vienne chercher Ed, je m'inquiète de savoir ma femme et mon ami seuls dans cette maison qui fut autrefois la mienne. Ed est grand, large d'épaules, plus épais que moi. Je ne sais pas si c'est le genre d'homme que Marie regarderait, mais à la simple idée qu'il se trouve dans mon ancienne maison, je me crispe. Un instant. Oui, juste un instant. Et puis ça passe. J'ignore à quoi pense Marie, mais Ed, lui, pense à l'océan. Il déposera mes lettres, puis mettra le cap à l'est.

Il a débarrassé sa couchette de tout objet personnel, et c'est une nuit sans sommeil que la dernière nuit d'Horace DeVaughn.

« Tu crois qu'on saura ? me chuchote-t-il. Tu crois qu'on saura quand ils vont le faire ? »

Si toutes les lumières étaient allumées, peut-être qu'on verrait les ampoules pâlir un peu, mais comme c'est la nuit et que personne n'utilise de courant à cette heure, je ne sais pas.

« Guette les lumières du dehors, je réponds à Ed. Peut-être qu'elles vont flancher un peu. »

Nos fenêtres sont face à la chênaie et à la tour de guet de l'entrée. Les globes lumineux qui flanquent le portail brillent toute la nuit, et tous les quarts d'heure, le projecteur de la tour de guet balaie notre cellule, le mur face à la fenêtre, éclair traversant nos fenêtres, illuminant nos barreaux, au-dessus du puits de jour. S'il s'attardait, ça pourrait être la lune, ce faisceau fantomatique, d'un blanc bleuté acéré. Il éclaire les endroits tranquilles. En dehors des cellules, de ces murs, tout est vide. Nous ne sommes jamais nulle part ailleurs. Nous n'échappons pas à nos cellules.

Mais cette nuit, c'est différent.

« Tu crois que je vais sentir quelque chose ? demande Ed.

— Toi ? »

Ce n'est pas une question car il poursuit : « Je pense que oui. Je crois que je le saurai. Et ça me fiche la trouille, Ross. »

Le faisceau passe.

111

J'imagine l'électricité qui parcourt la chaise d'Ed, transperce le corps d'Horace DeVaughn, toute cette puissance qui se fraie un passage à travers sa chair, muscles et sang sont de piètres conducteurs. Ses veines s'assombrissent, comme celles de George Haskin, son cœur et son cerveau tentent de calmer le courant, tout s'allume comme un filament, une ampoule prête à exploser. Je vois le courant se concentrer, quitter le reste du périmètre, laissant les lignes en haut des murs, toutes froides, réduisant les sirènes au silence. Alors, on descellerait les grilles de nos fenêtres, on se glisserait le long des murs, de brique, les hommes se déverseraient comme des rats, des cancrelats, nos doigts dans les fissures telles des griffes dans l'écorce. On fabriquerait des marches en goudron, qu'on utiliserait pour grimper. Et on serait dehors avant que quiconque s'en soit aperçu. Le projecteur tracerait sa route dans les branches, en hauteur, illuminerait les briques et le ciment, aveugle. Tous les regards seraient braqués sur Horace DeVaughn, et nul ne nous surprendrait.

« Ça y est, dit Ed. Tu le sens toi aussi, Ross ? »

Je regarde par la fenêtre, pour essayer de distinguer un changement d'intensité de l'éclairage. Est-il plus faible ? Plus doux ? Non, aucune différence.

« Qu'est-ce que tu ressens, Ed ?

– C'est dans mes pieds. » Sa couchette vibre. Ses jambes tremblent, s'agitent. Ses mains, à présent. Il fait bien trop de bruit pour cette heure de la nuit. Ses bras et ses jambes tonnent. Nous occupons les couchettes du bas, je suis au même niveau que lui, au niveau du bruit.

« Du calme, Ed. C'est Hank qui est de garde, ce soir. » Hank est un gardien de nuit, connu pour sa façon violente de réduire un homme au silence. Il aime les cellules tranquilles. S'il n'obtient pas ce qu'il veut, il nous tirent tous du sommeil en cognant et vociférant.

Je m'étonne que nos camarades de cellule continuent de dormir.

Ed se calme. « Et les lumières, dehors ?

— Elles ne bougent pas.

— Tu l'aurais fait, toi aussi, hein ? »

Il veut savoir si j'aurais fabriqué la chaise. Sa question me gêne. Je ne lui ai pas parlé de la proposition que j'ai soumise à la commission de libération anticipée.

« Oui. J'aurais fait comme toi. »

Le faisceau du projecteur passe à nouveau.

Avant l'aube, le directeur et un gardien viennent chercher Ed. Pas la moindre lumière à l'est. Nous n'avons pas dormi. Le projecteur est passé onze fois depuis l'épisode de tremblement. Je ne sais pas comment nommer ce phénomène auquel j'ai assisté. Rien dans mon esprit ne peut expliquer que le courant ait pu se transmettre depuis DeVaughn à Ed, à travers les passerelles depuis la maison d'arrêt, puis au bâtiment principal, et jusqu'ici, au cinquième étage, pour aboutir seulement à Ed, pas à l'homme situé au-dessus de lui, ni à moi, son voisin. Est-ce l'appel du sang de DeVaughn ?

« Mason, dit le directeur. Il est temps.

— Vous l'avez tué, monsieur ?

— Sans problème. »

Ed ne bouge pas.

« Ça a pris combien de temps, monsieur le directeur ?

— Je pense que cela ne vous regarde pas. Bon, vous la voulez, cette permission, ou non ? Je ne vous le proposerai qu'une fois. »

Ed descend de sa couchette. Il retire mes lettres de sous son oreiller, les tapote contre son genou. « Je te dirai quand elles seront livrées. »

Je hoche la tête.

« Tu vas sortir d'ici, toi aussi, Ross », dit-il en citant tous les moyens possibles comme d'habitude. Ma permission à moi. Ma libération anticipée. « Tu reverras Marie et Gerald, bientôt. »

Je ne le crois pas.

« Ross », dit-il, et il est debout, face à moi, la main tendue.

« Ed », je réponds, debout moi aussi. Nous nous serrons la main. Je suis heureux de l'avoir connu.

« Allons-y, dit le directeur. Martin, retournez à votre couchette. »

Je me rallonge, les yeux fixés sur le dos d'Ed. Les clés cliquètent dans la serrure, le verrou est tiré. C'est un son magnifique que celui de la porte d'une cellule qui s'ouvre. Et même s'il est presque identique, celui de la porte d'une cellule qui se ferme est bien le plus laid, le plus solitaire qui existe entre ces murs. La porte se clôt dans un claquement. Le gardien la verrouille à nouveau, rattache la clé à sa ceinture et suit Ed et le directeur. Les hommes sont calmes. Il fait encore noir. Le jour où Horace DeVaughn est mort n'a pas encore commencé pour eux.

Il a commencé pour moi ainsi que pour Ed. Aurais-je ressenti quelque chose si j'avais électrifié la chaise ? Les derniers souffles de DeVaughn se seraient-ils propagés dans mes veines, rythme battant, infléchissant celui de mon cœur ?

Je n'ai rien senti pour George Haskin. Il ne m'a pas appelé.

Ed a les lettres pour Marie entre les mains. Il leur fera passer la porte d'entrée de la prison. Il marchera jusqu'à Montgomery, trouvera quelqu'un pour l'emmener dans le comté de Coosa. Je le vois à l'arrière d'une camionnette ouverte. L'air du matin sera frais, et il aimera ce picotement sur son visage. Un vent comme nous n'en connaissons pas ici, renforcé par la vitesse. Il regardera la carte que je lui ai dessinée, reconnaîtra le tournant à la hauteur du verger de pacaniers et tapotera sur la cabine

114

de la camionnette. « Vous pouvez me laisser ici, dira-t-il au conducteur. Merci, monsieur. »

Il transportera ces lettres par le chemin de terre qui mène à la ferme, à la maison de Marie. Il frappera à la porte, Marie ouvrira. Il est encore tôt quand Ed arrive. Marie et Gerald viennent de s'asseoir devant leur petit déjeuner, préparé par Moa. Des biscuits de maïs, du jambon et du café noir, fort.

« Oh, dit Marie. Vous êtes un ami de Roscoe ? Mais entrez donc. Et vous avez des lettres ? Mais où étaient-elles donc ? Nous les attendions. »

Gerald serre la main d'Ed comme je le lui ai appris, d'une poigne ferme et solide.

Wilson a déjà mangé. Il est au travail. À la grange, où il répare une charrue. Dans les prés nord, où il renforce une clôture. Il arpente les cultures en quête de nuisibles ou de maladies. Il est là, car il s'est évadé de la mine – il a piqué un cent mètres une nuit, et comme son dossier s'est depuis longtemps égaré, nul n'a pu se lancer à ses trousses.

L'exploitation a régressé, tout est retourné dix ans en arrière. Ils ont repris les chevaux de trait et les mules, et ils s'en sortent à peine. Voilà comment vont les choses sans électricité, sans puissance.

Ed mange vite, il ne s'attarde pas. Marie et Gerald lui font au revoir depuis la véranda. Marie s'assied pour lire mes lettres – chacune d'elles –, puis elle prend du papier et un stylo pour me répondre. Elle écrit pendant des jours, ne s'arrête que pour glisser les feuilles dans une enveloppe qu'elle remet ensuite entre les mains d'un garçon qu'elle a embauché exprès pour me les apporter. Et qui me les livre directement ici. Il entre par les bureaux en disant : « Du courrier pour Roscoe T Martin. J'ai pour instructions de lui remettre en mains propres.

– Par ici, mon garçon », lui répond le directeur.

Ils viennent me trouver à l'étable, où je nettoie les stalles, trais les vaches, ou encore à la bibliothèque, où je range les livres. Je donnerai quelques sous au garçon pour le remercier, et Bondurant et Rash m'accorderont mes après-midi pour lire.

J'aurai ma libération anticipée, comme a dit Ed, et je rentrerai auprès de Marie et Gerald, et nous serons ensemble comme jamais auparavant – le temps passé à Kilby aura réparé les choses sans que nous le sachions.

Quant à Ed, il prendra le train pour l'Atlantique. « Un billet pour l'océan Atlantique, dira-t-il au guichet. Le trajet le plus rapide. » Il paiera son billet avec l'argent qu'il a gagné ici. L'employé remarquera qu'il lui manque l'ongle du pouce. Il notera aussi comme ses doigts sont craquelés sur les bords, sans pourtant saigner. Jamais l'employé ne devinera que ces mains sont celles d'Ed Mason, l'homme qui a fabriqué la première chaise électrique d'Alabama. L'employé dans sa guérite frôlera les mains d'Ed. Les touchera quand ils procéderont à l'échange, et il ne saura pas ce qu'il touche.

Je ne reverrai jamais Ed, et ce n'est pas encore le matin.

À la bibliothèque, Rash déclare : « Tu es bien silencieux, aujourd'hui, monsieur Martin. » J'ai l'impression que les événements de cette nuit se sont produits il y a des mois, des années.

« Je n'ai pas réussi à trouver le sommeil.

– Tu n'es pas le seul. »

J'imagine Rash, incapable de dormir dans sa minuscule maison, au village. Songeait-il à la mort d'Horace DeVaughn, et au départ d'Ed ? Guettait-il lui aussi une légère variation de la lumière ?

Il me répond : « Mason sera de retour avant même que tu t'en sois rendu compte. » Sa voix me berce comme pour soulager un gamin dont le meilleur ami est parti en vacances. Mon isolement est-il si manifeste ?

« Oui », dis-je en m'éloignant avec le chariot de livres. Je souffrirai seul l'absence d'Ed.

Aujourd'hui, les livres de retour sont pour l'essentiel de la fiction, à peine lus à voir les dates des cachets. Je les glisse à leur place, leur étiquette est de mauvaise qualité – ce F géant, suivi des trois premières lettres du nom de l'auteur. Il manque l'équilibre des nombres.

J'arrive à la non-fiction, les 000 avec les livres de référence. Dans tous les dictionnaires, des pages sont arrachées. Cela ne suit aucune logique. Parfois, c'est une page dans les P, d'autres fois, c'est dans les M, les A, les C. Ce sont des mots que les hommes doivent connaître et aimer au point de vouloir les posséder, un geste d'espoir à mon sens. Chaque fois que je range un dictionnaire, je le feuillette, j'essaie d'y découvrir la page que je voudrais déchirer. Cela viendra, j'en suis sûr.

Rash ne semble guère se soucier de la destruction des biens de la bibliothèque. À chaque nouvelle commande, il y a des dictionnaires.

Je jette un coup d'œil entre le Q et le R : *quenouille* (petit fuseau), *quérir* (aller chercher), *quiproquo* (malentendu), et ainsi de suite, *quitus, quota, rabique* (qui concerne la rage) ; page intéressante, mais ce n'est pas la mienne – quand soudain la voix de Rash interrompt le fil de ma pensée.

« Roscoe, crie-t-il. Venez par ici. »

Je commence à peine les R, mais je poursuis quand même suffisamment loin pour savoir si c'est ma page ou pas. *Rachis, racine*, puis *racisme*. Ce n'est pas la mienne. Je laisse le chariot là où il est et je reprends en sens inverse l'allée étroite jusqu'au bureau de Rash.

Taylor est là, si imposant qu'il paraît déplacé dans l'espace confiné de la bibliothèque. Voilà l'homme des dix-neuf pas. Il m'a laissé tranquille si longtemps. Je croyais que j'étais libre.

« Monsieur », dis-je.

Rash prend la parole. « Le directeur adjoint cherche des informations sur les chiens. Il a besoin de quelqu'un pour les rassembler et les lui transmettre. Il a demandé à ce que tu t'en occupes personnellement. »

Taylor me regarde comme si j'étais un veau à la foire aux bestiaux. « Martin, j'ai besoin que tu lises pour moi, et qu'ensuite tu me racontes les choses intéressantes. Tu crois que tu peux ?

– À partir du moment où je sais ce que vous cherchez.

– T'essaies de faire le malin avec moi, mon gars ?

– Non, monsieur. »

Il écarquille les yeux et regarde Rash. « Il essaie de jouer au malin avec moi ?

– Je ne pense pas, monsieur le directeur adjoint.

– Tant mieux. Tu prends toutes les informations que tu peux, et tu me racontes ce qui vaut le coup. C'est clair ? »

Ça ne l'est pas du tout – que veut-il donc savoir à propos des chiens ? – mais j'opine du chef malgré tout, dans l'espoir que Rash m'aidera à comprendre en l'absence d'autres précisions. Il doit bien avoir une idée, lui.

« Très bien. Donc, ce sera toi. Alors maintenant, écoute-moi bien. Le directeur d'Atmore est un vrai salopard, il ne perd jamais une occasion de me rappeler que lui, il n'a jamais perdu un seul homme. Ne répète ça à personne, d'accord ? Ses chiens ont toujours réussi à rattraper tous les fugitifs. Il a des arguments solides, ce vieux brigand. Le terrain est plus dur ici, Martin. Tu vois, la forêt occupe de la place, y a plus de chances que les chiens se laissent distraire par d'autres odeurs. Tu l'as constaté toi-même le jour où tu étais de service. Beaucoup d'odeurs différentes. Mes chiens en font bien plus que ceux d'Atmore, mais ils n'ont pas réussi à suivre la trace de Kelly, c'était impossible. Je ne peux pas laisser un autre homme s'évader. Tu comprends ?

– Oui, monsieur. »

Le détenu dont il parle, un dénommé Kelly, était condamné à une longue peine – un des gars qui s'occupaient des chiens lui a donné un tuyau : prends l'odeur d'un autre, et ça désorientera les chiens. Alors Kelly a gagné la complicité d'un jeune, McCullers, et ensemble ils ont pris la fuite un jour en partant dans des directions opposées. Kelly avait donné ses vêtements à McCullers. Aussi, quand Taylor a lâché ses chiens sur leurs traces, ils ne savaient plus vers où se tourner. Kelly et McCullers ont croisé plusieurs fois leurs itinéraires, jusqu'à ce que finalement Kelly s'échappe, tandis que McCullers s'asseyait par terre en attendant tranquillement que les chiens le trouvent. Bien entendu, lorsqu'ils sont arrivés à lui, les chiens se sont arrêtés, certains d'avoir suivi la bonne piste.

De retour à la prison, McCullers s'est montré très satisfait de lui-même. « J'ai libéré Kelly, ne cessait-il de répéter. Et vous, bande de salopards, tenez-vous bien. On a un plan. Je serai plus là avant même que vous ayez le temps de comprendre ce qui se passe.

– Kelly t'a eu, lui a répondu Ed. Et tu t'es même pas fait payer. » Une vague d'hilarité a secoué toute la cantine et McCullers a bondi par-dessus la table, seulement les gardes l'avaient à l'œil et il a juste eu le temps de balancer un coup de poing avant qu'ils ne mettent la main sur lui. Ils l'ont enfermé au mitard un ou deux jours, et au cours du mois qui a suivi, on l'a vu peu à peu perdre de sa superbe.

« T'es encore là, Cully ? on lui demandait de temps en temps.

– Il est passé où, ton copain ?

– Il a pas encore creusé un tunnel pour toi ? »

McCullers est toujours là.

Je le croyais seul à porter la honte de cette évasion, mais en cet instant je m'aperçois que Taylor non plus ne s'en est pas remis. C'est autant un échec pour lui qu'une erreur pour McCullers.

Et à présent, Taylor cherche des conseils dans les livres.

« Tiens, dit-il en sortant un bout de papier de sa poche de poitrine. Atmore dit grand bien de ce bouquin-là. » Un nom et un titre sont griffonnés d'une écriture peu soigneuse. « Je veux que tu me fasses ton rapport le plus tôt possible. Dis à Rash quand tu auras quelque chose d'utile pour moi, et il t'enverra me voir au chenil.

– Oui, monsieur. » Je ne veux pas que mes vendredis à la bibliothèque se transforment en temps passé auprès de Taylor et de ses chiens, mais je sais qu'il ne faut rien dire. Même Rash se tient à carreau devant Taylor. On est tous soumis à son autorité.

Taylor hoche la tête et s'en va, nous renvoyant à nos occupations comme n'importe lesquels de ses subordonnés. *Au travail*, semble nous intimer son dos.

Quand la porte se referme sur lui, Rash soupire. « Tu sais pourquoi il a besoin qu'on lise des livres à sa place ?

– Il est trop occupé ?

– Sans doute, mais réfléchis bien. Il t'a demandé des résumés à l'oral ! Il veut que tu lui dises ce que tu as trouvé, plutôt que de lui présenter un rapport écrit. Pourquoi ? »

Rash est en train de m'expliquer que Taylor ne sait pas lire.

« Étonnant, n'est-ce pas ? poursuit-il. Je le sais depuis un moment. Il est venu me voir il y a quelques années pour obtenir des informations sur les chevaux, et il m'a demandé de lire la moitié d'un ouvrage pour lui. Mais ne va pas le répéter. Et n'en fais jamais état devant Taylor non plus. Je n'ose imaginer le châtiment qu'il inventerait pour punir pareille attaque contre sa réputation. »

J'ai vu beaucoup d'hommes cacher qu'ils étaient analphabètes – entre ces murs mais aussi à l'extérieur. La mémoire peut permettre de faire illusion. Les gens sont capables de repérer la physionomie d'un mot même si les lettres n'ont aucun sens pour eux, comme Gerald avec ses premiers livres. Au début, il récitait par cœur les mots que sa mère lui avait lus. Il les associait aux images. Il ne lisait pas. Il avait tout mémorisé. Certains n'ont jamais dépassé ce stade, et par la suite, ils trouvent des moyens pour que d'autres effectuent le travail à leur place, comme Taylor. Il peut envoyer quelqu'un à la bibliothèque chercher des informations pour lui, du moment qu'il persuade les autres qu'il n'a pas le temps de s'en charger lui-même. *Je suis très occupé, vous voyez bien, il faut que je surveille les détenus, que je dresse les chiens, pas le temps pour la lecture.*

CHAPITRE 11

Marie connaissait le verdict. Les journaux en parlèrent bien sûr – une si grosse affaire pour leur petit comté –, mais avant même que ces mots imprimés trouvent leur place entre ses mains, le shérif Eddings était passé la voir.

« C'est long, Marie. Il sera parti pour longtemps.

– Je m'en doutais. »

Eddings frotta son cou épais. « Vous devriez lui dire au revoir.

– Ah ?

– Allons, Marie. Je connais votre famille depuis toujours. Bon sang, je vous connais depuis votre naissance. Vous n'êtes pas du genre à abandonner les vôtres. »

Marie n'avait jamais réalisé qu'Eddings était si attentif, ni même qu'il avait le cœur et l'esprit à faire de telles observations. Elle essaya d'adopter son point de vue pour considérer sa famille, ses moments de faste et de détresse. Il avait vu la mère de Marie tomber malade, était venu un jour lui présenter ses respects. Il avait mis un masque de coton comme tout le monde en entrant dans sa chambre, et s'était approché tout près de son lit. Marie l'avait suivi des yeux depuis le couloir, songeant qu'il était la seule personne en dehors de la famille à être entrée dans la chambre. Sa mère était contagieuse, et comme Marie était encore très jeune, elle n'avait pas le droit de s'approcher d'elle. La grippe avait déjà emporté une de ses camarades de classe et la petite sœur d'une autre. Même dans le couloir, elle devait porter un masque. Elle restait à la porte tant que Moa ou son père ne l'en chassait pas. « Va jouer, lui disaient-ils. Ta mère sera bientôt remise. » Ils savaient sans doute qu'ils mentaient, et malgré son âge, Marie leur avait pardonné. Nous nous voilons à nous-même ce que nous ne voulons pas regarder.

Eddings se souvenait-il de l'avoir vue dans ce couloir, tous deux tellement plus jeunes qu'aujourd'hui ?

Quand sa mère était morte – malade, amaigrie, squelettique –, Marie avait aidé Moa à la cuisine à préparer la nourriture pour la veillée, le dernier-né de Moa dormant dans son berceau près de la porte de derrière.

« Tu peux me parler, si tu veux.

– Je sais. »

Mais Marie n'était pas du genre à parler. Sa mère le savait, tout comme son père. Depuis qu'elle était bébé, elle accueillait les pertes qu'elle subissait en silence – ses parents adoraient évoquer ses yeux stoïques, ses lèvres scellées –, et la perte immense que fut celle de sa mère renforça encore davantage chez elle ce trait de caractère. Parler ne servait pas à grand-chose. Ressasser moins encore. Portant gants et masque, Moa avait emporté les draps pour les brûler derrière la maison, à son retour, Marie refaisait déjà le lit de sa mère.

« Marie, avait-elle dit d'un ton réprobateur.

– Personne n'a envie de voir un matelas nu. Et père voudra dormir à nouveau dans un vrai lit, de toute manière. » Moa avait tu ses remontrances pour la prendre dans ses bras, et Marie s'était autorisée à trouver du réconfort dans l'odeur épaisse de ses vêtements, jambon, oignon, biscuit, et la texture poudreuse de la farine profondément incrustée dans le tissu. Elle s'était très vite dégagée, cependant. Il restait encore de la nourriture à préparer, des invités à accueillir, des mains à serrer, des condoléances à recevoir. Son père était au trente-sixième dessous. Elle serait forte. En cela, elle était pareille à sa mère.

« Je me suis porté volontaire pour le conduire, ajouta le shérif Eddings. Vous pourriez nous accompagner. Je vous accorderai un peu de temps avant qu'ils ne l'enferment.

– Du temps pour quoi ?

– Je ne sais pas, moi, Marie. Il y a une forêt de chênes à côté de la prison. Peut-être que vous pourriez piqueniquer ? Vous promener ? »

Marie s'imagina dans l'automobile d'Eddings, assise à l'arrière avec Roscoe, le shérif leur servant de chauffeur, un panier de pique-nique à côté de lui sur le siège passager, une couverture bien pliée au-dessous. Elle le vit arriver en vue d'un bâtiment terrible, gris et ténébreux, vaste et sans fenêtres. Elle n'avait jamais vu de prison. Elle descendrait de voiture et irait chercher le panier. Roscoe le lui prendrait des mains parce qu'il était galant. Elle garderait la couverture. Ils s'avanceraient parmi les arbres – chênes anciens à l'écorce épaisse, dont les feuilles et les branches tombaient – jusqu'à ce qu'ils trouvent un endroit à l'écart, et là elle étendrait la couverture. Elle choisirait la bleue, celle de leur lit.

« Viens t'asseoir », dirait-elle, et Roscoe se joindrait à elle.

Et que préparerait-elle pour ce dernier repas ? Un poulet entier, ses haricots au bacon et au sirop d'érable, du pain de maïs, une tourte aux pêches. Elle apporterait du café qu'ils boiraient dans des timbales de métal.

S'étreindraient-ils ? Ses mains chercheraient-elles une cheville, un poignet, le saisissant comme s'il allait disparaître ? La dernière fois où elle l'avait touché, c'était le soir où le shérif Eddings était venu le chercher, elle avait posé une main sur la sienne alors qu'il lui serrait l'épaule. « Rien de grave, avait-il dit. Je serai bientôt de retour. »

Mais ç'avait été grave.

« Un pique-nique ? répéta Marie.

– Bon Dieu, Marie, qu'est-ce que j'en sais de ce que font les gens mariés quand l'un d'eux s'apprête à partir en prison ? Je pensais juste que vous auriez envie de le revoir avant qu'il s'en aille. » Eddings se frotta à nouveau le cou. « C'est dur, pour lui.

– Pour nous aussi. »

Eddings leva les mains, avec l'air d'un prisonnier repris au terme d'une longue traque. « C'est votre choix, Marie. »

Certes, c'était son choix. Mais c'est alors qu'une voix les fit sursauter tous les deux. Elle franchit la porte grillagée, prudente et déçue. « Papa va aller en prison ?

– Oui, mon trésor.

– Et on peut aller le voir ?

– Non, mon trésor. On ne peut pas. »

Marie s'était montrée honnête envers son fils quant au crime de Roscoe. « Il y a une chose que je veux que tu comprennes, lui avait-elle dit dès le début. Toutes les difficultés auxquelles nous sommes confrontés à présent – le procès de Wilson, ton père qui n'est plus là, l'électricité coupée, les dettes que nous avons –, tout ça c'est la faute de ton père. » Elle l'avait pris dans ses bras, serré gentiment, souhaitant imprimer ces mots en lui. Il avait été tout entier à elle pendant des années, il avait confiance en elle, il l'aimait, il avait besoin d'elle – il devait se rappeler cette époque, le temps d'avant l'électricité, avant qu'ils n'ouvrent tous les deux leurs bras à l'homme qu'elle avait ensuite repoussé. « Tout est sa faute », répétait-elle.

« On ne peut pas aller le voir ? demanda Gerald à travers la porte grillagée d'une voix tranquille et méfiante.

– Non.

– Mais c'est comme si on l'abandonnait. »

À nouveau ce mot : abandon. Marie n'avait jamais entendu Gerald le prononcer. Peut-être les écoutait-il depuis l'arrivée d'Eddings, et s'était approprié ce mot. Mais il ignorait que parfois l'abandon était nécessaire. Une obligation. Marie avait dû renoncer au souvenir de sa mère pour pouvoir surmonter sa disparition. Elle avait dû quitter la ferme pour aller à l'université afin d'obtenir un emploi qui lui permette de subsister pendant les mauvaises saisons, quand il n'y avait plus assez de travail, que le grain était pourri, la pluie trop rare. Elle avait dû se défaire d'une chose afin d'en acquérir une autre plus durable. Comme son mariage, avait-elle pensé, et ses propres enfants – tout cela l'aiderait à survivre.

Jamais elle n'avait eu l'intention de revenir sur les terres de son père.

Et puis il y avait eu la naissance de Gerald.

« C'est ton père qui nous a abandonnés, dit-elle à son fils. Tu comprendras.

– Oui, maman. »

Gerald les regardait à travers la porte grillagée, de ses yeux d'enfant mi-clos, avec ses lèvres gercées, ses cheveux ébouriffés.

« Enfin, j'aurai essayé, reprit Eddings. Je ne comprends pas pourquoi vous avez cette colère en vous, mais je suppose que je suis mal placé pour juger. Prévenez-moi si vous avez besoin de quelque chose, Marie.

– Merci, Tom. » Elle aurait voulu lui donner des explications, si seulement elle avait su décrire les choses. Cela prenait racine dans la force, l'énergie de sa mère, puis sa maladie. L'isolement et l'austérité avaient envahi ce couloir, puis ça s'était dissipé lorsqu'elle s'était retrouvée au village de Lock 12, avec Roscoe en face d'elle à la cantine, puis dans un foyer qui leur appartenait, une matrice.

Le même phénomène avait recommencé après la naissance de Gerald, et Marie s'y était replongée comme un animal affamé. À la mort de son père, l'exploitation était devenue sienne, alors elle avait su qu'elle y retournerait, même si Roscoe refusait de la suivre. Quelque part, elle aurait préféré qu'il reste là-bas, à la centrale, à bricoler son électricité, tout absorbé par la source de ce courant. Elle aurait su jouer le rôle de la femme solitaire. Elle s'y emploierait désormais.

Et puis une autre part d'elle avait espéré qu'ils sauraient remettre la ferme en état, qu'ils y œuvreraient ensemble, abandonnant leurs professions respectives. Elle les avait amenés là pour leur bien à tous les deux, l'un comme l'autre, et c'était l'incapacité de Roscoe à s'adapter qui avait fait s'abattre ce malheur sur eux – ainsi que sur Moa et Wilson. L'arrestation et l'incarcération de Wilson avaient alimenté toutes les autres fibres de la colère de Marie, car Roscoe l'avait condamné à la vie que son père lui avait permis d'éviter.

En réalité, il n'y avait pas d'explication à donner à Eddings ou à qui que ce soit d'autre. Ce n'était pas une chose en particulier qui l'empêchait de voir Roscoe – que ce soit en prison, durant le procès, puis au pénitencier – non, ce n'était pas une chose, c'était un tout. Un tout composé de ce dont il avait eu le malheur d'hériter en l'épousant, ce qu'il avait apporté avec lui, son amour immodéré de l'électricité, son entêtement dans sa pratique, sa paresse à la ferme la première année, ses mensonges sur le courant qu'ils recevaient, sa façon d'exploiter Wilson. Toute cette laideur, mais aussi d'une certaine manière, la beauté qu'elle avait naguère vue en lui – la force de défier ses origines, les circuits de son cerveau qui lui permettaient de comprendre un mécanisme aussi nouveau et étranger que la manière d'apprivoiser l'électricité, les traits de son visage, ses mains calleuses, même l'homme qu'il était dans leur chambre, à la fois tendre et ardent. Tous ces aspects lui étaient douloureux. Chacun d'eux la renvoyait à cette jeune fille dans le couloir, hors de la chambre de sa mère mourante, inerte, amaigrie, sans importance. Non, elle ne pouvait monter avec lui dans l'automobile qui l'emmènerait à la prison où il allait demeurer pendant de longues, de très longues années. Il était déjà parti.

Chapitre 12 – Roscoe

Yellow Mama, voilà le surnom qu'ils ont donné à la chaise d'Ed, nouvel objet de tous les fantasmes qui s'échangent à la cantine, les conteurs disent qu'il y avait quelque chose dans le chêne et l'érable qu'Ed a utilisés, oui, un truc qui alimente le courant, qui respire et qui gonfle, et les pieds jaunes ont fini par être assez forts pour se détacher de leur socle de métal et aller claudiquer ailleurs. Les conteurs imitent le bruit de ces pieds de bois par les couloirs ouverts qui bordent les cellules, la nuit. « Elle sait monter les marches, disent-ils. Piquer les clés au ceinturon des gardiens. Elle sait ouvrir les portes des cellules sans bruit. »

Ils disent qu'elle vous parle avant de vous emmener, et qu'elle a un accent étranger, comme Ed. Je pense que toutes ces histoires lui plairaient.

Les quatre hommes qui restent dans ma cellule me frôlent dans un silence morose. Ils n'apprécient guère qu'Ed soit parti, et à présent leur colère, leur sentiment de trahison se retournent contre moi. Ed était un superviseur, ce qui lui valait la protection du directeur. Il savait bien que seule la crainte du châtiment qui s'abattrait sur eux dès le matin empêchait les autres de le tuer dans son sommeil. À présent, c'est moi l'objet de leur mépris, seulement mes fautes sont trop vénielles pour qu'ils passent à l'action – écrire des lettres, faire la lecture pour le chapelain, ranger des livres près de ma couchette, passer mes vendredis à la bibliothèque. Ils m'appellent Bouquin.

« T'as beau lire, ça t'a pas vraiment aidé, pas vrai, Bouquin ?

– T'as fini coincé ici comme nous. Par l'enfer, j'ai même écopé d'une peine plus courte que toi.

– Eh, Bouquin, vas-y, lis-nous un truc.

– Ouais, Bouquin – t'as des nouvelles histoires ? »

Même quand ils me demandent de leur faire la lecture, il y a de la dérision dans leur voix.

Je ne me considère pas comme au-dessus de ces hommes. C'est une hiérarchie qu'ils ont imposée eux-mêmes.

Ed aimait lire, lui aussi, toutes ces descriptions de navires sans cesse lues et relues.

Il fait chaud dans notre cellule ce soir, je me lève de ma couchette pour aller à la fenêtre. Impossible de voir au-dehors à travers le grillage et les barreaux, alors je me retrouve face à mon reflet. Version abrégée de mon visage sur la vitre, privé de menton et de bouche sur un carreau, de front sur l'autre. Ceci est le lieu des fragments.

Je songe à Marie, là-bas, à Gerald. Peut-être sont-ils assis sur la véranda, luttant contre la chaleur grâce à une petite brise. Peut-être viennent-ils de finir de dîner. Gerald a treize ans à présent, une année de plus que moi lorsque j'ai quitté la maison de mes parents, mais je le vois toujours comme le garçon de sept ans qu'il était quand nous sommes venus vivre à la ferme, un garçon tranquille dans son coin avec un livre emprunté dans la bibliothèque de son grand-père.

Je me rappelle les autres querelles avant celle qui m'a précipité dans les champs, des querelles entre nous trois, toujours pareilles – moi, fou de rage, eux, retranchés dans un silence de victimes.

La nuit où j'ai eu l'idée des transformateurs, je suis resté dehors jusqu'au petit matin.

« Qu'est-ce que tu fabriques là, Bouquin, tu me fous les foies. » C'est Fred Hicks qui m'interpelle.

Gil Boyd ajoute : « Tu pleures ton petit mari, Bouquin ? Ça te manque, ses bras autour de toi dans la nuit chaude ? »

Les autres rigolent, et Reed tapote sa couchette. « Tu veux venir voir par ici, mon joli ? »

Ça les excite encore plus. Le quatrième détenu de la cellule est un gars du nom de Vincent qui a perdu l'ouïe dans une explosion à la mine le jour où il a poignardé son contremaître dans le flanc. Il adore participer, mais ce soir, il est tourné vers le mur dans la couchette du haut et ne nous prête pas la moindre attention.

Ed était plus doué que moi pour se défendre.

« Ma femme et mon fils me manquent, leur dis-je sans me retourner, comme vous manquent vos putes et vos bâtards. »

Reed se lève d'un bond. « Ça veut dire quoi, ça, Bouquin ? Ton petit mari est plus là pour te protéger. Alors tu ferais mieux de pas la ramener. »

Je sais parfaitement que Reed est marié. Je sais aussi qu'il a laissé sa femme avec quatre enfants à élever toute seule. Il est ici pour agressions et crimes sexuels, et d'après ce qu'on raconte par ici, ce sont ses enfants qui ont payé le prix fort.

Gil et Fred ne bougent pas, mais le sourire qu'ils arborent montre combien ils ont envie de me voir prendre une dérouillée.

Je suis las de cet endroit, alors je réponds à Reed :
« T'as raison. Inutile d'insulter ta femme, qu'est déjà suffisamment forte et intelligente pour avoir épousé un type
dans ton genre. Une femme brillante, j'en suis sûr. » Je sais
qu'il va s'en prendre à moi, et je veux qu'il le fasse, pas
de quartier, alors j'ajoute : « N'empêche, ces gosses : ils
peuvent pas être de toi, donc je maintiens le mot bâtard,
si tu vois ce que je veux dire. »

Gil et Fred rient tous les deux – comme Ed et moi,
ils trouvent Reed répugnant – mais cela ne change rien
à ma position dans cette prison. Ils seront toujours du
côté de l'autre.

Reed me tourne le dos, et l'espace d'un instant, j'imagine que j'ai remporté la victoire, mais il fait volte-face
soudain, un couteau en main, enfin, un truc qu'il a bricolé, en dents de scie. Pas de poignée, rien qu'un grand
triangle de métal, et je n'ai même pas le temps de hurler,
de me tourner, de le bloquer, qu'il le plonge dans ma
cuisse.

La douleur est d'un éclat aussi épais que la lame, aussi
dentelée, aussi sale. Elle double lorsqu'il retire son arme.

Gil crie, tout comme Fred, et je les vois débouler de
leur couchette, mais avant qu'ils aient eu le temps de saisir
Reed, il me plante son engin dans le ventre, et je sens
confusément quelque chose qui se rompt quand la pointe
entaille ma peau. J'entends d'autres bruits, d'autres cris,
de toute part, des pas pressés, l'éternel cliquètement des
clés, les matraques sur les barreaux, les ordres des gardes,
et je suis vautré sur le sol de ma cellule, le ciment est frais
– comment peut-il être si frais par cette chaleur ?

Un homme est penché au-dessus de moi, j'entends
les mots qu'il prononce mais mon esprit s'accroche à ses
rêves, scènes insolites, imprécises et obliques.

Je suis dans un pré où je me bats contre celui qui a tué mes petits-enfants. Il leur a tiré en pleine poitrine, et je montre leurs corps à Marie. Elle les regarde avec indifférence puis dit : « Ils n'ont jamais signifié grand-chose pour moi. » L'homme bondit entre nous. Nous avons tous les deux un fusil, mais nous les manions comme des épées. Il me repousse et fait feu sur Marie.

« Monsieur Martin ? »

Marie n'est plus là, et l'assaillant est entouré de petites bêtes au museau écrasé, plein de dents, avec des oreilles de chien. Il me montre du doigt. « Donnez-lui quelque chose pour qu'il continue à dormir. »

Ma conscience émerge par intermittence, à des moments qui coïncident souvent avec la visite du chapelain. Je le vois, dans le brouillard, corbeau vacillant au pied de mon lit, qui agite ses ailes noires. Il me lit le livre de Job. « Dieu nous met tous à l'épreuve de manières différentes, Roscoe », dit-il, seulement je ne suis pas Job. Peut-être même que je mérite cette infection qui a gagné les plaies sous les pansements de ma cuisse et de mon ventre, et me plonge dans cette fièvre chaude remplie de picotements. Je ne sais pas si c'est le chapelain qui est assis auprès de moi ou bien un gros corbeau, prêt à me dévorer. Sa voix est un croassement râpeux, sa bouche tel un bec pointu.

Il picore mes draps, et puis mes bras, tire sur ma peau moite, puis il ouvre un livre de ses ailes noires et lit : « "Quant aux personnes mariées, voici ce que je prescris, non pas moi, mais le Seigneur : que la femme ne soit pas séparée de son mari." Où est ta femme, Roscoe ? »

Je ne sais lequel de nous deux pose la question.

« Écoute-moi, Roscoe », et le corbeau continue la lecture. Il lit et les mots se mettent à tourbillonner autour de moi comme la rivière Coosa. Ils se rompent et se renversent, pareils à l'océan d'Ed. Ils sont vent et chant d'oiseau, champ de maïs, centrale électrique en brique. Ils sont lignes, isolateurs, poteaux. Ils sont les veines de George Haskin.

« Il y a un orage ?

– Non.

– Le vent, dis-je. Il fait tant de bruit, et la pluie.

– Le temps est très beau aujourd'hui.

– Tu as ramené l'océan avec toi, Ed ? Tu l'as rapporté à Kilby comme je savais que tu ferais. Comment l'a pris le directeur ?

– Infirmière, appelle le corbeau. Infirmière. »

Voilà mon infirmière. Elle est là.

« Est-ce qu'il pleut ? » je lui demande.

Elle se tourne vers l'autre homme. « Il est temps qu'il se repose, monsieur le chapelain.

– Oui.

– Vous ne l'entendez pas ?

– Monsieur Martin, roucoule l'infirmière. Ouvrez les yeux : c'est une magnifique journée. »

Elle murmure quelques mots à l'homme qui est à présent debout auprès de mon lit, mais je ne l'entends pas. L'homme est vêtu de noir. Son visage m'est familier.

« On s'est déjà rencontrés ? » je lui demande. Je ne sais pas pourquoi il a l'air si désespéré, accablé. « J'ai chaud, j'en ai marre d'être sur le dos. Vous pouvez me mettre sur le ventre ? »

Mais l'homme n'est plus là, à sa place, il y a l'infirmière Hannah, me dit la femme, le plus joli petit oiseau que j'ai jamais vu avec son calot. J'avais oublié comme les femmes étaient belles. Regardez-la : des yeux en amande, un nez minuscule, des lèvres qui jamais ne piquent ni ne mordent. Elle sont serrées l'une contre l'autre, ces lèvres, et puis elles disent : « Vous ne pouvez pas vous tourner

136

comme ça, monsieur Martin. Pas sur le ventre. Mais on peut vous mettre sur le côté gauche, si vous voulez.

– Oui », je grogne, et j'abandonne mon corps entre ses mains – elles se posent sur mes genoux, à nouveau sur mes hanches, mes côtes et mon dos, et enfin sur mon visage. Ses paumes bercent ma tête, minuscules contre mes joues rugueuses, et je suis sûr qu'elle va m'embrasser. Je n'ai jamais vécu sur les terres du père de Marie, ni dans la maison qu'une fois mort il a abandonnée. Je n'ai jamais posé de lignes électriques qui s'étendent à travers cet État, à travers ce pays, jusqu'à la mer. J'ai toujours été là, dans ce lit blanc, avec ces petites mains d'oiseau sur mon affreuse figure.

« Vous êtes à l'aise, monsieur Martin ?

– Dieu n'habite-t-il pas tout là-haut dans le ciel ? » répond le chapelain. Il est revenu ?

« Monsieur Martin ?

– Roscoe ?

– Monsieur le chapelain ? je murmure.

– Non, Roscoe, c'est moi. »

Et à nouveau j'ouvre les yeux pour découvrir une personne étrangère.

« Marie ? »

Elle pose les mains sur mon bras droit, que l'infirmière a laissé replié sur ma poitrine, comme s'il était cassé.

« Les médecins disent que tu te remets. »

Je ne distingue pas nettement son visage.

« Ça va aller, dit-elle. J'ai parlé au docteur, il affirme que tout ira bien. » Sa main pèse sur mon bras, elle traverse les muscles, les tendons, jusque dans l'os en profondeur.

Sa voix est la même et elle glisse quelque chose dans ma main – un de ses doigts pour que je m'y agrippe ? Je suis un bébé qui serre le poing autour du doigt de ma mère. Le moindre effort réveille quelque chose de rigide dans mon ventre.

137

« Par ici, mon cher Roscoe », et je suis heureux d'être avec elle, de tenir ce petit bout d'elle. Où était-elle donc ?

Puis l'infirmière Hannah revient, et je vois Marie à son côté clairement, et l'infirmière est en colère, agressive, et le doigt de Marie n'est plus là, même si son autre main reste posée sur mon bras.

Mon infirmière oiseau pousse un cri strident, Marie vocifère à son tour. J'essaie de comprendre, mais il n'y a que du bruit dans la pièce, étrange chœur de sons tronqués et tendus. Les voix forment une masse indistincte, elles constituent tout ce que j'entends.

Marie se lève. Sa main se détache de l'os de mon bras. Les muscles et les veines se referment, se recousent ensemble. J'attends, j'essaie de m'asseoir, mais elle est déjà si loin, là-bas, à l'extrémité de fer triste de mon lit, et je suis arrêté dans mon élan par le tourment désespéré qui me vrille le ventre. La douleur me vide, fait sourdre des tréfonds de mes poumons une voix que je ne connais pas, qui s'élève, sombre et cruelle dans les airs, et qui frappe Marie dans sa figure presque familière.

Est-ce qu'elle me dit qu'elle est désolée ? J'ai bien entendu ?

L'infirmière change de ton, elle me réconforte à présent. « Oh, monsieur Martin. Non, non, non. C'est trop tôt pour vous asseoir. » J'espère encore que Marie dise autre chose, mais elle est déjà partie. Il n'y a plus que mon infirmière, cette ravissante créature. Les mots de Marie sont aussi légers et changeants que sa présence, ses excuses restent en suspens dans l'atmosphère maladive de cette infirmerie.

« Chaque chose en son temps, monsieur Martin, me dit l'infirmière Hannah. Vous vous sentez bien ? »

Remets ta main sur mon visage, encore une fois. Oui. Comme ça. Continue à me parler. Je suis Gerald, c'est très possible, un petit garçon entre les mains de ma mère.

Mon infirmière est un oiseau complet à présent, bijou blanc brillant, ses doigts sont une caresse de plume sur ma joue. De sa voix gazouillante, elle me parle de force et d'affinité, d'attirance et de changement.

Nous sommes dans le pré, debout au-dessus de nos petits-enfants défunts. L'oiseau dit : « Ils n'ont jamais signifié grand-chose pour moi. »

Elle ment certainement.

« Le directeur a demandé de vos nouvelles », m'annonce l'infirmière Hannah un matin. Combien de temps ai-je passé dans ce lit, je n'en ai pas la moindre idée, mais il est plus confortable que ma couchette de cellule. J'apprécie l'oreiller.

« Ma femme est venue ?

— Chut, maintenant. Ne vous tourmentez pas. Vous semblez enfin en phase de guérison. Dieu sait que nous n'avons pas besoin d'une nouvelle poussée de fièvre. »

Je n'ai pas encore vu à quoi ressemblent mon ventre et ma jambe.

« On va bientôt vous laisser sortir », poursuit-elle. Elle vérifie le goutte-à-goutte qui s'écoule lentement dans mon bras. Sa voix me rappelle celle de Marie.

« Ma femme », je répète.

Mais elle coupe court d'un geste sec de la tête. « Vous vous rendez compte à quel point vous êtes important, monsieur Martin ? Avec le directeur qui demande de vos nouvelles ? Il m'a dit que vous vous occupez des chiens, avec le directeur adjoint Taylor. »

Je ne m'occupe pas des chiens, voudrais-je lui dire. C'est pas ça, mon boulot. Moi, je récupère le lait et je range les livres. Je ne suis pas un des gars de Taylor.

« Je vais les voir, des fois, les chiens », reprend-elle. Ses doigts fins glissent quelque chose dans le tube relié à l'aiguille dans mon bras. « Taylor me gronde en me disant que je ne devrais pas venir là seule, mais on dirait qu'il est toujours là quand j'y vais, donc je ne suis jamais réellement seule. C'est tout près du village. »

Cette information capte mon attention, et au lieu de la reprendre sur mon emploi à la prison, je lui demande : « Vous vivez au village ?

– Oh, je parle trop. Reposez-vous, je reviens dans un petit moment pour refaire vos pansements. Le docteur va bientôt passer. »

Je me trouve dans une longue salle remplie de lits. La plupart sont vides, mais il y a là quelques hommes – l'un d'eux avec une jambe dans une attelle, un autre qui a l'air d'être mort sur son oreiller, un troisième avec un bandage autour de la tête. Il siffle l'infirmière Hannah lorsqu'elle passe près de lui.

« Silence, dit-elle.

– Mais j'ai mal, mademoiselle Hannah.

– Ne soyez pas embêtant, monsieur Daniels. »

J'ignore combien d'heures et de minutes s'écoulent avant qu'Hannah revienne, accompagnée d'un grand type.

« Eh bien, eh bien. Monsieur Martin. Vous avez enfin repris conscience.

– Ce n'est pas la première fois.

– Je suis certain que vous l'avez ressenti ainsi. À présent, voyons voir. »

Sa main s'approche de mon ventre, soulève la chemise légère, retire le pansement de tissu. Je relève la tête pour essayer d'y voir quelque chose, mais l'infirmière Hannah pose une main sur mon épaule pour me maintenir couché. « Il est encore trop tôt pour solliciter ces muscles-là. Vous verrez ça dans quelques instants. »

Je sens l'air sur ma peau, le choc frais de la douleur.

140

« Voilà, c'est mieux, dit le médecin. Très bien monsieur Martin. Nous pourrons peut-être vous laisser sortir un jour.

– Je suis là depuis combien de temps ? »

Le médecin sourit. « Environ deux semaines, je crois. C'est ça, Hannah ? »

Elle feuillette quelques pages sur son registre et répond : « Oui, docteur, ça fait quinze jours.

– On entame donc la troisième semaine. » Il se retourne vers elle. « On va le relever. Pour voir s'il le supporte. »

L'infirmière Hannah tourne une manivelle sur le côté de mon lit, et j'aperçois ma plaie pour la première fois. Mais le ventre que je découvre ne ressemble pas à celui que je connais. Une crête gonflée traverse le centre, de l'estomac jusqu'au bassin, et je ne vois même plus mon nombril. Il se perd dans la chair et les sutures. Ma peau paraît froncée, molle, à la fois rouge et jaune, comme si elle se décomposait, carcasse rance et putride. La guérison, ça ne peut pas ressembler à ça.

Je sens le regard du docteur posé sur moi. « Nous avons procédé à un peu de chirurgie exploratoire pour endiguer l'hémorragie interne. Et il a fallu vous rouvrir quand l'infection s'est aggravée. »

Me rouvrir ?

« La lame de votre assaillant n'était pas très aiguisée, vous voyez. Ce type d'instruments cause des blessures beaucoup plus graves. Il s'agit davantage d'une déchirure que d'une entaille », conclut-il en désignant mon ventre d'un signe de tête.

Il paraît satisfait de son analyse.

« Il est tout à fait remarquable que vous vous soyez rétabli.

– Vous avez beaucoup de chance d'avoir un médecin aussi talentueux », ajoute l'infirmière Hannah.

Je contemple le chaos de mon ventre, cette cicatrice que je porterai sans doute à jamais.

« Et ma jambe ?

– Ah ! s'écrie le médecin. La jambe, ce n'était rien. Ça s'est infecté aussi, bien entendu, mais diantre, votre cuisse est tout entière constituée de muscles et de tendons. C'est facile à recoudre. »

Il retire le drap, exposant ma nudité – le tube que je ne sens pas encore et qui doit sans doute servir à vider ma vessie –, et désigne une épaisse ligne rouge sur ma cuisse gauche. « On vient de vous retirer les fils. Ça cicatrisera bien. »

Quelle marque atroce.

Le médecin remonte le drap. Je me demande si c'est le même qui a raté l'éclat de métal dans le rein de Jennings.

« On va vous laisser comme ça un moment, ensuite on vous donnera de la vraie nourriture. Si vous la gardez, on vous renvoie dans votre cellule après-demain. » Il se retourne vers Hannah. « Quelque chose de facile à digérer.

– Je vais lui apporter du bouillon. »

Il y a si longtemps que je n'ai pas mangé, que même un simple bouillon me paraît délicieux.

Plus aucune voix ne retentit dans la salle après son départ, les cliquètements et bégaiements du bâtiment résonnent, puissants et tenaces, grande présence grise. Les minutes s'égrènent, puis mon infirmière revient avec une tasse fumante. J'en pleurerais, rien qu'à la voir, et à nouveau quand je sens la chaleur de l'objet entre mes mains.

L'infirmière Hannah sourit et me laisse tout à ma joie.

Je bois une gorgée, et c'est précisément aussi bon que je le souhaitais. La seconde gorgée l'est toujours, mais à la moitié de la tasse, je suis tout à coup envahi par une douleur rouge, barbelée. Ça emporte mon souffle, grande bourrasque intérieure qui doit donner l'impression que je suffoque ou me noie. Le bouillon tangue entre mes mains, et j'ai beau essayer de redresser la tasse, le chaud liquide se répand sur ma poitrine et ma blessure. Je crie, je me tords, dans la panique j'arrache l'aiguille de mon bras.

« Infirmière Hannah ! » je hurle dans un dernier souffle, car la douleur atteint mes mains, mes poumons. Je l'entends qui court, et la voilà – ma chérie. Salut, ma douce amie. Je la vois, mais autour d'elle, tout devient gris, comme ce bruit persistant dans la salle. Ses cheveux sont gris, la peau de son visage, de ses mains ; même son uniforme blanc est terni.

Le docteur est de retour, sa voix résonne. « En salle d'op, dit-il. Allez au bout du lit. »

Mouvement, courant d'air, portes battantes.

« Préparation du bras gauche, docteur. » Je sens quelque chose de frais au creux de mon coude. « Ça va piquer », dit-elle, alors une nouvelle aiguille pénètre mon bras, et voilà tout ce qu'il me reste. La voix, le froid, l'aiguille, grisaille.

CHAPITRE 13

L'avocat engagé par Marie pour représenter Wilson réussit à remonter sa trace jusqu'à la prison de Kilby, mais après, il disparaissait.

« Ils l'ont loué à une compagnie industrielle, vous pouvez en être sûre, dit l'avocat, mais où ? Aucune idée, madame.

– Comment est-ce possible qu'ils ne tiennent pas un registre des détenus qui transitent chez eux ?

– Ce n'est pas inhabituel. Je suis navré. »

Marie le jugea sincère.

Les lettres de Roscoe continuaient à arriver, comme la première que lui avait remise le shérif Eddings le soir où il avait interrompu leur souper. Marie se rappelait encore le goût de ce repas. Elle entendait encore leur gai badinage. Elle sentait sa proximité – sa main sur sa cuisse, intimité qu'elle lui autorisait à nouveau.

Au début, elle refusa de lire ses lettres, préférant se concentrer sur le procès de Wilson. Mais après la condamnation de Wilson, elle revint vers la petite liasse rangée dans le tiroir en haut à gauche de son armoire, remplie du désir d'entendre les mots d'un homme.

Elle savait que Roscoe avait été condamné lui aussi.

Chère Marie, écrivait-il. *Où es-tu ?*

Même là, c'en était trop – trop présomptueux, trop dans l'attente. Elle était où bon lui semblait.

Sais-tu ce qui est arrivé à Wilson ?

Oui, elle le savait.

Ses questions ne faisaient qu'augmenter sa colère, l'éloignant un peu plus de Roscoe. La voix qu'elle entendait dans ses lettres lui paraissait geignarde, pitoyable, complaisante. Cette voix se moquait bien de ce qui était arrivé à Wilson. Elle ne se souciait que de son propre manque de confort.

Mais par la suite, Roscoe décrivit la cellule étroite où on l'avait enfermé à la prison de Montgomery, et pour la première fois sans doute, Marie l'imagina là-bas. Elle le voyait, lui, Roscoe T Martin, assis sur une mince couchette, une barbe lui mangeant à présent le visage, les cheveux rudes et ébouriffés. C'était un lieu étranger, elle savait qu'il n'y avait pas sa place, quand bien même il méritait ce châtiment.

Dans la lettre suivante, il décrivait le procès. Il évoquait l'avocat commis d'office qui le représentait. *Il a bien fait son boulot*, racontait-il, mais Marie savait d'instinct que ce n'était pas vrai. Ce n'était pas possible. Il n'avait pas les capacités pour cela. *J'ai été reconnu coupable d'homicide et de vol. Ils m'ont condamné à vingt ans, Marie. Je serai parti longtemps. S'il te plaît, donne-moi de tes nouvelles.*

Il y avait des mois déjà qu'il avait écrit cette lettre, presque la moitié d'une année.

Le reste du courrier venait de la prison de Kilby. La même logique de gestion des détenus qui avait égaré Wilson retenait Roscoe en son sein. La colère de Marie monta. Pourquoi méritait-il, lui, de rester ? Elle avait lu les articles parus dans les journaux au moment de l'inauguration de la prison : un nouveau pénitencier destiné à permettre une vraie réhabilitation, pourvu d'une ferme avec du bétail, d'une usine de chemises et d'un moulin. *Il y a une bibliothèque*, écrivait Roscoe. *Le bibliothécaire est une type intéressant, un dénommé Ryan Rash. Je suis heureux qu'il y ait des livres, même s'il y en a moins que dans la bibliothèque de ton père, et Rash ne stocke aucun ouvrage de Faraday*. Comment osait-il mentionner Faraday, le père de toute cette folie électrique ?

Elle cessa de lire. Il y avait d'autres lettres, mais elles attendraient. Elle ne pouvait en supporter davantage en une seule fois.

« Elles sont de papa ? »

Son fils était à la porte, il était grand à présent.

« Oui.

— Qu'est-ce qu'il dit ? » Il entra.

Depuis la visite d'Eddings, leurs conversations au sujet de Roscoe avaient toujours été simples et rapides :

« Tu as des nouvelles de papa ? demandait-il.

— Non, mon trésor, répondait-elle.

— Tu sais s'il a droit à des visites ?

— Non, mon trésor. »

Cette fois, il entra dans la chambre pour s'enquérir des lettres de son père.

« Il est à la prison de Kilby, ajouta-t-elle, il travaille à la laiterie. Il passe aussi du temps à la bibliothèque.

— Il y a une bibliothèque ?

— On dirait.

— C'est bien. » Gerald s'attardait. « Est-ce qu'on ira le voir un jour ?

— Non », répondit-elle.

Gerald hocha la tête. Soudain, il était si grand. Il travaillait à la ferme, au côté du fils aîné de Wilson, Charlie, pour faire tourner l'exploitation.

« Moa m'a demandé de te prévenir que le dîner est servi. C'est pour ça que je suis monté.

147

« – Dis-lui que je descends tout de suite.

– Bien, mère. »

Elle aurait voulu qu'il vienne vers elle comme quand il était petit, qu'il enfouisse la tête dans ses jupons pour pleurer, rire, ou simplement exhaler son souffle chaud de petit garçon. Elle aurait voulu entourer les boucles de ses cheveux autour de ses doigts en lui murmurant des histoires. Lui apprendre à nouveau ses lettres et observer son plaisir en déchiffrant les mots, puis les phrases, les livres. Elle aurait voulu lui proposer de lire ensemble après le dîner, d'aller se promener, de partager quelque chose, n'importe quoi.

Mais Gerald était déjà reparti, il avait descendu l'escalier, traversé la salle à manger jusqu'à la table, puis s'était rendu à la cuisine pour proposer à Moa et Jenny de mettre le couvert.

Marie ne savait plus comment le ramener vers elle.

CHAPITRE 14 – ROSCOE

La nuit tombe quand un gardien me ramène de l'hôpital. Près d'un mois s'est écoulé, mais ça pourrait être une année. J'ai l'impression d'être parti depuis longtemps. Gil, Fred et Vincent ne me regardent pas quand j'entre dans la cellule. La couchette de Reed est vide et il y a un nouveau gars à la place d'Ed. Il me jette un bref coup d'œil – j'ai quand même le temps de voir les gros bleus et meurtrissures sur son visage –, puis il revient au livre pour enfant qu'il tient entre les mains.

« Ce gars est superviseur, maintenant, annonce le gardien à mes compagnons de cellule. Alors pas touche. »

C'est la première fois que j'entends parler de mon nouveau statut, mais je n'ai aucune envie de discuter de quoi que ce soit.

Je m'assieds sur ma couchette.

« Eh, Bouquin, dit Fred. Tu sais que le directeur a envoyé Reed dans un camp de collecte de résine dans le nord ? C'est le pire qui existe. »

Je ne réponds pas.

« Écoute, poursuit-il. Si on essayait de tirer un avantage de toute cette catastrophe ? »

Gil me regarde, Vincent aussi. Le nouveau relève la tête, mais la baisse aussitôt quand Fred lui crie : « Ça te regarde pas, le Bleu.

— Il a essayé de grimper dans le lit à Fred la première nuit qu'il était là », explique Gil.

Dans ce cas, il va faire long feu.

« Et quel avantage tu penses en tirer ? je lui demande.

— C'est pas compliqué, répond Fred en souriant. C'est juste histoire de partager ceux que t'as en tant que superviseur.

— Exemple ?

— Ce qu'il faut pour boire et fumer. »

Cette fois, c'est moi qui souris. « C'est pas dans les choses négociables.

— Mais ils regardent ailleurs quand c'est un superviseur.

— Non », dis-je, sachant que je suis désormais intouchable pour eux – blessé, convalescent, superviseur de la prison.

« Roscoe, reprend Fred, tu ferais mieux de…

— Non », je répète. Mes cicatrices toutes neuves me démangent sous mon uniforme. « On sait tous que vous pouvez pas me toucher, ce qui signifie que je ne vous dois rien. Le seul avantage que je vois pour nous dans cette cellule, c'est que chacun s'occupe de ses affaires.

— On peut pas te promettre qu'il t'arrivera rien dans la cour. Ni que tu dormes tranquille.

— Oh que si ! » J'ai été agressé, ramené en cellule – c'était une suspension temporaire, pas une fuite. J'obligerai ces salopards à me laisser ma place.

Vincent est le premier à se coucher, nous tournant le dos. C'est toujours lui qui se calme le plus vite. Ensuite, c'est Gil qui abandonne, et ne reste plus que Fred au-dessus de moi, pieds ballants, notre compagnon provisoire sur ma droite me servant de témoin, bien qu'il fasse semblant de lire ce livre stupide.

150

« Descends de ta couchette, je dis à Fred en appuyant sur son matelas par-dessous. Je veux personne en haut. »

Fred dort au-dessus de moi depuis que je suis arrivé ici. Je lui demande de passer au-dessus du Bleu.

« Va te faire foutre, Bouquin.

– Je sais très bien comment me débrouiller pour que ma blessure ait l'air toute fraîche, je lui rétorque en guise de menace. Toutes les insultes que je te verrai balancer. Ça me vaudra un petit séjour à l'infirmerie avec ma belle infirmière. Et toi, un petit séjour au mitard. Ou autre chose. » Ed est là, à mes côtés, sa voix parle à travers ma bouche, ses mains sont solides sur mes hanches. « Allez », lance-t-il avec moi, et Fred saute au bas de sa couchette, rassemble son linge, franchit d'un pas pesant les quelques mètres qui le séparent de son nouveau lit, tel un enfant boudeur. Il se sert des genoux du Bleu comme d'un marchepied, écrase son livre, plante son talon dans la chair de sa cuisse, assez profond pour lui arracher un cri.

« Ferme ta gueule de pédé », s'écrie Fred en lui flanquant en pleine figure le bout de sa chaussure, lui fendant la lèvre. Quelques gouttes de sang tombent sur les pages du livre, et je songe que ces taches demeureront toujours là, souillant toutes les mains qui emprunteront cet ouvrage à la bibliothèque. Le Bleu tousse et geint. Je sais que Fred va retourner contre lui toute la colère et la violence qu'il ne peut déverser sur moi, que ce nouveau venu est en quelque sorte mon représentant, mon pantin, mon double, que c'est moi qui l'ai choisi, et que c'est aussi injuste que le corps calciné de George Haskin.

Je n'ai pas honte.

Contrairement à la prédiction de Fred, je dors tranquille en cette première nuit de retour dans ma cellule, je jouis d'un confort nouveau que je n'ai encore jamais connu à Kilby.

À la laiterie, on me confie des tâches plutôt faciles les premiers jours, mais Bondurant n'aime guère les exceptions, et très vite il me remet dans le circuit normal. Le vendredi, je retourne à la bibliothèque.

« C'est bon de te revoir, Martin, me dit Rash.

– Merci, monsieur. »

Il tapote son bureau avec un livre. Ça s'appelle *Hunting Dogs,* et l'auteur est un dénommé Oliver Hartley.

« Taylor s'impatiente, m'informe-t-il. Tu n'imagines pas à quel point il était en colère quand il a appris que tu étais blessé. Mais peu importe, il en a assez d'attendre. »

Je m'éloigne avec mon chariot, les mots de Hartley s'ouvrent sur le dessus de la pile des livres triés. Il y a des chapitres sur la chasse au sconse, au coyote, à l'écureuil, au raton laveur, au lapin, au daim, à l'opossum, mais rien sur la chasse à l'homme.

J'apprends que lorsqu'un chien sait coincer un écureuil dans un arbre, il faut ensuite l'emmener dans un lieu où vivent des marmottes pour qu'il apprenne à coincer les marmottes dans les arbres, ensuite je serai « certain que s'il identifie la trace d'un raton laveur, il saura le coincer dans un arbre ». Si c'est l'été, je dois emmener mon chien « là où il y a des ratons laveurs, et le lâcher ».

Je range les dictionnaires. Je remets à leur place les bibles, dans les 200, et quelques livres de psychologie, dans les 300. Hartley m'apprend que d'après un excellent éleveur du Minnesota, il ne faut pas commencer à dresser les chiots avant douze ou quinze mois. Voici l'un des livres d'Ed sur les bateaux, à ranger dans les 300 – l'océan s'étend très loin dans le système de classification de Dewey – et je le jure, le livre semble avoir été mouillé sur les bords. Ed est parti depuis trois mois, mais ses livres ne cessent de refaire surface à travers la prison. Rash m'a dit que celui-ci, c'est le chapelain qui l'a rapporté. « Il l'a trouvé sous une pile de bibles. Mason est-il de retour ?

— Non, je réponds. Personne ne l'a retrouvé. »

Je l'imagine à Londres, Yellow Mama le fait vibrer alors qu'il dérobe le bracelet en diamant d'une dame de qualité dans une rue anglaise. Le courant effleure les semelles de ses chaussures, il grimpe à travers ses jambes, traverse son ventre, son cœur, arrive dans ses bras, jusque dans ses mains. Agite ses doigts.

« Oh ! crie la femme. Au secours ! Au voleur ! »

Mais Ed n'est déjà plus là. Il est trop rapide pour se laisser prendre.

« Merde », dit-il quand ses pas s'apaisent dans un recoin étroit.

Je ne cesse d'espérer son retour. Je le vois ramer dans la chênaie, porté par une vague qu'il a apprivoisée. Il accostera devant le portail, ramènera les rames dans le petit bateau qu'il a construit lui-même, un vaisseau à la coque brillante, verni d'une couche transparente pour qu'on distingue le grain naturel du bois. « J'avais franchi la moitié de l'océan quand je me suis dit que je ferais mieux de revenir », annoncera-t-il. Le gardien dans la tour de guet passera la tête par la fenêtre et lui dira : « Grimpe par-dessus le mur avec ton bateau, Ed. Ils vont être contents de te voir. »

La vague encerclera la tour. Elle s'écrasera contre les briques des bâtiments de l'administration, puis le ciment des remparts. L'eau décollera le goudron, s'infiltrera dans les fissures, les élargira. L'électricité des fils tout en haut des murs sautera, et Ed glissera de là-haut, filant sur une cascade qui rafraîchira la cour poussiéreuse.

Je ne l'ai jamais vu, mais j'imagine l'océan capable de ça.

« Ils utilisent toujours ma chaise ? demandera Ed en descendant de son bateau.

— Oui, on lui dira. Tout le temps.

– Je ne sens plus rien », ajoutera-t-il, tendant ses mains immobiles pour nous le prouver.

Il retournera à l'atelier de menuiserie. Recommencera à fabriquer des berceaux. On accrochera son bateau aux poutres de la cantine.

Il m'a écrit une lettre. Elle m'attendait quand je suis sorti de l'infirmerie. « Personne à la maison. J'ai laissé les lettres sur la véranda. Jolie ferme. Ton ami. »

Je me représente le paquet de courrier qui se défait. La première enveloppe s'agite un peu. Elle s'ouvre, les pages vibrent, et la première s'enfuit. Puis la suivante. Et celle qui suit. Le papier est comme de la fumée. Il s'enroule, en volutes, s'envole vers le ciel, où il change de route et disparaît. Quand Marie rentre de sa journée à l'école (car elle s'est remise à enseigner – je la vois là-bas), auprès d'elle la version de Gerald petit garçon, il ne reste plus que la ficelle, cordelette usée, lâche. Elle en fait une boucle qu'elle attache au poignet du garçon car il lui a demandé. Plus tard, elle s'en servira pour s'attacher les cheveux.

Tout cela est le fruit de mon imagination. Marie a fait ses choix. Ed aussi, comme Gerald. Ils m'ont tous quitté, et j'ai un rapport à préparer sur ce livre de chasse. On n'y parle ni de fils, ni de câbles, ni de barrage. Même pas des vaches, dont j'ai appris à connaître la nature et à prévoir les réactions. Ici, dans ce livre, il n'est question que des chasseurs et de leurs proies, et je dois mettre à leur place les chiens de la prison et les hommes.

Encore un livre sur l'océan, à ranger parmi les ouvrages scientifiques dans les 500, quelques poèmes pour les 800, enfin un atlas mondial et une histoire des États-Unis dans les 900.

« Je ne sais pas quoi tirer de ce livre, dis-je à Rash à la fin de la journée. Ça concerne exclusivement la chasse aux animaux.

– Alors intervertis hommes et animaux.

154

« — Avec tout mon respect, monsieur, les hommes ne se comportent pas comme des écureuils ou des ratons laveurs. »

Rash éclate de rire. « Tu veux un conseil, Roscoe ? Raconte une histoire à Taylor. Il n'y a rien dans ces livres qui l'aidera à mieux dresser ses chiens. Parle-lui de la chasse au raton laveur, et soit il pensera que c'est une idée de génie, soit il trouvera ça complètement stupide, ensuite il te félicitera pour les renseignements que tu lui as donnés, ou il te maudira pour ton ignorance. Tout dépendra de la manière dont il entend ces informations. Il n'y a pas de chemin tout tracé dans ce cas précis. »

J'imagine le dégoût de Taylor quand je lui demanderai de lâcher les chiens sur la piste d'un détenu pendant l'été. Le fait que des hommes soient attachés aux chiens ne correspond à rien de ce qu'évoque Hartley. Les animaux dont il parle sont détachés, et les chasseurs loin derrière eux.

Rash me donne le livre à étudier dans ma cellule.

« Taylor reviendra vendredi prochain, m'annonce-t-il au moment où je m'en vais. Vaudrait mieux que tu aies quelque chose pour lui. »

Taylor est déjà au bureau quand j'arrive à la bibliothèque le vendredi suivant.

« Le directeur adjoint Taylor attend son rapport, me dit Rash.

— Allez, mon gars, dit Taylor. J'ai du boulot au chenil. »

Je regarde Rash, qui hoche la tête et déclare : « Tu es libre tant que le directeur adjoint aura besoin de toi. »

Je n'apprécie guère la légèreté avec laquelle Rash me délègue auprès de Taylor. Sans doute pense-t-il que cette lubie de connaissance lui passera vite, et qu'il me renverra à la bibliothèque avant que j'aie eu le temps de dire grand-chose.

Taylor s'éloigne déjà. « Je t'écoute, mon gars ! crie-t-il par-dessus son épaule. Qu'est-ce que tu as pour moi ? »

Rash me fait signe de le suivre.

J'emboîte le pas à Taylor et je le rattrape dans la cour. Il marche vite pour un homme de sa corpulence, et j'ai du mal à garder le rythme.

« C'est le livre ? demande-t-il en désignant le volume que j'ai entre les mains.

— Oui, monsieur.

— Alors ? »

J'hésite avant de répondre : « Avec tout mon respect, je n'ai pas trouvé grand-chose, monsieur. Les méthodes de Hartley consistent toutes à coincer des ratons laveurs dans les arbres.

— Les hommes se réfugient parfois dans les arbres, Martin.

— Ses chiens ne sont pas attachés, monsieur. » Je tourne les pages jusqu'à celle que j'ai cornée et je lis : « "Nous nous rendrons dans les bois tranquillement, pour laisser au chien tout le temps de chasser, et si nous ne le voyons pas reparaître bientôt, alors nous nous installerons sur un tronc pour attendre un moment." Voilà le genre de conseils qu'il donne, monsieur, et je ne suis pas certain que cela soit d'une grande aide pour vous. »

Je ne reconnais pas le gardien à la porte est. « Un nouveau pour le chenil ? demande-t-il.

— Pas sûr », répond Taylor, et nous franchissons la porte.

Nous nous dirigeons vers l'enclos le plus proche, et en voyant leur maître, les animaux se mettent à bondir.

« Ils s'imaginent qu'ils vont sortir se dépenser, explique Taylor. Ne les décevons pas.

— Monsieur ?

– Y a peut-être quelque chose à creuser. L'idée des chiens détachés, c'est sûr qu'ils iraient plus vite. »

Taylor pince l'épais lobe de son oreille entre ses doigts, qui devient blanc. Dès qu'il le lâche, je vois revenir sa teinte naturelle, aussi rouge que son nez. Il crache dans la poussière et lance : « On va essayer.

– Monsieur ?

– Tu vas partir vers les champs du nord, et ensuite prendre par les bois. Au bout d'un moment, tu tomberas sur un ruisseau. Je veux que tu poursuives et que tu traverses. Sur la rive opposée, il y a un gros chêne noir très vieux – tu ne peux pas le rater – je veux que tu grimpes jusqu'en haut. Retourne le sol au pied de l'arbre avant d'y monter. Je ne veux pas que ça soit trop difficile pour eux la première fois. Je vais mettre Maggie sur tes traces, avec deux jeunes.

– Monsieur ?

– Bon sang, Martin. Tu as déjà participé à une chasse à l'homme. Cette fois, tu fais la proie. C'est le revers de la médaille de ce travail. »

Taylor m'en avait parlé la première fois, avec Jennings, mais je n'avais pas réalisé qu'il le pratiquait pour de bon. Debout, là, ça me paraît bien réel maintenant. Hartley dresse ses chiens à courir après les écureuils, les marmottes, et enfin les ratons laveurs, qui constituent le but de leur entraînement. Taylor, bien évidemment, envoie les siens aux trousses des hommes.

Je vois l'enthousiasme grandir en lui. « Détachons-les », répète-t-il, vibrant d'excitation, ses bajoues ballotant sur son double menton. Ses doigts pianotent sur la barrique de son ventre, comme s'il faisait ses gammes. « Je parie que c'est ça, le truc d'Atmore : détacher les chiens. » Ses mains se posent sur son ventre dans un claquement et il s'écrie : « Vas-y, Martin ! »

J'ai encore le livre de Hartley entre les mains. Taylor s'en aperçoit et le prend. « Allez, vers le nord ! tonne-t-il. Traverse le ruisseau et grimpe dans ce chêne noir. » Il me pousse, et je me mets en marche vers le nord, rempli de peur et de perplexité.

« Martin ! hurle-t-il. Si jamais il te prenait l'envie de ne pas t'arrêter au chêne, je m'arrangerai pour que les années qu'il te reste à passer ici soient les plus désagréables possible.

– Oui, monsieur.

– Alors maintenant, accélère ! En général, les hommes ne s'évadent pas en marchant ! Et laisse un morceau de tissu accroché au bout du champ de maïs. Rien de plus. »

Je me mets à courir, et je suis sûr que les gardes du champ de maïs vont me tirer dessus avant que les chiens de Taylor aient eu le temps de sortir de leur enclos. Les détenus qui travaillent dans les champs portent tous des uniformes rayés, ils répandent du fumier entre les plants qui leur arrivent à la taille. Seuls les superviseurs sont autorisés à récolter les épis, arrivés à maturité.

Les détenus ululent en me voyant passer.

« Où tu cours si vite ?

– T'as finalement décidé de t'évader ?

– Martin ! lance soudain une voix puissante. Tu es bien en train de faire ce que je vois que tu fais ? »

C'est Beau. J'aimerais qu'ils lui attribuent un poste fixe – la tour sud-est, ou le cinquième étage, ou la cour, ou le champ de maïs –, comme ça je saurais quand m'attendre à tomber sur sa gueule de travers. Il pointe son fusil dans ma direction.

« T'as intérêt à t'arrêter ! » s'écrie-t-il.

Je m'apprête à ralentir quand j'entends Taylor. « Du calme, Beau. C'est juste un exercice avec les chiens. » Taylor a réussi à monter en selle en l'espace de quelques secondes. « Passe la consigne aux autres », hurle-t-il. Puis, dans ma direction : « T'appelles ça courir, Martin ? T'es aussi rapide qu'une vache boiteuse. »

Le champ de maïs explose de rire, les bagnards rayés comme les gardes en jean.

Je déchire l'extrémité de ma manche – c'est bien ça que veut Taylor ? –, indice pour orienter les chiens. Puis je m'enfonce dans un bois qui pourrait être celui de Marie, et où je me promenais du temps que j'étais libre. Je cours jusqu'à un gros chêne noir de l'autre côté d'un ruisseau afin que les chiens puissent m'y pourchasser. Et tout ça parce que George Haskin était ignorant au point de se laisser tuer par ces transformateurs que j'avais confectionnés avec tant de soin pour alimenter en électricité une ferme moribonde.

Mes cicatrices m'élancent, réveillées par l'exercice. J'ai la bouche sèche, je sens la sueur sur mon front former des gouttes qui coulent le long de mon visage. Mes mains griffées me piquent, ces buissons et arbrisseaux pleins d'épines m'égratignent la peau et les vêtements au passage. Je connais le nom de ces plantes, mais pour l'instant, je ne peux me les rappeler. Houx ? Pavier ?

Voilà le ruisseau, boueux et gonflé par les pluies de printemps. Je m'y jette avec bonheur, de l'eau jusqu'aux genoux, qui imprègne mes bottes et mes chaussettes. Je me penche, les mains en creux, pour boire une grande gorgée d'eau brune. Le fort goût de limon, de terre, ne me dérange guère, et je me mets à quatre pattes pour laper comme un chien.

Je suis trempé à présent, le dos mouillé de sueur, l'eau contre mon ventre remontant sur mes flancs. Je pourrais me retourner, faire la planche, les mains derrière la tête, les pieds pointant dans le sens du courant. Le ruisseau m'emporterait jusqu'à la rivière Alabama, et je continuerais à dériver jusqu'à la baie de Mobile. Un bateau me ramasserait et je répondrais : « Londres », quand le capitaine me demanderait où je vais.

J'entends les chiens derrière moi et je me traîne hors de l'eau, laissant des empreintes de mains et de pieds dans la boue. Le chêne noir se déploie au-dessus du ruisseau, ses branches se divisent, couvertes de feuilles en forme de cuillère, larges au bout, étroites à la base. Il a l'amabilité de m'offrir quelques branches basses alors je me hisse là-haut en gémissant malgré moi. C'est un gémissement de vieux, ce qui m'inquiète. Je grimpe un peu plus haut et je m'installe au creux d'une branche épaisse, à six mètres du sol. Mon souffle est désespérément rauque, vacarme qui attire les chiens, et de l'eau dégouline de mes bottes et de mes manches. Je les entends tomber sur les feuilles, crépitement assez fort pour couvrir le glouglou du ruisseau. C'est un beau jour de printemps, mais j'ai froid dans mes vêtements mouillés, la chaleur de la course a été emportée par le courant. C'est bien la seule partie de moi qui arrivera jusqu'à Mobile.

Je reprends mon souffle et hasarde un regard en bas. Je sursaute en distinguant une jeune fille, ses épaules étroites adossées généreusement contre l'écorce rugueuse. Elle cueille une feuille sur la branche la plus proche, retire le vert entre les nervures. Elle regarde les bois, de l'autre côté de la prison, ses cheveux sont d'un joli brun, comme Marie quand nous nous sommes rencontrés. Je ne vois pas son visage, mais elle me paraît jeune.

« Tu entends, Roscoe ? dit-elle.

– Quoi ? »

Elle lève alors les yeux, et ce visage me sidère. C'est celui de Marie, ou plutôt une version d'elle plus jeune que je ne l'ai jamais vue. Une goutte d'eau de la semelle de mes bottes tombe sur la manche de sa robe légère, bleu clair. « Que ces chiens font du bruit. Ils effraient les oiseaux. Il y a une ou deux fauvettes dans ton arbre. »

Mon Dieu : l'écouter parler des oiseaux. « C'est même une paruline azurée à mon avis. Enfin, d'après ce que j'ai pu entendre avant que ces chiens ne se rapprochent. »

Elle détache l'écorce, son long doigt glissé dans une anfractuosité rude.

« Qu'est-ce que tu fais là ? » je demande.

Elle me sourit, jeune et belle, tout en bas, sous mes bottes trempées de boue, et sa manche est mouchetée à présent, à croire qu'elle a subi son propre petit orage.

« La ferme va à merveille, Roscoe.

– Pourquoi n'écris-tu pas ?

– Et qu'est-ce que je te dirais ? »

Elle s'éloigne en m'adressant de grands signes. Un chien traverse le ruisseau, deux plus petits derrière.

« Attends ! » je hurle, mais Marie n'est plus qu'un frémissement d'ombre dans les buissons. Un chien a pris sa place près du tronc, la truffe sur les empreintes de pas là où j'ai piétiné avec fermeté. Une goutte lui tombe en plein sur le crâne, et il ramène son cou à hauteur du sol en agitant ses immenses oreilles. Il met du temps avant de flairer l'écorce, et plus encore à lever les yeux. Les deux autre reniflent partout autour d'eux avec empressement, se précipitant de la berge du cours d'eau jusqu'à l'arbre et inversement, les oreilles dans la gueule pour concentrer les odeurs comme je l'ai appris grâce à Hartley. Ils courent en rond, quand le plus grand me repère. Il pousse alors une longue plainte déchirante, et les petits se joignent à lui. Ils m'ont retrouvé assez vite, mais je ne sais pas ce que Taylor attend de moi à présent. Hartley lui conseillerait de rester assis sur une souche un peu en arrière le temps qu'un des chiens vienne le chercher pour l'amener jusqu'à cet endroit. Mais si les chiens repartaient, et que je sois un vrai fugitif, je prendrais à nouveau mes jambes à mon cou.

Ils s'installent donc au pied de l'arbre, immobiles comme on le leur a appris. Un des petits essaie d'imiter la posture du grand, mais il perd l'équilibre, ses membres en pleine croissance grandissant plus vite que ses articulations. L'autre se couche.

Que fait Marie par ici ? Pourquoi est-elle si jeune ?

Il s'écoule au moins un quart d'heure avant que le cheval de Taylor arrive dans un bruit de sabots sur la rive d'en face. Il arrête sa monture.

« Alors, qu'est-ce que tu en dis, Martin ? »

Le gros chien se met à geindre, les plus jeunes l'imitent.

« Ils m'ont trouvé, monsieur.

– Ah ! » s'exclame Taylor, et il franchit le cours d'eau sur son cheval. « Et toi qui croyais qu'il n'y avait rien dans ton livre comme informations sur ce genre de chasse. »

Je crains que le bon sens de Taylor ne soit obscurci par son désir de réponses. S'il mettait pied à terre pour s'éloigner de quelques pas, il verrait combien cette traque est stupide. Certes, les chiens m'ont vite retrouvé, mais ils l'ont laissé loin derrière. Sans laisses qui les rattachent à lui, Taylor n'est plus qu'un cavalier se dirigeant vers le chêne noir de l'autre côté du ruisseau, là où il savait que je me cacherais. En détachant les chiens des gars du chenil, il a seulement développé la partie de chasse. Les chiens suivent le fugitif, les gars de Taylor suivent les chiens, et Taylor suit ses gars.

Mais bien entendu, ce n'est pas mon rôle de lui dire tout ça.

« Pas bouger, dit-il aux chiens. Descends, Martin. »

Je m'exécute et le gros chien m'accueille par des grognements, qu'imite un des petits. L'autre se jette vers moi, tout fou.

« Stop ! » hurle Taylor en bondissant à terre. Je suis stupéfait une fois de plus par son aisance. Il frappe le chien sur la tête, sa grosse main lui bat les oreilles. « Non ! » crie-t-il. Le chiot se recroqueville en gémissant, la queue entre les jambes, l'arrière-train baissé. Les deux autres restent concentrés sur moi. « Bon Dieu, lâche Taylor en assenant au chiot un nouveau coup et en crachant par terre près de sa tête. C'était sa dernière chance, à celui-là. »

Je voudrais défendre l'animal, dire au moins à Taylor de ne pas le taper sur les oreilles – Hartley m'a appris que l'ouïe est aussi importante que l'odorat pour les chiens.

Taylor enroule une corde autour de mes mains. « Bien Martin, maintenant, on te ramène. Allez ! lance-t-il aux chiens. Maggie ! Dagger ! Allez ! » Je dépasse le chiot apeuré et j'entre dans l'eau. Je n'ai plus soif, et le flot boueux me rebute. La jument de Taylor s'engouffre hardiment dans le ruisseau derrière moi, et les chiens plongent le long de ses jambes fortes comme des colonnes.

« En avant », déclare Taylor.

De l'autre côté, je me retourne. Le chiot tancé s'est arrêté, de l'eau jusqu'au ventre, et il geint. Ses oreilles flottent dans le courant.

« Allez ! » crie Taylor.

L'animal gémit, et Taylor saisit les rênes pour se retourner. Les deux autres chiens piétinent à nos côtés, museau baissé, en proie à la confusion. Ils ne s'intéressent plus guère à ma capture.

« C'est quoi son problème, à ce chien, selon toi, Martin ?

– Il a peur.

– Allez », l'appelle-t-il à nouveau, puis il fait claquer ses grosses cuisses sur les flancs de sa jument.

Le chiot gémit encore et baisse la tête, ses oreilles trempant à moitié dans l'eau.

Taylor tapote le pommeau de sa selle comme si c'était son ventre, puis il pousse un gros soupir douloureux. « Nom d'un chien ! » Il sort une laisse en cuir de sa sacoche arrière. « Enlève la corde, Martin. Il va falloir que tu ailles le chercher.

– Oui, monsieur. »

J'en ai assez de ce ruisseau, de ses eaux turbides, de son humidité entêtée.

« Eh, petit chien », dis-je en m'approchant, tandis que le courant entraîne mes genoux.

Il tourne la tête vers moi, plein de honte et de lâcheté. La dernière fois qu'il a voulu s'approcher, Taylor l'a battu. Cette fois, c'est moi qui lui enjoins de venir. Hartley n'approuverait pas cette manière de procéder.

« Viens là », dis-je en l'attrapant par son collier. Léger grognement dans son gosier. « Tu crois que tu peux me mordre ? »

Il redevient silencieux, et j'attache la laisse à l'anneau rouillé de son collier. À l'autre bout, une attache. « Fixe-la à ta ceinture, me dit Taylor. Il est assez costaud pour ça, maintenant. »

Sur le flanc du cheval, ballote le lambeau de mon vêtement pour les autres chiens. Ils le reniflent une seconde, puis se mettent à courir en tout sens le long de la berge, ils jappent, ils geignent, essaient de retrouver ma trace ancienne. Quand je ressors de l'eau, ils manifestent vigueur et perplexité. La grosse, Maggie, plonge la truffe vers le bout de ma botte, puis elle aboie et se tourne vers le chiot qui est à présent debout à mes côtés, fier et vif. Maggie remet le museau par terre, tandis que l'autre chiot, Dagger, tombe en arrêt à un endroit précis, attirant l'attention de Maggie vers le ruisseau, comme si la piste s'arrêtait là, qu'elle se perdait dans le courant.

Je me rends bien compte que cette leçon de dressage n'a pas été très concluante. En dehors de la chasse à l'homme, nous avons violé bien des règles de Hartley.

À regret, Taylor descend à nouveau de cheval et sort deux autres laisses de son sac pour attacher Maggie et Dagger.

« Autant les regrouper avec ce minable. On va voir s'ils suivent tous le cheval. »

Lorsqu'il remonte en selle, je détourne les yeux.

Taylor plonge les talons dans les flancs de sa monture pour donner le départ. La jument démarre d'un pas rapide, puis elle passe au trot, au galop, et les chiens suivent en tirant sur leurs laisses. Mes vêtements mouillés pendent autour de moi, m'alourdissent, me retiennent, mes poumons crachent dès que je me remets à courir. Une douleur aigüe me vrille à nouveau le ventre, et l'eau du ruisseau me remonte dans la gorge, puissant goût de limon. Une fois de plus, branches et buissons me fouettent la figure, les bras, m'arrachent des gouttes de sang. Les chiens tirent mes hanches de l'avant et mon corps suit de son propre accord.

« Marie ? » dis-je, et ma voix se perd parmi les chiens rapides, le cheval, les laisses et les chaînes.

« Qu'est-ce que tu dis, Martin ? demande Taylor en se retournant.

— Je parle aux chiens, je lui réponds et il éclate de rire.

— Je pense que tu es bon pour le service, maintenant. »

C'est peut-être vrai, mais j'ignore ce que cela signifie.

Le lendemain de cette chasse, Taylor vient à la laiterie annoncer que j'ai été réaffecté au chenil. « Martin est l'un de mes meilleurs travailleurs, ici, réplique Bondurant. Et c'est lui qui s'occupe de former les nouveaux. Trouvez quelqu'un d'autre pour vos chiens. » J'ai beau me débrouiller correctement, je pense que le refus de Bondurant est surtout le fruit d'une inimitié personnelle.

« T'as pas envie d'aller t'occuper de ces chiens, hein ? me demande-t-il dès que Taylor est reparti.

— Je me suis bien accoutumé à la laiterie, monsieur, mais j'imagine que je n'ai pas le choix. »

Taylor revient le lendemain, accompagné du directeur en personne.

« Vous garderez Martin pendant l'été, déclare le directeur flanqué d'un Taylor irradiant la satisfaction. Ensuite, il sera affecté au chenil. Il sera plus utile à la prison là-bas qu'ici.

– Bien, monsieur », répond Bondurant.

Je continue à traire les vaches, à pelleter le fumier, à apporter du lait frais à Rash chaque vendredi, tout en sachant qu'il accéderait à mes demandes de livres même si je cessais. J'échange aussi du lait contre des cigarettes – je n'ai pas eu de mal à retrouver un fournisseur après Jennings –, que je fume dans la grange ou dans la cour, et les gardes détournent les yeux. Cette situation est nouvelle, et je l'apprécie beaucoup. Par moments, dans la grange surtout, j'ai l'impression d'avoir une vraie vie – la fumée dans mes poumons, une belle journée d'été, les stalles à nettoyer. Je pourrais être un fermier vaquant à ses occupations quotidiennes, tandis que Marie et Gerald m'attendent à la maison.

Je repense souvent à cette vision de Marie, jeune, dans les bois. Je sais bien qu'elle était le fruit de mon imagination libérée de toute entrave, parce que la pression exercée sur mon corps brouillait ma raison, n'empêche, j'ai envie de la retrouver. Certains jours, je saute des repas et travaille trop longtemps en plein soleil pour essayer de la raviver, de remettre mon cerveau dans le même état. Bien qu'elle ait refusé de me le dire, je suis sûr qu'elle avait quelque chose à partager avec moi, un message de la vraie Marie.

Ed n'est toujours pas rentré. Le directeur devait bien s'en douter, mais on l'entend toujours évoquer la possibilité qu'il soit repris.

Je suppose que Wilson est encore au fond d'une mine de charbon, même si je préfère l'imaginer de retour sur les terres de Marie. Peut-être est-ce cela que la version jeune de Marie voulait me dire : que Wilson s'était échappé et qu'il était revenu à la maison. Je le vois avec les siens à la table de la grande maison, dînant avec Marie et Gerald, dans cet endroit où il a sa place. Il a travaillé si dur pour lui et pour sa famille – pour Marie et ses parents –, il m'a accordé un espace dans sa vie, sur ces terres, alors qu'il n'avait aucune raison de le faire. En retour, je l'ai envoyé dans les mines de charbon en lui mettant dans la tête mes rêves d'électricité, en enflammant son imagination, jusqu'à ce qu'il soit pris en flagrant délit avec un cadavre sur les bras. Plus que des nouvelles de Marie et Gerald, j'aimerais que la jeune Marie me parle de Wilson. C'est sur son sort entre tous que je voudrais être rassuré.

La jeune Marie ne me rend pas visite à l'étable, hélas, et l'automne arrive trop vite. Je dis au revoir à Bondurant et aux autres, au revoir au lait et aux vaches, aux odeurs et aux bruits. Ce départ me rappelle celui de Lock 12 et d'Alabama Power, troquer un emploi qu'on aime contre celui dont on ne veut pas.

Je vois toujours Ed dans son petit esquif sur l'océan immense. Certaines nuits, il vient par ici, les vagues déferlent sur la chênaie, jusqu'aux portes de Kilby. D'autres nuits, je le vois ramer à travers les rues de Londres. Tout le monde le connaît par son nom, bien qu'il ait quitté la ville depuis dix-sept ans. « Mason, crient-ils. Tu construis des bateaux, maintenant ? »

Je vois Wilson donner un coup de pioche. Épousseter la poussière de charbon, je vois le blanc de ses yeux. Oui, il est toujours blanc, pas jauni comme celui des autres. Maintenant, il rentre à la maison. Moa l'attend. Elle aura préparé un gros repas. « Papa, diront les enfants. Où t'étais passé ? »

Et puis je me dis qu'il faut arrêter tout ça. J'ai déjà fait ces rêves. Ils sont d'une futilité méprisable, lâche, mauvaise, nuisible, pareils aux cafards à la cantine.

Au matin, je me présente au chenil.

CHAPITRE 15

Quand Roscoe T Martin pénétra pour la première fois dans la prison de Kilby, on lui ordonna de se mettre nu. Les hommes qui étaient arrivés avec lui reçurent la même injonction. Ils étaient douze en tout, et dépouillés de leurs vêtements, leurs mains d'instinct se portèrent vers leurs parties intimes – les couvrant pour les protéger, les dissimulant par dignité. On les emmena jusqu'à une zone carrelée, puis on les aspergea d'eau froide, les forçant à retirer leurs mains pour exposer la moindre parcelle de leur anatomie. Ils furent traités contre toutes les vermines possibles, puis on leur fit des injections variées.

« Ici, vous allez être en meilleure santé que jamais auparavant, les gars. »

Roscoe avait toujours été en bonne santé, mais il passa une première nuit difficile car il avait du mal à respirer et, toutes les demi-heures, il était réveillé par des quintes de toux sèche à cause de cette poudre qu'on avait abondamment répandue dans ses cheveux. On lui avait aussi remis un uniforme en tissu gris, rêche, et son lit était constitué d'un fin matelas posé sur l'étroite couchette du bas d'un lit à étage. Cinq autres détenus occupaient la cellule, et il ignorait leurs noms. Au fil de la nuit ils se relayèrent pour lui dire de fermer sa gueule.

« Fourre la tête dans l'oreiller si tu peux pas t'empêcher de faire autant de bruit. »

« La dernière chose qui me reste, ici, c'est le sommeil, merde alors. »

« C'est ça. Je vais descendre te la boucler moi-même. »

Roscoe ne répondait pas. Il toussait et patientait, une partie de lui attendant toujours qu'on reconnaisse une erreur judiciaire. George Haskin n'avait pas été électrocuté par les lignes de Roscoe, il était simplement mort d'une crise cardiaque ou d'une autre maladie fulgurante. Le jury avait changé d'avis, la sentence était suspendue. Il était chez lui avec Marie et Gerald et Wilson. Ils travaillaient à présent pour Alabama Power et installaient un compteur électrique pour mesurer leur consommation. Tout allait bien.

Il n'aurait pas besoin de se défendre contre ses camarades de cellule.

Le matin se dévoila à travers l'envahissement discret d'une lueur blafarde, suivie de près par l'arrivée d'un gardien.

« Eaton ! » appela-t-il, et l'homme qui occupait la couchette au-dessus de Roscoe descendit de son lit. Il était petit, le torse épais et musclé. On aurait dit que la moitié de son visage avait été ébouillantée.

« On s'habitue aux saloperies qu'ils nous balancent, dit-il à Roscoe avant de se diriger vers la porte. Au bout d'un moment. » Sa joue droite restait immobile quand il parlait, tendue, épaisse comme du cuir. Roscoe ne se souvenait pas d'avoir entendu cette voix-là pendant la nuit, et ces paroles furent pour lui la première chose décente que lui offrit la prison.

Il acquiesça en essayant de lui témoigner toute la gratitude possible.

« Eaton ! » hurla de nouveau le gardien.

L'homme se présenta devant la porte.

« Les autres, vous bougez pas tant qu'on n'est pas venu vous chercher », dit-il en ouvrant la porte qui grinça sur ses gonds. Il la referma d'un claquement sec en ajoutant : « On vous apportera bientôt à manger. En attendant, pas d'histoires. »

Un des compagnons de cellule de Roscoe cracha par terre.

Le gardien lui lança un demi-sourire, sec et lourd de menace. Puis il emmena Eaton sans rien dire.

Roscoe demeura sur sa couchette tandis que les autres se levaient. Il était fatigué, sa toux s'était calmée, alors il ferma les yeux. Il ne dormit sans doute pas longtemps, mais quand il s'éveilla à l'appel de son nom, il était reposé.

« J'ai raté la bouffe ? demanda-t-il aux autres.

— Nan.

— Martin ! cria le gardien. On y va ! »

C'était un autre gardien, il parlait moins, et on n'entendit rien d'autre que la porte, qui grinça en s'ouvrant, puis en se refermant.

Il ne se sentit pas plus libre une fois hors de la cellule.

« Marche devant moi, ordonna le gardien. Je te dirai quand tourner. »

Roscoe suivit ces instructions sèches et remonta le couloir, puis il en emprunta un autre, qui ressemblait davantage à celui d'un hôpital, et enfin il passa une porte donnant dans une petite pièce avec une table et deux chaises. Un homme était déjà assis, face à la porte. Il portait une chemise blanche, et une cravate rayée bleu et rouge. Il avait remonté ses manches. Il avait les cheveux huilés, bien peignés sur le côté, et d'épaisses lunettes. Derrière lui, une fenêtre sans barreaux donnait sur le côté du bâtiment, en direction des champs et d'une rangée d'arbres.

« Asseyez-vous », dit cet homme.

Le gardien poussa doucement Roscoe de l'avant. Il s'assit. Derrière lui, la porte se referma, et il regarda par-dessus son épaule pour constater que le gardien était bien toujours là, à le surveiller.

« Vous êtes à votre aise ? demanda l'homme en chemise blanche.

— Non. »

L'autre sourit. « C'est la première réponse honnête qu'on me donne ce matin. Alors, vous désirez quelque chose ? Un verre d'eau ? Une cigarette ?

— Qui êtes vous ?

— Je fais passer des entretiens. Je vais mettre par écrit votre histoire. J'aimerais que vous vous sentiez aussi bien que possible.

— Je suppose que vous connaissez déjà mon histoire.

— Nous avons les minutes du procès, monsieur Martin, mais nous aimerions en savoir plus. » Ses yeux s'arrêtèrent alors sur le dossier et les papiers posés devant lui, et sa voix se mit à réciter, lisant visiblement un texte. « L'État d'Alabama a adopté une nouvelle procédure de traitement à l'arrivée des détenus, où ces derniers auront droit à une étude minutieuse de leur passé ; à un examen approfondi de leur état mental et physique par des spécialistes ; à la mise en place d'un traitement de fond pour les libérer de tout défaut lié à leur éducation ; à l'assignation au lieu de détention et à l'emploi pour lesquels ils sont le mieux adaptés ; à un traitement systématique destiné à les réformer et à les rendre aptes à retourner dans la société, si possible, en en faisant des citoyens intègres, utiles, productifs et respectueux d'eux-mêmes. »

L'homme leva les yeux.

« Je veux bien une cigarette », dit Roscoe.

Il avait très peu fumé depuis que le shérif Eddings était venu le chercher chez lui, et le goût lui resta sur la langue, épais et chaud, tandis que la fumée chassait de ses poumons les vestiges ultimes de la poudre dans ses cheveux.

172

L'autre le regarda fumer un moment, puis il demanda :
« Vous vous appelez bien Roscoe T Martin ?

– Est-ce que tout le monde passe par ici ?

– C'est la prison centrale, donc oui.

– Est-ce qu'un homme noir du nom de Wilson Grice est venu ici ? »

L'homme regarda de nouveau son dossier. « Ce n'est pas moi qui l'ai reçu.

– Vous pourriez savoir qui c'était ?

– Non. »

Roscoe inspira une nouvelle bouffée, et l'homme reprit : « Que veut dire le T dans votre nom ?

– Rien. Mon père aimait bien l'effet visuel. »

L'autre nota quelque chose dans son dossier.

« Vos parents, reprit-il. Pouvez-vous me parler de vos parents ?

– Ils sont morts.

– Et avant ?

– Mon père était contremaître dans une mine de charbon.

– Vous êtes marié ?

– Oui.

– Votre femme a-t-elle un métier ?

– Elle était maîtresse d'école. »

L'homme tourna une page. « A-t-elle continué à enseigner lorsque vous vous êtes installés à la ferme ?

– Non. »

Il tourna une autre page.

« Quelle profession exerciez-vous au moment de votre arrestation ?

– J'étais électricien.

– Mais vous n'exerciez plus pour Alabama Power.

– Je travaillais à la ferme.

– Ah oui, la ferme que vous aviez héritée du père de votre femme. C'est ça ? » Il tourna une page.

« Oui.

– Parlez-moi de votre enfance.

– Pardon ?

– Votre enfance ? »

Roscoe songea immédiatement à ses sœurs, toutes ses sœurs – Anna, Margaret et Catherine. Il repensa à la grange qu'il avait partagée avec Catherine tandis qu'Anna et Margaret se mouraient dans la maison, se noyant dans une pièce remplie d'air.

« Pas grand-chose à dire », répondit-il.

L'homme à la cravate parut déçu, mais il poursuivit, griffonnant quelques mots dans le dossier avant de passer à la question suivante.

« Une famille noire travaillait pour vous, les Grice ?

– Oui.

– Et Wilson Grice – dont vous avez demandé des nouvelles tout à l'heure – était votre complice ?

– Non.

– Il a été condamné.

– C'est une erreur. »

L'homme remonta ses lunettes sur son nez et écrivit quelque chose.

« Vous étiez en colère contre Alabama Power, monsieur Martin ? C'est pour ça que vous vous en êtes pris à cette compagnie ?

– Mais non. J'adore cette compagnie. »

Nouvelle note, puis l'homme tourna plusieurs pages.

« Nous allons changer notre façon de procéder, monsieur Martin. Les questions suivantes ne concernent pas votre vie. Répondez du mieux que vous pourrez. »

La cigarette de Roscoe était presque consumée. L'autre s'en aperçut au même moment.

« Servez-vous autant que vous voudrez, dit-il en désignant le paquet. Alors, monsieur Martin, si vous n'aviez qu'une allumette et que vous entriez dans une pièce froide et sombre où se trouvent un chauffage à pétrole, une lampe à pétrole et une bougie, qu'allumeriez-vous en premier ? »

Roscoe se mit à rire. À l'instant même, il sortait une allumette de la boîte, si bien qu'il la brandit sous les yeux de l'homme.

« L'allumette ?

– Oui. »

Roscoe alluma la cigarette.

« Prenez deux pommes sur trois. Qu'est-ce que vous avez ?

– Deux pommes.

– Combien d'animaux Moïse a-t-il fait monter sur l'arche ?

– C'est un test d'intelligence ? » demanda Roscoe.

L'homme sourit. « Vous avez toutes les réponses à ces questions-là, hein, monsieur Martin ? » Il secoua la tête et reprit : « Comment savez-vous de quoi il s'agit ?

– Je n'en sais rien. Mais comment pouvez-vous mesurez mon intelligence en fonction de ma connaissance de la bible ?

– Quelle est votre réponse ?

– Moïse n'a fait monter aucun animal sur l'arche.

– Mais encore ?

– Ma réponse est : zéro. »

Les questions se poursuivirent. Combien font trente divisé par un demi plus dix. Le calcul ne posait pas de problème à Roscoe. Ça faisait soixante-dix. Diviser par un demi revenait à multiplier par deux. Elles étaient faciles, ces questions. C'était des pièges.

Quand ils eurent fini, l'homme à la cravate se leva. « Je suis désolé que vous soyez là, monsieur Martin.

– Moi aussi. »

Ils se serrèrent la main.

CHAPITRE 16 – ROSCOE

Taylor m'a rendu mes vendredis à la bibliothèque, et c'est Rash qui m'apprend la fin du « prêt » des détenus noirs aux compagnies minières, il a le journal ouvert sous le nez quand j'arrive ce jour-là.

« Le gouverneur Bibb Graves a fini par céder à la pression, m'annonce-t-il en désignant la une. Il a signé la nouvelle loi qui rend "illégal de faire travailler des détenus, d'État ou du comté, dans une mine d'Alabama." »
Dix-sept ans se sont écoulés depuis l'explosion de la mine Banner, c'est suffisant pour qu'un enfant soit né, ait grandi, ait été arrêté et envoyé à la mine. Nous avons laissé s'écouler une vie entière sans rien changer.

J'entends mon père se lamenter : *Qu'est-il arrivé à cet État ?*, et sa voix m'amène à repenser – pour la première fois en bien des années – à ma petite sœur et à son mineur.

Je n'avais pas réalisé que je travaillais aux côtés de détenus à l'époque où je descendais dans les tunnels de mon père. Il me l'a seulement dit plus tard, après mon départ. Aucune différence à première vue, et j'imagine qu'il en avait toujours été ainsi – juste un groupe d'hommes couverts de poussière de charbon, noirs, et plus noirs encore.

Je connais la mine. Je sais quelle vie Wilson a menée là-bas.

Je le vois, dans les entrailles de la terre, sa peau plus sombre à cause de la poussière de charbon. Wilson est un fermier. Sa place est à la surface, où le soleil et l'air le purifient. Il a besoin de l'humus, des plantes qui poussent, des graines qui germent dans leurs rangées, des grandes feuilles qui émergent de leur gaine. Si l'on devait envoyer l'un de nous deux dans les mines, c'était à moi d'y aller, étant donné mon passé de mineur et mon expérience en électricité. Ils auraient pu me nommer boutefeu, comme les hommes qui avaient déclenché l'explosion à Banner, j'aurais été l'un des rares blancs au fond des puits, j'aurais posé des câbles électriques, et j'aurais pu remonter à l'air libre avant que tout saute. Mais bon, ça ne s'est pas passé comme ça pour les boutefeux de Banner. Pour moi non plus peut-être, ça ne se serait pas passé comme ça si j'y avais été envoyé. N'empêche, ce destin-là m'aurait convenu – mis en pièces sous terre, une mort à ma mesure.

Rash a mis de côté des piles d'articles sur le système d'exploitation des détenus – le désir des hommes de posséder d'autres hommes le fascine, m'a-t-il expliqué –, et je les feuillette tout en rangeant les livres. Photos des bureaux d'une mine, les briques forment la pointe d'un triangle au-dessus de la porte principale. Environ huit cents hommes dissimulent le reste du bâtiment, leurs silhouettes sont bordées de leurs bêches et de leurs lampes. Un cliché pris sur le vif montre un tas grandissant de poignées et truelles, dans un chaos de coudes. Je cherche Wilson dans la foule, mais on ne distingue guère les visages. Que des dos, sombres et courbés. Je voudrais croire que je pourrais reconnaître n'importe où un détail de son corps, mais non. Le dos de Wilson est pareil à tous les autres.

La cour est pleine de nouveaux, tous ces hommes confirment ce qu'annoncent les journaux de la bibliothèque. Ils viennent des mines de tout l'État – Banner, Flat Top, Warner, Sipsey et Pratt. Kilby doit les enregistrer et les réassigner ailleurs, mais pour l'instant, ils sont coincés là.

Je repère les mineurs à leurs ongles et à leur peau noircis, je m'enquiers de Wilson. « Nan, répondent-ils tous. Jamais entendu parler de Wilson Grice. »

D'autres me posent des questions. « Tu connais les secrets de cette prison ?

– Dis-moi ce qu'il faut faire pour être envoyé dans les champs. »

Je leur réponds que je ne connais aucun secret, seulement l'un d'entre eux me rappelle moi-même à mon arrivée ici – l'air de n'être vraiment pas à sa place – et j'ai envie de lui répondre. Je souhaiterais même qu'il cherche à fuir, qu'il tente ce dont je n'ai pas le courage : qu'il s'évade pour nous deux.

Quand il me demande comment il peut accéder à une activité où on ne le surveille pas trop, je lui conseille d'aller voir à la chapelle. Nous sommes dans la cour, il y a assez de détenus et de gardiens pour nous garantir un certain anonymat. « Rentre dans les bonnes grâces du chapelain », lui dis-je.

L'homme sourit, mais très vite son expression s'efface pour laisser place à la peur quand Beau surgit entre nous, sa face de fouine luisante d'excitation à l'idée de ce qu'il va faire.

« Qu'est-ce que tu racontes comme connerie, mon gars ? On dirait que tu essaies d'attirer des ennuis au chapelain.

– Mon Dieu, Beau ! » je m'exclame, et le dégoût que j'ai pour lui me fait oublier de lui donner du « Oui, monsieur », ce que je regrette aussitôt.

Son visage se métamorphose.

« Tu me réponds, espèce de fils de pute ?

– Oui, monsieur », dis-je en essayant de redresser la situation, et je m'aperçois trop tard que c'est non qu'il fallait répondre. La matraque de Beau s'élève et s'abat avant que j'aie eu le temps de corriger mon erreur. Je sens ma clavicule céder, je suis à genoux, un hurlement sort de ma bouche. C'est l'aboiement des chiens dans leur enclos, en détresse, misérables.

La cour fait silence autour de nous, et mon cri remplit le vide. Beau se joint à moi : « Ferme ta gueule », glapit-il. Il le répète, encore et encore, tandis que d'une main il tire sur mon coude, pour essayer de me relever. « Nom de Dieu, tu vas te lever et fermer ta gueule ! Je t'ai à peine cogné. Debout ! »

Je ne peux pas parler, j'ai du mal à remuer les lèvres. Ma bouche reste entrouverte, molle et muette.

Beau me tire par le bras, un autre gardien émerge de la foule des détenus pour me prendre par l'autre côté. À eux deux, ils me remettent sur pied. Quand le second gardien m'attrape l'autre bras, la douleur explose dans mon épaule, me déchire, comme si on m'arrachait le membre fibre par fibre.

Je pousse un cri de résistance, gargouillis de celui qui se noie.

Ils me tirent chacun dans une direction opposée.

« Bon Dieu, lance Beau. Par ici. »

Mes pensées comme ma vision sont troubles, pourtant je reconnais bien la direction vers laquelle on m'emmène. Le bâtiment de détention, où se trouvent Yellow Mama et les cellules d'isolement.

Beau frappe à la porte et, à l'intérieur, le gardien lui ouvre. J'ai l'esprit embrumé, aussi apathique et aussi flasque que mes lèvres. Je sens mes pieds racler le sol, comme s'ils étaient entravés, le battement dans mon épaule devient plus profond, il cogne contre mes os, mes muscles, mes veines. La douleur est pareille à la lame d'une scie rouillée aux dents irrégulières, qui tournent et tranchent à leur guise. Beau parle avec un autre gardien à son bureau, ils rient, et l'autre dit : « On est pas difficiles », et leur hilarité augmente, et la scie s'enfonce plus profond, et une autre porte s'ouvre, un autre couloir, un rayon de soleil sur ma gauche, un calme mat à ma droite qui m'avale dans ses tons de nuit, une autre porte, sombre, de lourd métal, et je sens une grande poussée, mes jambes s'emmêlent, me trahissent, et j'atterris sur le sol. Dans mon épaule, la scie explose en cent petites bêtes qui me dévorent.

J'ignore combien de temps je suis resté allongé là. Des années, sans doute, des années pour baisser mon pantalon et chier dans le trou que je localise à tâtons. Des années durant, je sens le sol humide du contenu du trou quand les gardiens se décident à y verser de l'eau. Je demeure assis dans cet égout noir pendant des années. L'eau et le pain m'arrivent par une petite fente tout en bas de la porte, et j'ai aussi faim de cette faible lueur que de la nourriture.

L'obscurité est épaisse, palpable, elle appuie sur mon visage, mes mains, mes bras. Il fait humide et chaud à certains moments, froid à d'autres, mais c'est peut-être la température de mon corps qui change, à force d'accès de suées et de fièvre. Au bout d'un moment, je n'ai plus besoin d'utiliser le trou car mon système physiologique se ralentit. Je sens tous les mécanismes intérieurs sombrer dans un état d'hibernation, seul mon esprit continue de fonctionner à l'allure habituelle, peut-être même plus vite, frénétique. Je m'appelle Roscoe T Martin. Ma femme, Marie, mon fils, Gerald. Mon ami s'appelle Wilson, et je l'ai condamné aux mines de charbon de mon père. « Merci pour la main-d'œuvre supplémentaire, dit mon père. T'as fini par te ranger de mon côté, hein, fiston ? » Catherine veut que je lui raconte une histoire. « Raconte-moi celle du chat et du renard. » Je me promène avec Marie par les rues du village, le barrage est proche, l'eau déferle à grand bruit. Il y a une église dans notre village. Un dispensaire, l'école de Marie avec sa salle unique, des fenêtres, une porte à double battant, des bardeaux brun rouge. Les rues sont poussiéreuses. Près de l'eau, de vieux cyprès aux racines griffues se drapent de mousse espagnole, des peupliers lancent leurs touffes de graines, les rochers et les affleurements étagés offrent des sièges où s'asseoir. J'ai vingt ans. J'ai quinze ans. Une blanchisseuse me fait les yeux doux, ainsi qu'une infirmière, mais je ne vois que la maîtresse d'école.

« Vous êtes la maîtresse d'école, lui dis-je à la cantine et elle sursaute.

– Oui.

– Pourquoi avez-vous choisi ça ?

– Enseigner ? »

Je hoche la tête, et elle répond : « Quand ils désobéissent, je leur donne des coups de règle sur les doigts. »

Je ris et je lui dis que je veux avoir beaucoup d'enfants. Oui, je le sais, nous aurons une nombreuse descendance. Des fils et des filles.

Faraday me murmure à l'oreille. « L'attraction chimique dépend entièrement de l'énergie avec laquelle les particules distinctes s'attirent les unes les autres. »

Je le sais et je le lui dis. Mais il est ici des forces que je ne reconnais pas dans le noir, et leur attraction est un grand mystère. Je ne sais pas ce que je dois réveiller, et ce qui devrait rester caché. Aide-moi, Faraday. Éclaire-moi.

« Ah ! se moque mon père. L'électricité n'arrive pas jusqu'ici. »

Et puis la porte s'ouvre et un éclair de lumière me déchire les yeux, alors je les referme.

« Ah le fils de pute ! j'entends crier. Qui a laissé faire ça sans ordre ? »

Pas de réponse.

« Martin ! m'interpelle la voix. Sortez d'ici tout de suite ! »

Je suis adossé au mur, les jambes étendues devant moi, à quelques centimètres du trou qui me sert de toilettes. Mes paupières consentent à s'entrouvrir, et je vois le directeur qui est venu me sauver. J'ordonne à mes pieds de déplacer mon corps, de se préparer à se lever. *Allez*, je leur dis. *Nous allons rassembler ce corps en un petit ensemble et le relever contre le mur.* Mes pieds mettent du temps à répondre, et avant que mes genoux aient réussi à se plier complètement, le directeur s'exclame : « Mon Dieu, mais sortez-le d'ici. »

Des mains m'empoignent sous les épaules, je fais tout mon possible pour forcer ma bouche à parler, mais ils me tirent avant que les mots soient sortis et c'est un bruit noir et mouillé qui jaillit.

Les gardiens posent la main sur leur matraque, et ce mouvement amplifie le bruit, de plus en plus, jusqu'à ce qu'enfin il prenne la forme d'un véritable mot.

« Pitié. »

Je suis un lâche.

« Pitié », je répète d'une voix épaisse. Je protège mon bras droit, cette chose morte. « Pas la matraque. »

Les gardiens regardent le directeur, qui à son tour m'observe. « Veillez sur lui, dit-il. À présent, sortez dans le couloir, Martin. »

Je me force à avancer dans la lumière éclatante. Je sais qu'en réalité, elle est faible, que les ampoules sont recouvertes d'humidité et de crasse, mais pour moi c'est un ciel limpide, le soleil sur l'eau. Je respire.

« Voilà. Mais c'est infernal, cette puanteur. Pensez-vous pouvoir vous laisser conduire jusqu'à mon bureau par ces messieurs ici présents sans émettre encore un de ces bruits affreux ?

– Oui, monsieur. »

Je ne sais pas si c'est une bonne chose d'avoir recouvré ma voix.

Je devrais prévenir le directeur que la puanteur va nous suivre, que mes vêtements et ma peau sont recouverts du contenu de ce trou.

Nous parvenons au bâtiment administratif par des couloirs et des portes, sans jamais mettre un pied dehors, alors que je voudrais plus que tout au monde respirer l'air frais. J'ai envie de sentir la terre de la cour sous mes pieds.

J'ai honte en entrant dans le hall hexagonal.

Les gardiens des cellules d'isolement nous accompagnent jusqu'à la porte du directeur, qui alors les renvoie.

« Vous êtes sûr, monsieur ? »

Le directeur ne répond pas, et je le suis à l'intérieur. Son bureau est un gros meuble propre. Dessus, une lampe à l'abat-jour vert ; par la fenêtre pénètrent des flots de lumière. Mes yeux ne peuvent tout absorber. Le directeur s'appuie contre son bureau, prend une cigarette dans une boîte, l'allume et me dit : « Montrez-moi votre épaule, Martin.

– Monsieur ?

– C'est un ordre, vous devez obéir. Montrez-moi votre épaule. »

J'entreprends péniblement de déboutonner ma chemise. Il faut que je retire mon bras gauche avant d'ôter la manche du côté droit. Par endroits le tissu est raide, crasseux, maculé. Mon maillot de corps s'étire à l'endroit précis de la blessure.

Le directeur fume sa cigarette. « Ça aussi, enlevez-le. »

Il me demande l'impossible.

« Tant que vous avez un bras valide, vous pouvez passer votre tricot par-dessus votre tête, Martin. »

Ce n'est pas vrai. Mais je réponds au directeur que mon épaule va bien. « Il me faut juste un jour ou deux.

– Vous ne croyez pas qu'il faut d'abord retirer ça ? Vous puez, Martin. Jamais je n'ai laissé entrer dans ce bureau quelqu'un qui dégage une odeur aussi pestilentielle. Alors enlevez-moi ce maillot à présent, ou c'est moi qui m'en charge. »

Je reprends mon souffle et j'attrape le tissu dans le dos, puis je tire aussi vite que je peux par-dessus ma tête. Tout le côté droit de mon torse rugit, des côtes au cou, en passant par l'aisselle, puis cela me descend dans le bras, jusqu'à l'extrémité brune de mes doigts.

« Dieu du ciel », s'exclame le directeur. Il coince la cigarette à la commissure de ses lèvres et se penche pour inspecter de plus près. La fumée me fait du bien. « Dans quel état est votre épaule, Martin. » Il me sourit. « Gardien ou détenu ?

– Un angle. Angle du bâtiment des cellules. »

Il sourit toujours. « Les briques ne laissent pas des traces pareilles. Vous vous êtes vu ?

– Non. »

Il ouvre l'armoire, sur la face intérieure se trouve un miroir. « Je vous en prie. »

Je vois ses costumes rangés dedans, quelques paires de chaussures, des bottes de chantier, un manteau. Un chapeau de cowboy en cuir est posé en haut sur l'étagère, deux cravates rouge et bleu sont disposées sur des crochets fichés dans la paroi.

Il y a longtemps que je ne me suis pas regardé dans les yeux, et c'est mon visage qui m'effraie le plus quand je l'aperçois dans la glace. Pendant le temps passé à l'isolement, une courte barbe a poussé sans parvenir à recouvrir les os qui saillent sur mon visage. Des ombres cernent mes yeux, on dirait qu'ils s'enfoncent, comme si je dormais toutes les nuits avec des pierres posées dessus. Mes cheveux sont maculés, huileux, raides de crasse. La cicatrice de mon ventre est gonflée, encore rouge sur ma peau, et puis il y a mon épaule – une grosse masse violette, bleue, rouge, à la forme bizarre. L'empreinte de la matraque de Beau est parfaitement visible, c'est une ornière profonde dans la géographie de mon corps, couleur aubergine, avec un réseau de vaisseaux sanguins éclatés, semblable à une toile d'araignée. Mon épaule est luisante, la peau tendue sur les poches de liquides. C'est comme une grosse ampoule, et j'ai envie de la percer pour la voir se vider par terre, dans le bureau du directeur.

« Gardien ou détenu ? me redemande-t-il.

– Détenu. Mais je ne révélerai pas son nom. »

Le directeur écrase sa cigarette dans le cendrier sur son bureau. « Je peux vous forcer à me dire la vérité, Martin. Vous jouissez de beaucoup de privilèges, je peux les révoquer.

– Je perdrais plus que des privilèges si je parle. »

Il sourit à nouveau puis éclate de rire. « Oui, c'est pour ça que vous avez fait tout ce chemin entre nos murs, Martin : vous savez comment ça fonctionne. » Il se frotte la mâchoire et regarde par la fenêtre. « Je sais que ce n'est pas un détenu. Pour moi, c'est un coup de matraque, et je suppose que le gardien qui vous a infligé ça avait de bonnes raisons. À moins que vous prétendiez le contraire ?

– Non, monsieur.

– Très bien. Allons à l'infirmerie. Le docteur nous dira quand vous pourrez retourner travailler.

– Oui, monsieur. »

J'attrape mes vêtements.

« Mieux vaut ne pas les remettre. »

Je les roule en boule pour les emporter, et je laisse le directeur me conduire à travers l'entrée, puis le couloir qui mène aux cellules et à la cour. J'ai du mal à marcher, mes pieds refusent de décoller du sol. Les gens du bureau me regardent. Les gardiens me regardent. Dehors, dans la cour, les hommes me regardent. Mon bras pendouille. Je sens la chaleur du soleil sur ma peau nue. Le directeur se sert de moi pour donner l'exemple, mais de quoi, je ne sais pas très bien. Peut-être veut-il renforcer son image. Si les détenus croient que c'est lui qui m'a fait ça – ou un de ses hommes de confiance –, ça signifie qu'il est prêt à leur infliger toutes sortes d'horreur. À moins qu'il m'exhibe ainsi pour les gardiens, en guise d'avertissement pour qu'ils ne me touchent plus, ou au contraire pour les inviter à recommencer, à marquer davantage mon corps.

La chapelle est plus loin que l'infirmerie et je suis heureux de ne pas me retrouver face au chapelain. Il a des paroles en toute occasion et je ne suis pas prêt à les entendre.

C'est l'infirmière Hannah qui nous accueille.

« Mon Dieu, qu'est-il arrivé cette fois ?

– Il a été agressé, ça, c'est sûr, répond le directeur. Et sur un malentendu, il a fini à l'isolement. Il lui faut un examen complet.

– Oui, monsieur.

– Très bien. Faites-vous bien soigner, Martin. »

Hannah me fait traverser la salle, parmi les lits. Je compte quatre hommes, puis cinq, et un sixième au fond. Ils ont tous l'air malades, en proie à une infection sévère.

« Je suis contrariée de vous revoir si vite », dit-elle, et je suis d'accord.

Ma seconde audition devant la commission de liberté anticipée est arrivée – second séjour à l'infirmerie, seconde audience devant la commission. Je suis un circuit, je passe et repasse par les mêmes cases. Une seule chose diffère, cette fois. Contrairement à la première audience, je n'attends rien de celle-là. J'accorderai ma voix à celle de l'homme dégarni. Je n'espère pas.

On me conduit à travers les mêmes couloirs, et les mêmes gardiens que la première fois me raillent en chemin.

« Alors, on t'a retiré tes galons de superviseur, pas vrai, Martin ?

– T'es une menace, maintenant ?

– Hou là, je devrais peut-être avoir peur ?

– Il passe devant la commission de liberté anticipée », dit l'un de ceux qui m'escortent et les autres changent de ton. Quelques-uns me souhaitent bonne chance.

« C'est seulement sa deuxième fois, ajoute le gardien à ma gauche.

– Ah, bien. Bonne chance quand même, Martin. »

J'ai toujours le bras droit attaché le long du torse – j'ai ordre du docteur de ne pas le bouger pendant un mois –, grosseur obscène sous ma chemise, manche pendante, vide.

Le dégarni est presque chauve à présent. Il occupe toujours la position centrale au bureau, et son collègue de droite me paraît aussi le même que la dernière fois. En revanche, celui de gauche est nouveau, c'est un grand escogriffe dont les poils sortent en touffe de son col de chemise pour grimper le long de son cou épais. Lui aussi porte le costume bleu marine réglementaire.

« Je vous en prie, asseyez-vous », dit le chauve, et je pose ma main gauche à plat sur ma cuisse en me tenant bien droit. Le chauve me ressert le même discours d'introduction et je lui réponds – à nouveau – que je comprends. Je sais que cette commission n'a aucun doute sur ma culpabilité, qu'elle cherche seulement à déterminer si je suis apte à être rendu à la société civile et que je ne représente aucun danger pour elle.

De nouveau, ils reviennent sur mon crime. Je revois le visage de George Haskin avant et après son électrocution par les lignes que j'ai piratées. J'entends à nouveau la somme d'argent que j'ai volée. Je revois le shérif Eddings au seuil de notre maison. « Je suis désolé, Roscoe », dit-il en ouvrant pour moi la portière de sa voiture.

« Je vois que vous travaillez avec le directeur adjoint Taylor, au chenil, c'est bien ça ?

– Oui, monsieur.

– Aimez-vous ce travail ?

– Je le trouve agréable.

– Envisagez-vous de le poursuivre en dehors de la prison de Kilby.

– Non, monsieur.

– Pourquoi ? me demande le nouveau.

– Avec tout le respect que je vous dois, messieurs, je ne pense pas qu'on ait beaucoup besoin de chiens de prison à l'extérieur de Kilby. »

Le géant éclate d'un rire inattendu. « C'est juste, dit-il en se tournant vers le chauve. À quel genre de travail le dressage des chiens de prison pourrait-il bien correspondre à l'extérieur ?

– Les compétences pour la chasse, répond le chauve. L'élevage. » Il est sur la défensive, et son collègue a l'air sceptique.

« Vous travaillez toujours à la bibliothèque, aussi ? demande le nouveau.

– Oui, monsieur.

– Et vous vous voyez continuer ce travail après ? »

Je leur réponds à nouveau que je compte réorganiser la bibliothèque de mon beau-père.

« Vous avez subi des blessures depuis votre premier passage devant la commission, continue-t-il. Gardez-vous des séquelles ? »

Je désigne mon bras droit, dissimulé sous ma chemise : « Le médecin ne sait pas dans quelle mesure je pourrai le bouger lorsque tout sera guéri. J'ai une cicatrice de trente-cinq centimètres de long au milieu du ventre, et une autre à la cuisse. Les deux me font souffrir quand je cours. »

Personne n'obtient sa libération anticipée à son deuxième passage. Ça ne sert pas à grand-chose d'essayer.

« Et les séquelles psychologiques ? » poursuit le géant. Il a volé son rôle à l'homme du milieu.

Il y a là trop de questions évidentes, et je n'ai aucune idée de ce qu'il aimerait que je lui réponde. Je ne sais pas très bien ce qui constitue une réaction psychologique saine face à la violence physique. Si George Haskin avait survécu, quelle serait la sienne ? La colère ? Le soulagement d'avoir survécu ? Le regret ? Je pourrais dire à ces trois hommes que mes blessures ne sont pas pires que tout le reste, ici, que c'est juste un élément qui s'ajoute aux autres, aux murs, et à la cantine, et à la chaleur de ma cellule. Mes blessures ne comptent pas davantage que la poussière de la cour, que Yellow Mama, ou le bateau d'Ed, ou ce fichu phare. Certes je ne m'y attendais pas, mais cela ne m'a pas surpris non plus, aussi, je pourrais dire à la commission qu'en réalité elles ne m'ont pas affecté, impact neutre, ça n'a pas plus d'importance qu'un bon repas un soir, ou un mauvais sermon un dimanche matin, ou encore le bruit des chiens qui donnent la chasse.

Mon épaule et mes cicatrices me font souffrir, mais j'ai déjà répondu à cette question-là.

Il n'y a aucune séquelle psychologique, monsieur.

Le géant commence à répondre, mais le chauve l'interrompt. « Si nous vous libérions dès à présent, que feriez-vous pour redevenir un membre digne de cette société ?

— Je rentrerais chez moi et j'aiderais ma femme à cultiver la ferme que son père nous a laissée.

— Vous ne chercheriez pas une place d'électricien ?

— Non, monsieur.

— Pourquoi ?

— Parce que personne ne voudrait m'embaucher, monsieur. »

Je ne sais pas s'il se souvient que c'est lui qui m'a fourni cette réponse il y a deux ans.

« D'autres questions, messieurs ? » demande le chauve.

Je m'attends à quelques mots de plus de la part du nouveau, et au moins une parole du taiseux, mais ils déclinent tous les deux. Les gardiens me ramènent sur le banc dans le hall, et je vois les employés qui tapent à la machine pour remplir leurs dossiers. Le bureau du directeur est juste en face de nous, et je l'imagine en train de fumer.

Ils me laissent patienter dix minutes, mais quand je reviens sur cette maudite chaise, leur décision est la même.

« La commission estime que vous avez encore besoin d'être rééduqué, déclare le chauve. Votre demande de liberté anticipée est rejetée. Votre prochaine audition aura lieu dans deux ans.

— Merci », dis-je, et je repasse avec mes gardiens par les couloirs, et les portes, et les barrières, jusqu'à la cour où ils vont me relâcher.

CHAPITRE 17

Le procureur n'avait pas pu définir avec certitude quand les lignes électriques et les transformateurs avaient été activés, aussi finit-il par fixer mille dollars de réparations. La ferme devait s'acquitter de cette dette, et Marie souhaitait s'en débarrasser le plus vite possible. Sans les hommes et la batteuse, l'exploitation ne parvenait même pas à couvrir ses propres dépenses, sans parler de rembourser quoi que ce soit, si bien qu'à l'automne suivant, Marie dut prendre un poste d'enseignante à Rockford. Roscoe était parti depuis près d'un an, et les fils de Wilson réussissaient à maintenir les lieux en l'état. Marie songea que sa présence n'était pas nécessaire. Elle confia les terres de son père à la famille de Wilson. Gerald la suivit, bien qu'il se montrât distant, le nez toujours dans ses livres, tout occupé par la pensée de son père. Marie voyait Roscoe dans les yeux du garçon, dans ses pommettes, ses cheveux. Elle le voyait aussi dans son désir de partir – un fils qui voulait fuir la demeure familiale. « Gerald ! l'interpellait-elle en classe. Tu connais la réponse ? »

Il ne parlait que quand elle s'adressait à lui de cette manière directe.

« Columbus, répondait-il. La capitale de l'Ohio, c'est Columbus. » Il connaissait toujours la réponse.

Marie était payée chichement, pourtant elle réussissait à mettre presque tout ce qu'elle gagnait de côté afin de rembourser sa dette auprès de la justice, et au printemps suivant, elle s'en était acquittée.

Elle ne s'attendait pas à voir arriver l'employé d'Alabama Power devant sa porte, environ un an plus tard, à la mi-juin, alors que s'étiraient les vacances d'été, longues et difficiles pour elle et son fils. Sa surprise en découvrant cet homme fit écho à celle qu'elle avait ressentie le jour où le shérif était venu chercher Roscoe. Elle ouvrit la porte avec brusquerie, se montra sèche, raide. Elle s'adressa à lui à travers la porte grillagée, en tenant la poignée fermement serrée.

« Je peux vous aider ?

— Marie Martin ? lui demanda l'homme.

— Oui. »

Il lui expliqua qu'il était chargé par la compagnie d'électricité de lui transmettre des propositions. « Vous avez un moment ? »

Elle n'avait aucune confiance. Elle ne se fiait à personne qui touchât de près ou de loin à l'électricité. Toute cette entreprise était visqueuse, malhonnête, changeante. Le courant était là, puis il n'y était plus. Elle repensa aux explications de Roscoe, à ses discours passionnés au sujet des forces et de l'impulsion – conducteurs, circulation, courant. Tout lui paraissait laid à présent, une laideur canalisée en profondeur, calcinée comme le corps de George Haskin. Elle repensait à la description du procureur – les doigts noircis, les veines sombres. Un livre, *Parnassus on Wheels,* venait s'ajouter à cette image, et Marie le voyait voler par-dessus sa tête pour aller s'abattre contre une des assiettes de sa mère accrochée au mur, la porcelaine tombant lentement vers le sol, où elle se brisait sur le parquet posé par son père, planche après planche. Puis Gerald, les bras bleuis par la poigne de Roscoe, ecchymoses violettes ourlées de jaune. Il y avait tant d'images.

« Oui, j'ai un moment », répondit-elle à l'employé d'Alabama Power.

L'atmosphère était déjà tiède, la fraîcheur de la nuit dissipée. Perchés dans les pacaniers, les moqueurs gazouillaient à gorge déployée, et un corbeau solitaire croassait sur le toit de la grange.

Elle s'assit dans un rocking-chair sur la véranda.

« J'arrive au mauvais moment, madame ?

– Pas pire qu'un autre. » Elle lui montra le fauteuil à côté d'elle. « Asseyez-vous. »

Marie savait que la jeune fille qui avait refait le lit de sa mère défunte était devenue une femme froide. Elle n'avait jamais voulu devenir ainsi, mais une fois cette direction prise, elle avait été incapable de revenir en arrière. Elle n'était ni gentille, ni accueillante. Elle était forte, raisonnable, disciplinée.

« Madame ? »

Elle vit la jeunesse de cet homme, un enfant en vérité. Que faisait-il là ? Avec ce visage innocent, aux joues rugueuses, rasé de manière erratique, une touffe de poils près de l'oreille, et puis une autre sous le nez. Marie n'aurait su dire s'il était beau. « Vous voulez nous remettre l'électricité ?

– Oui, madame. La compagnie a lancé un programme d'électrification en zone rurale, et votre propriété est en tête de liste. »

Elle hocha la tête.

« En réalité, c'est assez simple. Une équipe va venir examiner les lignes déjà existantes, et ils installeront un compteur. D'après ce que je sais, votre ferme est entièrement équipée. Imaginez comme ce serait agréable d'avoir à nouveau l'électricité.

– L'électricité ne m'intéresse pas. »

Le jeune homme lui parut perplexe. Elle voyait qu'il connaissait leur histoire, il savait que son mari était en prison, enfermé au loin quelque part, condamné pour la mort d'un homme qui exerçait la même profession que lui. Qu'ils avaient réalisé de jolis profits grâce à l'électricité – les journaux en avaient fait étalage – et que si leur entreprise n'avait pas été illégale, on l'aurait qualifiée de révolutionnaire avec force éloges, car elle constituait une grande avancée pour l'agriculture moderne. Son visage lui demandait implicitement pourquoi elle ne voulait pas revenir à cette situation. Pourquoi ne pas recommencer comme avant ?

« Comment, madame ? L'électricité ne vous intéresse pas ?

– Non. Mais ce serait sans doute bon pour la ferme. » Elle regarda les arbres qui séparaient la maison principale de celle des Grice. Moa vivait toujours là-bas, elle s'occupait de sa famille, amputée du père. Marie leur avait proposé de s'installer dans la grande maison – il y avait bien assez de place –, mais Moa avait refusé.

« Non, madame Marie, avait-elle répondu. Non. Non. »

Marie aurait aimé qu'un des garçons arrive – Charles, ou Henry –, alors elle aurait pu expliquer au jeune employé d'Alabama Power qu'ils exploitaient ses terres. Elle souhaitait lui faire comprendre que la décision leur appartenait. « Leur choix sera le mien », aurait-elle voulu dire.

Elle était lasse de décider. Il y avait eu tant de choses à décider ces deux dernières années.

« Très bien, répondit-elle au jeune homme. Installez votre compteur. »

Le soulagement se peignit sur les traits de l'employé. Ses oreilles n'étaient pas symétriques, et une petite cicatrice blanche lui balafrait le menton. Marie nota ces détails, autorisa son regard à s'y attarder. Elle s'égarait, songea-t-elle, elle sombrait dans l'insupportable puits vertigineux au fond duquel était tapie la folie. Cette sensation – visqueuse, froide, humide – s'accrochait à elle comme la lessive qu'elle n'aidait plus Moa à étendre sur le fil, ridée à force d'essorage, encore dégoulinante. Avant, elle n'aurait jamais ainsi scruté le visage de ce jeune homme, prenant la mesure des petits défauts de son nez, de cette touffe de poils entre ses sourcils, de la quasi-absence de cils sur ses paupières inférieures, de ses iris couleur de terre, tirant sur brique. Elle regarda ses lèvres qui disaient : « C'est une merveilleuse nouvelle, madame. » Elles étaient crevassées par endroit, si sèches qu'elles étaient blanches. « On va vous envoyer une équipe dans la semaine, et vous aurez les détails du coût par courrier. » Elle reconnaissait les mots qu'il prononçait, mais elle n'entendait que leur son, pas leur sens. *Comme des chants d'oiseaux*, pensa-t-elle, *un modèle reconnaissable.* Elle distinguait les montées dans les aigus, les paliers, puis les retours dans les graves. Cette combinaison exprimait le plaisir, la satisfaction. Elle était certaine de pouvoir identifier ce jeune homme rien qu'au son de sa voix, de reconnaître en lui l'employé de la compagnie qui atteignait enfin l'objectif de sa délicate mission. « Vous entendez cette mélodie ? dirait-elle. C'est de l'autosatisfaction. »

« Vous avez des questions ? » demanda le jeune homme en se levant. Marie voyait bien qu'il avait envie de s'en aller, de poursuivre ses visites (il y en avait d'autres ?). Il voulait prendre congé de cette femme étrange qui ne s'intéressait pas à l'électricité.

« Non », répondit-elle.

Marie se mit au travail à la cuisine. Les pêches étaient prêtes pour les conserves. Moa et Jenny viendraient l'aider, et elles passeraient la journée environnée de leur chair rouge-orangé, dans la vapeur, la chaleur. Même si Jenny se plaignait, à juste titre, l'inconfort de la situation ne gênait pas Marie – la peau moite, le front en sueur, le coton qui colle, les cheveux humides. Elle avait toujours apprécié le travail physique, et elle aurait très bien pu se passer d'aller à l'université pour rester à la ferme effectuer les travaux agricoles. Elle aurait pu épouser un de ces gentils garçons de Rockford élevé sur les terres voisines, ils auraient mis en commun leurs biens avec aisance et simplicité. L'électricité serait demeurée quelque chose de lointain, d'étranger, jusqu'à ce qu'un jour un jeune homme vienne frapper à leur porte pour leur demander s'ils aimeraient planter des poteaux. « Charmant, aurait-elle dit. Essayons donc. »

Moa et Jenny arrivèrent par la porte de derrière, le visage luisant, les cheveux tressés en arrière. Elles se dirent bonjour, et la main de Moa se posa sur l'épaule de Marie – lourde et bienveillante.

Elles se mirent à l'œuvre sur le plan de travail au centre de la cuisine, large table de bois que le père de Marie avait fabriquée pour sa mère. Marie avait grandi assise sur ce plan de travail, elle avait vu sa mère préparer des tourtes, découper de la viande, éplucher d'innombrables pommes de terre, carottes, navets, découper des légumes, trancher des pommes, des pêches, casser des noix de pécan. Elle connaissait toutes les entailles, les brûlures, les morsures de couteau et les taches de cette table. Elle la récurait à fond tous les deux mois, et la huilait abondamment tous les ans après Noël.

Les femmes travaillaient en silence, c'était devenu pour elles une habitude depuis le départ de Wilson et de Roscoe.

Marie avait toujours aimé les noyaux des pêches, avec leurs rainures tels les sillons d'un champ fraîchement labouré, ou le front profondément ridé d'une femme âgée – des objets doux au toucher. Pourtant les noyaux étaient rugueux et durs, au point d'égratigner. Seuls le noyau friable des fruits malades s'ouvrait avec le reste, exposant leur amande tendre et plate. La chair demeurait attachée au noyau, forçant Marie à couper de gros morceaux mous. À l'époque où la ferme était prospère, elle s'autorisait même à jeter les fruits imparfaits.

Les trois femmes remplirent des saladiers de tranches formant de gros tas orange, roses et rouges, auxquels Marie ajouta des épices. Elle n'admettait que la cannelle et les clous de girofle – la douceur du goût gagnant par endroits une force subtile, avec un petit picotement au fond de la gorge –, puis elle recouvrait le tout d'un sirop léger de sucre de canne dilué dans de l'eau.

Elle avait du mal à préparer ces conserves sans penser à Roscoe. Il adorait ses pêches au sirop, soulignant toujours combien leur saveur était unique.

« Qu'est-ce que c'est ? avait-il demandé la première fois qu'il avait goûté un morceau que Marie avait pioché dans le bocal du bout d'une fourchette pour le lui glisser dans la bouche.

– Clous de girofle et cannelle. Il y a davantage de cannelle que de clous de girofle. » Elle lui en avait donné un autre morceau.

Il ne connaissait rien aux épices – sa mère n'avait pas l'habitude d'en utiliser –, aussi lui avait-elle préparé une gâterie spéciale le dimanche suivant. Des sablés, dont chacun était parfumé avec une épice particulière. Ils étaient tous les deux dans leur petite cuisine, là-bas au village de Lock 12, et elle avait porté un flacon aux narines de Roscoe. « Clou de girofle, avait-elle dit. C'est un peu fort. Maintenant, goûte le biscuit. » Il lui avait adressé ce sourire qui illuminait de joie tout son visage. « À présent, compare avec la noix de muscade. » Elle avait ouvert le flacon, puis lui avait tendu un autre biscuit. « Tu sens la différence ? » Bien sûr que oui, et après seulement deux biscuits, il l'avait attirée contre lui pour enfouir son visage dans ses cheveux en la serrant de ses grandes mains.

« Merci, avait-il dit.

– Il y en a d'autres.

– Non. Ce n'est pas seulement ça. C'est plus que pour la leçon de pâtisserie. » Ses mains s'étaient portées vers son visage. « Merci d'être ici avec moi. Merci de partager cette vie. »

Ce n'était pas la première fois qu'il prononçait ces mots, lui offrait ainsi sa gratitude – et ce ne serait pas la dernière –, pourtant Marie ramenait chacun de ces moments à celui-ci. À d'autres occasions, il s'était montré plus précis, aussi savait-elle quel poids avaient ses mots, quelle était leur portée. Il lui savait gré : d'avoir fui les mines de son père, d'avoir eu la chance de devenir électricien, de partager avec elle cette maison, leurs conversations, leurs étreintes. Roscoe mettait sur le compte de leur union toutes les bonnes choses qui lui étaient arrivées, même celles qui dataient d'avant. C'était trop.

Mais ça, c'était avant la naissance de Gerald. Après, leur couple ne lui avait plus apporté de plaisir, ou si peu.

Marie laissa Moa et Jenny s'occuper des fruits pour aller préparer le sirop. Elle préférait fermer les conserves à froid, plonger les fruits crus dans les bocaux stérilisés plutôt que de les immerger dans le sirop brûlant. Elle ne l'y versait que lorsque les pêches étaient bien en place, ensuite elle posait les anneaux et refermait les couvercles. Pendant le processus de stérilisation, les femmes se relayaient, surveillant chacune leur tour en échange d'un moment passé dehors au soleil, car la chaleur de l'été était moins étouffante que celle de la cuisine, elle était plus sèche, malgré la moiteur de l'air, une humidité lourde qui les enveloppait quelle que soit la saison. Marie prenait de profondes inspirations à l'occasion d'une pause, de grandes goulées d'air odorant – herbe, maïs, arachide, paillis, fumier, mules. Avec le temps, elle préférait ces senteurs à celles des craies et du papier des salles de classe, avec leur propreté bien ordonnée.

Moa poussa la porte grillagée. Elle s'épongea le cou de l'ourlet de son tablier, puis à petits gestes se tamponna la mâchoire, les lèvres, les joues, le front. « Quelle chaleur, dit-elle et Marie sourit.

– Je suis inquiète pour toi, Marie. »

Marie leva les yeux, Moa mesurait une bonne tête de plus qu'elle.

« Pourquoi ?

– Tu es silencieuse, encore bien plus que d'habitude, et avec cette électricité qui revient – je ne sais pas. J'ai peur que ça soit trop. Ça pourrait te ramener trop de souvenirs. Trop te rappeler M. Roscoe. » Au nom de Roscoe, elle plissa les yeux.

Marie lui prit la main.

« Ne t'inquiète pas pour moi, Moa. Tes fils sauront quoi faire de cette électricité quand elle sera là.

– Très bien, répondit Moa en lui serrant la main. Mais dis-moi si tu as besoin de quelque chose. »

Marie acquiesça. Elle savait que le temps n'était plus où elle pouvait aller voir Moa pour lui confier ses tracas, il s'en était allé avec Wilson dans les mines, s'était perdu comme on avait perdu sa trace. Elle ne pouvait plus rien demander à cette femme qui l'avait élevée – la présence maternelle de Moa : encore une chose que lui avait enlevée Roscoe.

CHAPITRE 18 – ROSCOE

Mon épaule a guéri du mieux qu'elle a pu. Le nerf a été endommagé, m'a expliqué le docteur, et j'ai eu la clavicule cassée. Quand enfin il me retire mes bandages, nous constatons que mon bras ne bouge plus guère. Ma main est capable de mouvements maladroits, et même si mon épaule ne commande plus rien, je réussis à convaincre mon bras de rester droit le long du corps, à part mon coude qui demeure légèrement fléchi. Le peu de vie qui reste à ce membre se concentre en son extrémité, et encore elle est limitée.

Le matin, je mange tranquillement à la cantine entouré de détenus. Ils tentent de forcer mon silence, évoquent sans cesse l'incident.

« Merde, Martin, j'ai vu Beau te cogner avec sa matraque.

– Et puis il te colle au mitard ! Putain.

– Je pensais pas que le directeur acceptait qu'on traite ses protégés comme ça.

– Comment ça se passe à l'infirmerie ? Tu t'es trouvé une belle infirmière ? »

Dean est tout près, c'est un habitué de la bibliothèque maintenant qu'il lit tout seul, et il vient chercher un livre chaque semaine ; sa voix retentit, plus forte que les autres. « Laissez-le tranquille. Il a eu son compte. »

Rash dit que Dean ne vient pas à la bibliothèque quand je ne suis pas là, et je ne sais que faire de cette loyauté. Je l'aide à trouver des livres qui peuvent l'intéresser, mais à la cantine il ne me doit rien.

« Tu es devenu son protégé sans qu'on sache ? » demande quelqu'un, mais Dean ne répond pas et les autres à table se taisent. Je me garde bien de le remercier tout de suite, j'y veillerai quand nous nous verrons, vendredi.

Je dépose mon plateau à la plonge et demande le seau réservé aux chiens. « Tu es de retour, Ross ? » me dit l'homme devant l'évier en se penchant pour attraper mon seau.

Je hoche la tête.

Ce seau est particulier – on ne met dedans que de la viande, cuite ou crue –, il y en a d'autres réservés aux poules et aux cochons. Depuis que j'ai lu à Taylor un passage qui traitait des dangers de la viande avariée, les cuisines ne fournissent plus aux chiens que de la viande fraîche.

Je me dirige vers le portail est. La cour est moins bondée à présent, les hommes revenus des mines ont peu à peu été redirigés vers de nouvelles prisons et camps de travail. Plus rien ne peut me laisser espérer que Wilson soit encore en vie – ni papiers, ni témoignage, ni présence. Je souhaite seulement qu'il ait trouvé une mort rapide au fond des tunnels, et que quelqu'un ait pris acte de son décès afin que Moa et ses enfants soient eux aussi délivrés du doute.

À la porte, se tient un nouveau gardien qui me laisse passer sans guère échanger de paroles. Celui qui se trouve de l'autre côté est là depuis aussi longtemps que moi et se montre plutôt cordial.

Taylor observe deux quiscales, pathétiques oiseaux qui crient lorsqu'ils chassent les insectes. Je lui adresse un signe et vais droit au chenil nourrir les chiens. Mon épaule ne m'exempte pas des corvées quotidiennes.

Dès que j'entre, l'odeur puissante et nauséabonde me frappe. Les autres gars de Taylor sont loin d'être aussi méticuleux que moi et laissent la viande faisander jusqu'à en être infecte.

Je contourne le chenil, puis je commence à remplir les seaux d'eau. Je suis seul avec Taylor, et cela me convient. Jackson et Jones sont partis depuis des années. Stevens est arrivé six mois avant moi et travailler avec lui est une véritable punition, il est incapable de proférer autre chose que des insultes ou des sottises. Il adore être attaché aux chiens quand c'est moi qui cours, il se sent alors gonflé d'orgueil, à croire qu'il s'agit d'une véritable traque et qu'il est directeur adjoint.

Les autres ne valent guère mieux. J'imagine que Taylor le sait.

Quand je termine, je le retrouve près de la barrière. « J'ai pris une décision, Martin. Je retire Maggie de la meute.

— Monsieur ?

— Tu as vu comme certains chiots qui viennent d'ailleurs sont mauvais. Je pense qu'on peut faire mieux. » Il met toujours l'échec de l'expérience de la traque avec les chiens détachés sur le compte de l'animal plutôt que sur son mauvais usage des instructions. « Et puis elle n'est plus aussi rapide qu'avant. Elle se traîne. C'est l'une des meilleures chiennes que j'ai jamais eues, alors j'imagine qu'elle pourrait engendrer une belle descendance. »

Maggie se trouve de l'autre côté de la barrière, et je passe la main pour lui caresser les oreilles. C'est ma préférée parmi la meute, et être cantonnée à la reproduction ne paraît guère un sort enviable pour elle. Son regard est fuyant, à croire qu'elle a compris.

Taylor loue les services d'un mâle reproducteur à un de ses amis, éleveur professionnel – pas à Atmore –, et je suis obligé d'entendre les cris de Maggie pendant le temps où nous hébergeons le mâle. On l'a enfermée avec lui dans le plus petit enclos, et elle fait tout son possible pour s'échapper.

Bientôt, le mâle n'est plus là, et de jour en jour, Maggie s'arrondit. C'est la première portée de Taylor, et il est aussi nerveux qu'un jeune papa. « Retourne à tes livres, Martin. Rassemble tous les renseignements possibles sur l'élevage des chiens. »

Je soumets ma requête à Rash.

« L'élevage des chiens ? Tu crois que j'ai ça en réserve ?

– Vous savez que c'est pour Taylor. »

Il aime toujours me gourmander, et bientôt arrive le premier périodique, un vieux numéro de *The Dog Fancier*, de Battle Creek, dans le Michigan.

Rash me le donne en gloussant.

« Alors ? » demande Taylor, et je lui explique que le docteur O. P. Bennett recommande le mouton bouilli et la tête de veau après la naissance des chiots, ainsi que les macaronis, les spaghettis et toutes les autres pâtes.

« Dieu du ciel, Martin », s'écrie-t-il. Depuis que Maggie est grosse, Taylor crie tout le temps. « Mais je n'en ai pas, moi, des macaronis. Et qu'est-ce qu'il faut faire quand arrivent les petits ?

– Je n'ai encore rien trouvé, monsieur. »

Taylor se frotte le ventre et regarde Maggie. « Ça m'a coûté une jolie somme d'amener ce chien, Martin. Je fonde de gros espoirs sur cette portée.

– Je vais continuer à chercher. » Moi aussi, je fonde de gros espoirs sur les chiots de Maggie.

Je prends soin d'elle : je lui apporte sa nourriture, je l'aide à passer le temps. Taylor me laisse la promener à l'extérieur de la prison, avec tous les gardiens qui nous regardent, et souvent je me prends à espérer que la jeune Marie nous rejoigne, pieds nus, dans sa robe bleue, les cheveux plus clairs à force de journées au soleil.

« Je vois ton entrain à toi aussi, dirait-elle peut-être. Tu as tellement hâte que ces petits naissent. »

Et je hoche la tête à cette pensée, les yeux rivés sur le ventre enflé de Maggie.

Les chiens ne restent pas longtemps dans le ventre de leur mère. Soixante-deux jours, d'après *The Complete Book of the Dog*. Au soixantième, il faut donner à la chienne une nourriture molle et de l'huile végétale.

Enfin, je trouve quelque chose sur la mise bas.

« "Aucune assistance n'est nécessaire, et en arrivant le matin, on découvre parfois la chienne avec sa portée confortablement nichée à côté d'elle."

– C'est aussi utile que le passage sur les nouilles, s'écrie Taylor. Mais de quoi est-ce que tu me parles, Martin !

– Ça veut dire que Maggie se débrouillera très bien toute seule. »

Taylor regarde sa meute. Maggie est allongée le long de la barrière nord de l'enclos, c'est l'ombre de la chienne qu'elle était. Son ventre est une protubérance géante, piquée de tétines affaissées, et elle est flageolante, comme Marie quand elle attendait Gerald.

« Elle est à terme ? demande Taylor.

– D'après mes calculs, oui.

– Alors il faut qu'on la sépare. »

Son nouvel enclos est pourvu d'un abri vers le fond, modeste protection contre la pluie en planches brutes montées sur des blocs de pierre.

« Elle ira s'y réfugier pour mettre bas, dit Taylor. Je vais aller lui chercher des vieilles couvertures à la blanchisserie. »

Mais Maggie ne répond plus aux ordres de son maître à présent. Deux jours plus tard, elle est introuvable, et ce sont les couinements qui la trahissent. Elle s'est enfouie sous l'arrière de son abri où nul ne pouvait la voir creuser. Quand je m'accroupis pour regarder, j'aperçois le haut de sa tête et son dos, ses épaules osseuses et son arrière-train. Le reste de son corps est enfoncé dans une espèce de cuvette, la terre et le bois m'empêchent de voir ; les chiots ont dû naître dans la nuit. Je n'en distingue pas un seul, mais ce sont de petites créatures tapageuses, ils crient comme des chatons. Gerald était pareil, mais il hurlait plus fort – une plus grande bouche, de plus gros poumons.

« Salut, ma fille », dis-je à Maggie.

Je m'allonge sur le côté, contre le bois rude, et mon bras est juste assez long pour toucher sa gueule. Pas de place pour passer la tête, alors j'y vais à tâtons, j'essaie de la caresser, de tirer gentiment sur ses longues oreilles pendantes. Je voudrais que ma main lui dise : « Tu as fait du bon travail. Tu es une bonne chienne. » J'aimerais donner du réconfort à cette nouvelle mère, apaiser la terreur qu'elle doit ressentir, tremblante, sous la pression de toutes ces petites gueules qui lui dévorent le ventre.

« Martin ! j'entends. Bon sang, mais qu'est-ce que tu fais allongé par terre ? »

Voilà tout ce que remarque Taylor : mes bottes qui dépassent au coin de l'abri, mes chevilles et le bas de mon pantalon crasseux.

Je caresse une dernière fois la tête de Maggie et je retire la main.

« Vous entendez ça ? » je lui demande en m'approchant.

Taylor tend l'oreille et plisse les yeux. Sa main est posée sur la barrière de bois et je vois ses phalanges blanchir sous la pression. Il faut toujours qu'il chasse le sang d'une partie de son corps pour le renvoyer jusqu'à son cœur massif, histoire d'avoir des réserves pour le coup suivant.

« C'est les chiots ? » demande-t-il, mais il n'a nul besoin de réponse. Sa grande bouche se fend d'un sourire comme jamais je n'en ai vu, et il lâche la barrière pour se taper sur les cuisses, une joie d'enfant anime ses mains et son visage. « Combien il y en a ? Quel est le ratio mâles/femelles ? Quelle est leur couleur ? Ils sont tous rouges comme Maggie ? Ou il y en a des noir et fauve comme leur père ? Ils sont en bonne santé ? Il y a des avortons ?

– Je n'en ai aucune idée, monsieur. Elle se terre sous l'abri. Je n'ai même pas réussi à voir les petits. »

Sa bonne humeur s'évapore aussi vite qu'elle est arrivée.

« Nom d'un chien, mais pourquoi elle fait ça ? Ces couvertures sont bonnes pour les hommes, et elles ne lui plaisent pas ? » Il soulève la barrière qui s'affaise afin de la dégager de la terre. Les gonds sont presque morts. Je suis sûr qu'un de ces jours, il va me demander d'en fabriquer une nouvelle. « Qu'est-ce qu'elle fiche donc ? »

Je l'amène derrière, et c'est pitié que de le voir s'accroupir. J'essaie de garder mes distances, mais impossible de ne pas entendre ses grognements et ses jurons car il ne se ménage pas pour se rapprocher du sol.

« Bon sang, finit-il par dire quand son ventre repose sur son genou. Je ne vois pas ces maudits clébards. » Il se relève d'un seul mouvement, comme lorsqu'il saute en selle – fluide et facile. « Tu vas me creuser tout ça, Martin. Créer un canal de communication avec ces chiots.

« – D'après ce que j'ai lu, je m'aventure à dire, il vaudrait mieux les laisser tranquilles pendant quelques jours. »

Il me regarde dans les yeux : « C'est toi qui mènes la danse, maintenant, Martin ? Tu es le nouveau directeur adjoint ? »

Je sais qu'il vaut mieux ne pas répondre, alors nous restons là sans mot dire, tandis que les petits de Maggie continuent leur tapage.

« Et pour la chienne, qu'est-ce qu'on fait ?

– Nous devons lui donner du bouillon. Et de la nourriture molle. Pas trop dans un premier temps. Dans un jour ou deux, il faudra qu'elle prenne un peu d'exercice. Pour aider la montée de lait. » Je me suis documenté.

Il regarde à nos pieds la terre fraîchement retournée par Maggie. Il pousse une motte, puis l'expédie d'un coup vers la clôture en fil de fer.

« Qu'elle reste tranquille jusqu'à demain. Ensuite, tu creuses, compris ? Ce sera bien pour elle d'avoir un accès facile pour entrer et sortir. Va voir à la cantine pour qu'ils te donnent du bouillon. Tu lui prépares une bonne quantité, avec de la viande à l'os et tout.

– Oui, monsieur », dis-je en me dirigeant vers la barrière.

Je me mets au travail de bon matin. Les journées sont longues et étouffantes, le maïs haut dans les champs. J'aimerais avoir fini de creuser avant midi. Taylor a la bonté de m'accorder des pauses à l'ombre avec de l'eau et de la nourriture, mais impossible d'échapper au soleil de midi du début de juillet. Il tombe avec encore plus de brutalité sur la terre, en ces interminables journées d'été, suspendu juste au-dessus de nos têtes, tel un gros fourneau rond. Ce soleil trop cinglant transforme la moindre coulée d'eau en vapeur, même celle qui sort tout juste de la pompe, qu'on transporte dans les bouteilles de la cantine. Les rayons les cuisent, font bouillir le liquide au-dedans, et on trompe la soif avec une eau si chaude qu'elle nous brûle le gosier.

Voilà en quelle saison sont nés les petits. Ils sauront haleter avant d'ouvrir les yeux.

Maggie sort de son terrier au moment où j'arrive. Il reste de la nourriture dans le bol que je lui ai laissé hier soir, avec un seau d'eau, et elle se jette sur les deux avec fureur. À nouveau, elle est métamorphosée, c'est une chienne que je n'ai jamais vue. Son épine dorsale est saillante, aiguë, les articulations visibles, et on devine ses côtes. Tout ce qui reste de son ventre, ce sont les tétines rouges qui pendent sous elle comme les pis des vaches de Guernesey. Elle a la queue entre les jambes.

Je me mets au travail avec une houe, mon bras gauche en avant. Au quatrième coup, je déterre les restes solides d'un énorme rat. Le corps est intact, la peau tendue, durcie sur les os, quelque chose dans le sol l'a préservé ainsi plutôt que de le renvoyer à l'état de poussière. Les griffes sont longues, jaunies, les dents aussi, extensions proéminentes du crâne enfoncé. Le museau est dur, des billes noires le surmontent, et les moustaches sont pareilles à des fils noircis. La queue se recourbe vers les pattes arrière, en tire-bouchon, comme un cochon.

Maggie vient voir. Elle approche la truffe du cadavre et soupire bruyamment, soulevant un nuage de poussière. Elle lève la tête vers moi, indifférente. Le rat est crevé depuis si longtemps qu'il ne signifie rien pour elle, c'est juste un morceau déterré par hasard en creusant le terrier. Je le ramasse avec une pelletée de terre et je le dépose dans la brouette.

Maggie gratte la terre. Je lui bloque le passage.

« Donne-moi une minute, ma fille, dis-je en l'attachant le temps de finir. Attends un peu. »

Mais elle ne m'écoute pas et tire sur sa chaîne.

Enfin, j'achève de creuser ma tranchée, et en me protégeant avec l'une des vieilles couvertures de Taylor, je rampe sous l'abri. Le sol est frais et riche, comme quand on laboure au printemps, avec l'odeur et le passage rapide des jours brefs d'hiver empreint dans la terre, qui s'exhale chaque fois qu'on la retourne, jusqu'à ce que le soleil brûlant de l'été dessèche complètement les sillons.

La chaleur des chiots enveloppe mon visage.

J'ai du mal à ramener mon bras devant moi pour prendre à la main les petites bêtes gémissantes. Un muscle dans mon épaule droite se crispe de protestation, crampe rigide qui me coupe le souffle. En réaction, je relève la tête et me cogne contre l'arrête d'une poutre, si fort que le sang coule. Il n'y a pas de raison de retirer les chiots de l'endroit où ils sont. Pourtant je les dépose l'un après l'autre sur la couverture, leur petit ventre rond et leurs membres minuscules font jaillir la douleur dans mon dos et mon bras. J'explore l'espace envahi d'ombre à tâtons pour être sûr que je n'en ai pas oublié, ma main parcourt la totalité de la cuvette du nid dont les bords se sont desséchés à présent. Maggie n'en peut plus de japper à mes pieds.

« On arrive », lui dis-je.

Les chiots sont tout petits, la moitié de la taille du rat que j'ai déterré. Ils sont plus clairs que leur mère, la tête d'un or fauve, la truffe sombre et ridée. Leurs oreilles sont de la taille de l'ongle de mon pouce, minuscules rabats sur les côtés de leur crâne qui ne vont même pas jusqu'au bout de leur gueule alors qu'à l'âge adulte, elles descendront jusqu'à leurs épaules. Ils se trémoussent, se tortillent, entassés, grouillante masse affamée, dans le besoin.

Je les mets à l'abri, puis je détache Maggie.

« Ils sont là. » La porte est grand ouverte, les chiots bien visibles, mais Maggie revient vers son nid, s'aplatit pour s'y glisser. Marie m'a raconté un jour que certains oiseaux ne veulent plus de leurs petits dès qu'ils détectent sur eux une odeur humaine. Mais cela ne peut pas s'appliquer aux chiens de Saint-Hubert, élevés pour nous servir, pourtant je suis quand même inquiet.

Maggie gratte la terre sous l'abri. Je l'entends se déplacer, le frémissement de son souffle.

Je sais que les petits ne survivront pas sans elle. Je pense à ces chapitres – « Chiots orphelins », « Nourrir vous-même les chiots », « Faire naître vos chiots » – il va nous falloir du lait de chèvre et des biberons. Et même si on parvient à les nourrir, on en perdra plusieurs. C'est ce que dit le livre. Et je ne me vois pas annoncer à Taylor que c'est sa faute, qu'il aurait fallu les laisser tranquilles. Je redoute déjà leur mort, le regret et la culpabilité que je sens croître dans mon ventre, mon dos, dans l'entaille de mon crâne, le sang durci dans mes cheveux.

Soudain Maggie réapparaît, entre ses dents, elle tient un chiot par la peau du cou. Elle passe devant moi sans me prêter attention, et le ramène auprès des autres. Elle creuse les couvertures pour entourer sa portée, comme le mur d'une maison. Ils rampent ensuite vers ses mamelles et commencent à téter. Ils sont sept. Vivants. Comme leur mère malgré toutes ces transformations, toujours là, entière, et cette pensée me fait songer à Marie avec un pincement au cœur, je reviens à ce samedi matin de mars où naquit Gerald, dans notre lit conjugal, dans notre petite maison au village, le médecin local prêt à le recevoir.

Le bébé était visqueux, maculé de sang, et le docteur me l'a donné tout de suite.

« Il retrouvera sa maman bien assez tôt, a-t-il dit. Il faut effectuer un peu de nettoyage, maintenant. Pourquoi n'emmenez-vous pas cet enfant à la cuisine, Roscoe ? »

Le nourrisson avait les yeux bien fermés, il était ridé comme un vieillard. J'ai trempé un chiffon dans l'évier et j'ai commencé à lui laver le visage. Il s'est mis à hurler.

« Chut », ai-je murmuré en le berçant dans mes bras. Je ne savais pas comment m'y prendre – comment calmer une créature si minuscule.

J'avais peur que Marie n'entende ce vacarme et ne se précipite malgré les protestations du médecin, alors j'ai emmené le bébé dehors, dans cette belle journée de printemps, époque plus propice pour naître que juillet. Je suis resté là, sur notre modeste véranda dans l'espoir qu'une femme entende crier mon fils et vienne m'aider.

Au bout de quelques minutes, Nettie Williams, notre voisine, est arrivée.

« Oh, Seigneur ! Il est né ! s'est-elle exclamée. Laissez-moi le voir. » Je l'ai autorisée avec bonheur à le prendre dans ses bras.

« Mais il n'est même pas encore lavé ? Les choses ont mal tourné ?

– Non », ai-je répondu. Cette pensée ne m'était même pas venue à l'esprit.

Nettie Williams m'a aussitôt rendu l'enfant. « Il est rouge et il pleure, donc il est en bonne santé. Je vais voir un peu où en est votre épouse. »

À cet instant, je ne me souciais guère de Marie, que de cette chose qui hurlait entre mes bras, ce nourrisson visqueux en détresse. Je me suis installé dans notre rocking-chair, qui a gémi sous mon poids, puis j'ai donné mon index replié au petit, dont la bouche s'est refermée sur l'articulation, plus propre que l'extrémité de mon doigt. Dès qu'il l'a senti, il s'est calmé, et s'est mis à sucer ma peau avec satisfaction.

Marie était bien loin de nous alors. Nous étions ailleurs. Et à présent, voilà Maggie dans son abri avec ses sept petits, et aucun d'eux n'a besoin de moi.

« Il manque une des femelles », me dit Taylor le huitième jour. Il m'envoie à sa recherche, et en fin de compte je la retrouve le long de la bordure est, où les hautes herbes se fraient un chemin à travers la clôture en fil de fer, s'infiltrent le long de la limite en terre, assez vivaces pour avancer sur ce terrain réservé aux chiens. À mi-chemin, la petite tête de la chienne s'élève à peine au-dessus de la terre, légèrement recouverte par les herbes. Elle est dans un trou que Maggie a dû creuser.

À en juger par la chaleur de son corps, elle n'est pas encore morte, et en approchant l'oreille, je l'entends respirer, d'un souffle faible et hasardeux. Elle est trop légère, sa tête penche d'un côté, et je détecte une malformation de la mâchoire que je n'avais pas repérée auparavant. Elle est condamnée, aussi j'applique ma main sur sa truffe, ultime lutte minuscule, léger mouvement des pattes, sursaut du cou – elle ne se débat pas.

Je la remets dans son trou et j'appelle Taylor.

« Maggie devait le savoir », déclare-t-il.

Je lui creuse une tombe là où sa mère a commencé, assez profonde pour échapper aux charognards.

Maggie sort au soleil, va faire ses besoins dans un coin. Sa colonne vertébrale se découpe sur son dos telle une ligne en pointillés, ses côtes dessinent de profondes ornières sur ses flancs. Sa queue est toujours ramenée entre ses pattes, ses oreilles traînent pas terre. Naguère soyeuses, elles sont toutes poussiéreuses et ressemblent maintenant au cuir tanné d'un cheval sous la selle. La maternité ne lui sied pas, j'aimerais pouvoir l'en délivrer. Il faudrait qu'elle se lance à la poursuite d'un détenu.

Attachée à ma ceinture, tirant en jappant, tandis que ses oreilles rabattraient vers sa truffe l'odeur de l'homme dont elle suit la trace. Pareilles oreilles ont un emploi, et ça n'a rien à voir avec la maternité.

Taylor me dit que je peux aller passer la journée à la bibliothèque. « Retourne à tes livres, Martin. Pense à autre chose. La terre sera sèche demain.

– Je ne me suis pas encore occupé des autres chiens.

– Allez, dit-il tandis que sa main se pose sur mon épaule valide. Vas-y. Je t'attends demain matin de bonne heure. »

Je quitte le chenil, ses odeurs d'os et de cuir, et je reprends le sentier de terre rouge qui me ramène au portail par lequel on me laisse entrer sans difficulté. La cour est calme, chacun est à son travail, et je suis envahi par la solitude des lieux. Je passe devant la chapelle en chemin vers la bibliothèque, le chapelain est dehors. Il arrose des fleurs qu'il a plantées. J'imagine que nous en avons besoin.

« Roscoe, dit-il en me voyant. Qu'est-ce qui vous amène par ici ? »

Il est accroupi, dans sa main, l'arrosoir le plus ridicule que j'aie jamais vu, minuscule, un jouet d'enfant.

« Je vais à la bibliothèque.

– Taylor vous a donné votre journée ?

– Nous avons perdu un des petits de Maggie. »

Il pousse un soupir lourd, profond, qui ébranle tout son corps, puis il me tend l'arrosoir et, comme un imbécile, je le prends. Il rentre dans l'église sans ajouter un mot. Disparaît avant même que je m'en aperçoive, et je me retrouve seul avec ce chiot dans un trou derrière moi, cet arrosoir à la main, et ces fleurs sans nom à mes pieds.

C'est ça, la prison de Kilby. Une cour poussiéreuse où nous prenons de l'exercice. Autour, une haute enceinte surmontée de câbles, et dans ces câbles, de l'électricité, assez pour me tuer, de même que George Haskin et n'importe

qui d'autre, plus qu'ils n'en envoient dans Yellow Mama.
Écoutez. Le courant est si puissant qu'on l'entend. Et puis
il y a une chapelle, ici, et notre chapelain a planté des
fleurs. Elles sont rouges et bleues, et comme je ne connais
pas leur nom, j'ai l'impression qu'elles sont étrangères. Ce
ne sont pas des fleurs qu'on trouve en Alabama. Mais ce
sont les nôtres.

Chapitre 19

Rien n'annonça l'arrivée de Wilson – aucune lettre de l'État qui l'avait vendu, ni de la compagnie minière qui l'avait exploité. Wilson était parti, et un beau jour, il se retrouva à nouveau dans la véranda.

Marie et Gerald revenaient de l'école, à Rockford.

« C'est qui ? » demanda Gerald.

Marie plissa les yeux pour mieux voir. « Charles ? » hasarda-t-elle.

Gerald secoua la tête. « Trop grand. »

Ils continuèrent de marcher, des coquilles de noix de pécan craquant sous leurs pieds. Marie laissa son esprit se remplir des crépitements, des crissements, et des moments plus agaçants où il s'en coinçait une dans sa semelle, menaçant d'en déchirer le cuir. Elle sentait presque la douleur que cela aurait pu lui causer. Elle nourrissait un grand espoir, et cet espoir grossissait dans ses entrailles tel un enfant. Elle connaissait cette silhouette, haute, familière, comme les terres autour d'elle, comme la ferme de son père. Elle refusait de lever à nouveau les yeux vers le porche tant qu'elle ne serait pas assez proche pour être sûre et certaine de ce qu'elle voyait.

Arrivé à dix mètres de la maison, Gerald se mit à hurler, et ses longues jambes se déployèrent pour courir jusqu'aux marches décrépies de la véranda. Marie essaya de ne pas entendre le nom que criait son fils, jusqu'à ce qu'elle soit enfin auprès de lui.

« Wilson », dit-elle.

Gerald s'écarta.

Marie vit le bras de Wilson, mais elle s'élançait déjà vers lui, et ne se formalisa pas que, pendant un instant, il la serre contre lui d'une chaste étreinte. Marie avait si rarement prit Wilson dans ses bras – à la naissance de Charles, à la mort de son père – que ce geste demeura bref et léger. Peut-être était-ce l'Histoire qui les retenait, la frontière profonde qui les séparait en raison de leur couleur, à moins que ce fût leur nature, n'ayant ni l'un ni l'autre besoin de contact prolongé.

Elle recula d'un pas pour mieux le voir. Elle ferma les yeux, l'image bien imprégnée dans sa tête, projetée sur l'écran de ses paupières. Wilson se tenait là – grand et large d'épaules, une chemise en jean étroite, une manche longue descendant jusqu'à sa main droite, l'autre coupée au niveau du coude. Son avant-bras gauche avait disparu, son poignet, sa main. Ses doigts, capables de tant de choses, qui pouvaient saisir, tourner, lever : ils n'existaient plus.

« Tout va bien, dit Wilson en posant la main sur l'épaule de Marie. Je suis en paix avec ça.

— Comment est-ce possible ?

— Ça m'a sorti des mines.

— Tu n'aurais jamais dû te retrouver dans les mines en premier lieu.

— C'est une question d'opinion, madame Marie. »

Marie entendit alors la voix de Moa. « Wilson ? » Son nom sonnait comme une question, il ne représentait pas une personne debout sur une véranda. Ce nom était un fantôme, pareil à son avant-bras mort – quelque chose qui cherchait sa place. Moa était toujours figée derrière la porte grillagée, elle dévorait son mari des yeux, découvrait les cheveux coupés très court, la ligne de cicatrice sur son cou, sa joue, sa main, son visage toujours aussi avenant, et puis la manche roulée et épinglée, là où naguère naissait son avant-bras gauche.

« Oh », s'écria Moa en se précipitant dehors. Elle saisit Wilson par le cou et couvrit son visage de baisers, chaque centimètre, chaque creux, chaque arête – les yeux, le front, le nez, les joues, les lèvres, les tempes, à nouveau les lèvres. Puis elle recommença. « Oh Wilson », prononça-t-elle, haletante, comme si elle suffoquait. Ses yeux se posèrent alors sur son moignon. Elle saisit son biceps sous le coton, et Marie vit ses doigts explorer ce qui restait de muscles et d'os. Ils descendirent jusqu'au tissu roulé, et Marie se demanda avec curiosité comment pouvait bien être sa chair, gonflée, boursouflée, cicatricielle.

« Je suis allé chez nous, dit-il à Moa, mais il n'y avait personne, et je me préparais à frapper à la porte quand Gerald et Miss Marie sont arrivés sur le chemin. » Ce n'était pas à eux de le voir les premiers.

Moa posa la main sur le bras diminué de son mari.

« C'est la faute de Roscoe », dit Marie qui déjà le blâmait d'un nouveau crime, remplaçant l'image incertaine de Wilson dans un puits de mine obscur par la vision nouvelle de l'homme amputé, debout devant elle. Roscoe était responsable. Il avait entraîné Wilson dans son entreprise illégale, et il l'avait abandonné à la merci des mines avides et de leurs contremaîtres, aux mains aveugles de l'État qui vendait les hommes en échange d'espèces sonnantes et trébuchantes. Roscoe incarnait le nouveau visage du marché aux forçats, c'était lui le méchant, le traître. Il était le contremaître, le propriétaire, le charbon même, enfoui dans les entrailles de la terre, difficile à atteindre, appât et happé, dans l'attente qu'une explosion ravageuse vienne le délivrer.

« Écoutez, Miss Marie, dit Wilson, je savais ce que je faisais.

– Allons, entre donc, coupa Moa. Entrons tous. Je vais préparer du café, et tu nous raconteras ce qui t'est arrivé. Oh, mon amour. Oh. »

Gerald s'avança – caché derrière Wilson, Marie l'avait oublié un moment –, et elle le prit par le bras. « Va chercher Charles, et Henry, et Jenny. Ramène-les à la maison.

– Oui m'man. »

Moa conduisit Wilson à la cuisine, Marie sur les talons. Elle s'accrochait à ce bras fantôme comme si le reste risquait de disparaître si elle le lâchait. Marie la voyait bien, la lente désintégration de cet homme incomplet. D'abord, s'en iraient ce biceps impuissant et son épaule, puis la poitrine et le cou, l'évaporation se poursuivrait à une vitesse accrue jusqu'au ventre et aux hanches, aux cuisses, aux genoux, aux mollets, aux chevilles et aux pieds, puis son visage se dissoudrait, un trait après l'autre : menton, lèvres, joues – tous ces endroits que Moa avait embrassés – disparus. Et ils ne sauraient dire s'il avait vraiment été là, ou s'ils avaient seulement souhaité qu'il soit là, dans une matérialisation de leur désir.

Wilson s'assit sur un tabouret devant le plan de travail, et alors seulement Moa le lâcha. Elle alla chercher le percolateur sur le fourneau, mais Marie l'arrêta avant qu'elle soit arrivée à l'évier.

« Assieds-toi auprès de Wilson, je m'occupe du café. »

Moa la laissa agir sans un mot mais ne s'assit pas. Elle attira la grosse tête de son mari contre sa poitrine, ses doigts se mirent à décrire de petits cercles sur ses tempes et son front, montant jusque dans ses cheveux, pour redescendre ensuite. Elle faisait la même chose à Marie dans le dos quand elle était jeune fille, perdue dans l'obscurité de sa chambre après la mort de sa mère – la nuit était le seul moment où la douleur parvenait à s'emparer d'elle. « Là, là, disait Moa. Chut, maintenant. » Elle réussissait à la convaincre de s'allonger, puis de ses longs doigts elle décrivait de petits cercles au creux de son dos. Marie avait passé sa jeunesse à s'endormir sous ces caresses, et elle s'en souvenait mieux que de n'importe quel autre geste d'intimité partagé avec sa mère.

Les enfants Grice arrivèrent tandis que l'eau chauffait, et tous trois se précipitèrent sur leur père, tombant les uns par-dessus les autres, laissant échapper un gémissement unanime de tristesse à la vue du bras manquant. « Non, disaient-ils. Papa ! » Marie observa la famille de Wilson qui l'entourait, se pressait autour de lui, leurs paroles oscillant entre joie et lamentation, enthousiasme et colère.

Gerald vint se poster à côté de Marie, près du fourneau. Elle aurait voulu qu'il s'appuie sur son épaule, se love contre elle, comme autrefois. Elle aurait voulu qu'il lui prenne la main, ou passe le bras au creux du sien. N'importe quel contact physique pour ressentir à son tour la présence de sa famille, pour avoir le sentiment qu'elle connaissait un peu de cette ferveur elle aussi, un peu de cette dévotion. Mais Gerald gardait ses distances, et quand il prit la parole, ce n'était pas à elle qu'il s'intéressait.

« Ça veut dire que papa va revenir, lui aussi ?
– Non.
– Pourquoi ?
– Sa peine est plus longue.
– Mais Wilson n'a pas été jusqu'au bout ? »

Les Grice continuaient à maudire et louer, à étreindre et embrasser. Ils ne constituaient plus qu'une masse, les enfants et Moa fusionnant avec Wilson pour lui garantir sa place auprès d'eux.

« Maman, dit Gerald, je veux aller le voir. »

Elle secoua la tête.

« C'est mon père. »

Elle se retourna vers le percolateur qui bouillait.

« Je vais lui écrire, et je lui dirai que c'est à cause de toi que je ne lui ai pas écrit plus tôt. Et tu vas me laisser lire ses lettres. »

Marie essaya de trouver les mots pour le convaincre de son erreur. Elle avait la bouche pâteuse, ses paroles restaient coincées entre ses gencives sèches, piégées par sa langue. Elle ne put rien dire. Seulement verser le café dans les tasses.

« Mère », insista Gerald. Il était plus proche d'elle qu'il ne l'avait été en toute une année, sa bouche près de sa joue, son souffle sur sa peau. Il avait encore une haleine de petit garçon, au parfum de terre d'automne, sèche et douce, mais il était bien plus grand qu'elle, son pantalon trop court avant même d'être troué, sa chemise trop serrée pour ses épaules de plus en plus larges, ses manches s'arrêtant bêtement à plusieurs centimètres au-dessus de ses poignets. Il avait presque douze ans.

« Non », répéta Marie. *Regarde Wilson,* aurait-elle voulu ajouter. *Regarde ce qui reste de son bras. Regarde les cicatrices sur sa main, son visage ravagé. C'est ton père qui a fait ça. Tu ne dois pas chercher à le connaître.*

Le poing de Gerald s'abattit sur le plan de travail, ébranlant les tasses au point de renverser un peu de café par-dessus bord, en minuscules flaques.

« Gerald, mon chéri, demanda Moa. Qu'y a-t-il ?

– C'est rien, madame Moa », répondit-il. Il baissa la tête et sortit par la porte de service, s'arrêtant un instant devant Wilson. « Je suis content que vous soyez rentré.

– Merci, mon petit.

– Gerald, l'appela Marie. Attends, mon cœur. »

Mais il n'était déjà plus là.

« Son père lui manque ? » demanda Wilson.

Marie prit son visage dans ses mains et releva le menton. « Oui, murmura-t-elle.

– Vous allez souvent le voir ? »

Marie retira ses mains et vit Moa chuchoter à l'oreille de son mari. Ce fut bref, et Marie observa le visage de Wilson. Que penserait-il de sa décision de ne jamais lui rendre visite ? Elle voulait qu'il y voie sa solidarité, son engagement à son côté, la colère, la douleur et la rancœur qu'elle éprouvait envers Roscoe. Mais il pouvait tout aussi bien la considérer comme une femme méchante, complaisante, abusant du privilège de pouvoir choisir. Moa, elle, était restée sans rien – ni nouvelles, ni connaissance du lieu où il était, ni lettres – tandis que Marie avait tout. Elle savait à quoi Roscoe était employé à Kilby, qui étaient ses compagnons de cellule, le bibliothécaire, le directeur adjoint et le chef de la laiterie. Elle savait combien il aurait été facile de prévoir une visite, qu'ils auraient même pu obtenir une permission d'une demi-journée en vertu de son comportement exemplaire. Elle aurait pu aller le voir avec un pique-nique qu'ils auraient partagé dans la chênaie, qu'avait décrite Roscoe dans ses lettres, comme l'avait suggéré Eddings le jour où il avait conduit Roscoe à la prison.

Wilson allait-il la juger mesquine et revancharde, voire pire que l'homme qui les avait mis dans cette situation ?

« Son père manque à ce garçon, répéta Wilson. Et vous, Miss Marie, comment vous allez ?

– Je vais bien, Wilson, très bien. » Elle fut soulagée qu'il détourne la conversation de ce qui la culpabilisait. « Mais toi, peux-tu nous raconter ce qui t'est arrivé ? »

Wilson porta la main à sa tête et se frotta le crâne, à présent semé de cheveux blancs. Il avait toujours ce geste lorsqu'on lui posait une question difficile, et Marie sourit en retrouvant cette habitude à la fois familière et réconfortante.

« Que savez-vous déjà ? demanda-t-il en regardant entre les deux femmes.

– Rien », répondirent-elle en chœur. Puis Marie reprit : « Tu as disparu après Kilby. Notre avocat n'a pas pu trouver le moindre document te concernant.

– Et c'est tant mieux, sans doute. Les visites n'étaient pas autorisées dans notre camp de travail, et la perte de ces papiers, c'est ça qui m'a permis d'être libéré. » La main de Wilson glissa vers la tasse de café, qu'il se mit à siroter. « Ah. Ça m'a manqué, pour sûr. » Il garda la tasse fumante sous son nez. « Le transfert à Kilby a été rapide. Ils doivent faire une étude poussée, qu'ils disent, bien analyser notre histoire, entrer dans nos cervelles pour prendre la mesure de nos pensées profondes, mais dans mon cas, ils m'ont juste demandé quel métier j'avais, et puis ils ont dit que c'étaient les mines qui me conviendrait le mieux. "Flat Top a besoin de main d'œuvre, en ce moment" a dit le gars. "Ça te permettra d'échapper à la prison, et ça te maintiendra en bonne santé."

« Ils m'ont expédié là-bas le lendemain. On m'a rapidement formé pour que je descende avec la première équipe qui est retournée dans les tunnels après l'explosion. » Il posa sa tasse et se frotta de nouveau le crâne. « Voilà tout. J'ai trimé au fond de la mine jusqu'à ce que ça arrive, dit-il en levant son bras gauche amputé, après je suis resté un moment à l'infirmerie et puis ils m'ont renvoyé chez moi. »

Les mains de Moa s'étaient posées sur ses épaules tandis qu'il parlait, et Marie voyait ses doigts le masser. Ses enfants l'entouraient. « Ça suffit », dit Moa. Elle se pencha pour l'embrasser sur la tête. « Je suis tellement heureuse que tu sois là. »

Marie se sentit frustrée que Moa le fasse taire ainsi. Elle voulait tout savoir de la vie de Wilson dans ces tunnels. Elle avait besoin des détails : les bruits, les textures, les goûts, l'air gorgé de charbon, la roche qui explosait, le sol humide, les lampes à pétrole, le ciel noir, les baraquements, les repas.

« Wilson, comment était-ce ?

– Il en a assez dit », la tança Moa.

Les enfants Grice toisaient Marie, dans leurs yeux la même lueur protectrice qui animait leur mère. *Il est à nous*, lisait-on sur leurs visages, la lèvre ferme, les paupières grandes ouvertes. *Toi et les tiens, vous nous l'avez assez pris.* Et Marie capitula.

Wilson posa sa tasse sur la table et la regarda. « C'était affreux, Miss Marie. Si vous voulez plus de détails, faudra me laisser le temps. »

Elle acquiesça, honteuse. « Oui, bien sûr. »

Moa se pencha à l'oreille de son mari : « Rentrons à la maison, mon chéri. »

Marie vit Jenny, Charles et Henry entourer leur père, le soulever de sa chaise, le mettre debout. Ils se mouvaient comme un seul corps, glissant sur le sol avec une aisance d'oiseaux, une volée, ou une aile ; ils étaient tels des pluviers avançant sur le sable, leur pas lisse et fluide. Ils se glissèrent au-dehors, traversèrent l'herbe, se soustrayant au regard de Marie lorsqu'ils tournèrent à l'angle de la maison. Elle imagina alors qu'ils prenaient leur envol, ramenant leurs pieds rapides contre leur ventre tendre et déployant leurs ailes – celle de Wilson repousserait, large membre garni de plumes venant remplacer son demi-bras –, levant le cou vers les nuages. Ils survoleraient les lignes électriques brûlantes, les épais bosquets de houx et de pins jaunes, jetteraient un coup d'œil aux champs, à la mosaïque de leurs terres, puis ils ralentiraient et se poseraient dans la petite clairière devant leur petite maison – tout était petit – et ils se loveraient les uns contre les autres, et d'un seul mouvement iraient jusqu'à la porte.

Marie songea à son fils, ce bébé né dans un naufrage de sang, sa couverture servant plus à éponger qu'à réchauffer. Il était venu au monde, tout gluant, on l'avait donné à Roscoe pour que le médecin puisse s'occuper de Marie, et Marie était rentrée en elle-même, reprenant calmement possession de la chambre qu'elle partageait avec son mari. Le silence était pareil au brouillard, se souvenait-elle, tapi à la lisière de son champ d'audition, muet ; les pleurs du bébé étaient assourdis, étouffés par la flanelle et le coton, fracas étranger recouvrant tout – les paroles pressées du docteur, désespérées, suppliantes, le choc de ses instruments, métal contre métal, son infirmière, ses chaussures sur le sol, qui claquaient, couinaient –, et tout petit à petit s'était réduit à un battement lent et régulier, comme le courant d'une rivière, ou la marée, un grondement au rythme profond.

Elle se réveilla quelques jours plus tard dans une chambre d'hôpital à Birmingham. Roscoe était là, mais pas l'enfant.

« On l'a perdu ? demanda-t-elle en lui prenant la main.

– Non, non. Il va bien. Nettie veille sur lui pendant que tu te rétablis. »

Marie avait regardé son corps, son ventre à présent plat. Elle ressentait une douleur sourde dans ses entrailles, et ses doigts se posèrent sur sa peau, ils se frayèrent un chemin sous la couverture, se répandirent sur le vaste bandage qui enserrait son abdomen.

« Que s'est-il passé ? » demanda-t-elle.

Roscoe avait l'air triste, la douleur s'était imprimée sur son visage. « Je vais chercher le docteur », dit-il et elle avait eu beau protester, tenter de l'arrêter, de le faire revenir, il l'avait quittée. Il avait abandonné le fardeau de cette nouvelle à un autre, et elle avait ressenti les ravages de cet abandon au plus profond d'elle-même, poids craquelé semblable aux tiges d'arachide ou de maïs qu'on laisse se dessécher et durcir en l'absence de fruit. Elle le sentait toujours en elle, friable et poussiéreux. Cet espace ne s'était jamais rempli.

Marie se souvenait du teint cireux du médecin, de ses cheveux clairs, ses prunelles d'ambre, ses dents jaunies. Elle avait du mal à le regarder, ses yeux fuyaient les siens – ils se posaient au plafond, puis sur la fenêtre, la blouse blanche, ils grimpaient jusqu'au menton, pour se détourner à nouveau.

« Madame Martin. Votre médecin a fait un excellent travail. Vous avez eu de la chance de tomber entre des mains aussi qualifiées. »

Elle scrutait son menton, les poils de sa barbe desséchés par le soleil.

« Vous vous remettez parfaitement bien.

– De quoi ? »

Il avait posé une main chétive sur son bras. « Je suis navré, madame Martin, mais il y a eu des complications suite à la naissance de votre fils – votre utérus a subi des dommages. » Ses doigts saisirent les siens. « Nous avons dû pratiquer une hystérectomie. »

Marie sentait la pression de sa main, mais ses paroles lui étaient incompréhensibles. La désertion de Roscoe palpitait dans son ventre, comme les tiges de maïs sous la brise, la danse bruissante et nerveuse des feuilles mortes. La chose grandissait en elle, des sillons se traçaient, la vaste étendue d'un champ.

« Quoi ? » dit-elle.

Il lui serra davantage la main, puis la retira. « Vous ne pourrez pas avoir d'autres enfants. Je suis sincèrement désolé. Voulez-vous que je dise à votre mari de revenir ? »

Marie s'était forcée à regarder par la fenêtre le ciel étincelant, si lumineux qu'il en paraissait presque blanc. « Non », répondit-elle.

La perte de leurs futurs enfants les avait séparés, renvoyés chacun dans leur coin respectif, loin des caresses de l'autre. Ils n'auraient pu avancer ensemble comme la famille de Wilson, même s'ils avaient essayé. Les brèves années de répit, quand Roscoe avait installé l'électricité, n'avaient été qu'un leurre. Elle devait bien savoir que leur couple s'était effondré, que leur avenir leur avait été arraché. Elle le savait, et cette lucidité côtoyait en elle sa propre culpabilité, sa propre part de responsabilité. Contrairement à Wilson et Moa, elle n'était pas innocente. Ils s'étaient volé quelque chose l'un à l'autre, Marie et Roscoe, et ensuite, ils avaient volé quelque chose à Wilson. Ils lui avaient pris une partie de sa famille.

Assise dans le silence de sa cuisine déserte, Marie eut envie de parler à Roscoe. Elle voulait lui montrer l'ampleur de leur dette : aux Grice, à la terre, à leur fils, et l'un envers l'autre.

Voilà, voulait-elle lui dire. *Dis-moi comment nous allons rembourser tout ça.*

CHAPITRE 20 – ROSCOE

Je fais les cent pas dans la cour quand les sirènes se mettent à hurler, alors je me hâte vers le chenil. Taylor est déjà là avec Stevens et un dénommé Michaels.

« Ces deux-là », ordonne-t-il en désignant la cage la plus éloignée. Jack et Jesper.

« Salut, Jack, dis-je. Salut Jesper. » Puis je demande à Taylor : « Où démarre la piste ?

– Au maïs. Angle nord. Vous les gars, vous partez avec les chiens. Je vais chercher mon cheval. »

Nous nous mettons en route. Taylor nous rattrape juste avant d'arriver aux premières rangées de maïs. Il éperonne son cheval et nous le suivons, jusqu'au gardien du champ. Il tient le sac de jute du fugitif, et les chiens y plongent le museau en retroussant les babines, inhalant les odeurs que leurs grandes oreilles concentrent vers leur truffe. Les miens redressent la tête les premiers et se tournent vers les bois.

Ils sont plus rapides que moi et me tirent de toutes leurs forces. Leurs aboiements donnent le ton. Ils font halte pour bien repérer l'odeur. Là, dans cette touffe d'herbe. Ici, sur cette brindille. Là-bas, dans cette empreinte fraîche laissée dans la boue au bord du ruisseau Cobbs. Les chiens essaient de se détacher l'un de l'autre et puis de moi, ils longent la rive tantôt en haut tantôt en bas, puis Jesper s'élance dans l'eau peu profonde et nous le suivons. La trace est là, dans une autre empreinte de pas, avec son odeur fantôme. J'ai les mollets en feu. Les poumons près d'éclater. Mon épaule émaciée et mon bras gémissent. Tout cela n'est que trop familier.

Nous longeons le chêne noir, et une partie de moi voudrait jouer la proie à nouveau, pour grimper dans les branches, même si je sais bien que je ne peux plus à présent, que jamais je ne pourrai plus monter aux arbres.

Stevens et ses chiens sont toujours avec moi.

Le cheval de Taylor s'engouffre dans le ruisseau. « Vous deux, je vous suis, s'écrie-t-il. Les chiens de Michaels ont pris une autre direction. Je crois que c'est plutôt par là. »

Pourtant ce n'est pas ce que me disent les chiens. Quand ils se rapprochent de leur proie, un changement s'opère en eux : leurs muscles se crispent, quelque chose de raide et tendu dans leur démarche. Il nous reste du chemin à parcourir, voilà ce que m'apprennent leurs corps en cet instant. Taylor fait du bruit derrière nous, et soudain, la jeune Marie apparaît à ma droite. Elle fuse à mon côté, le souffle calme et régulier.

Les chiens s'arrêtent pour localiser la piste, et puis détalent de plus belle. La ceinture de cuir à ma taille me scie le dos. L'humidité qui m'imprègne pourrait aussi bien être de la sueur que du sang, chaud et froid.

Stevens ralentit un peu, mais le cheval de Taylor est tout près de mon oreille, le doux frémissement du museau trempé de la bave qui s'écoule de ses lèvres, ravalée sur le mors et nappée de son souffle. « Allez ! crie Taylor. Allez, allez ! » Le souffle de l'animal devient âcre, à cause de l'herbe qui se décompose dans ses entrailles.

J'entends un murmure, une mise en garde. *Marie ?*

« Allez ! » s'exclame encore une fois Taylor juste avant la grande dégringolade : les membres qui s'affaissent, les branchages qui cèdent sous le poids de cette forteresse, les brindilles qui s'écrasent. Le poitrail du cheval heurte le sol, puis son cou, sa mâchoire, ses lèvres, son museau. Son corps laboure le sol, propulsant sur moi gravier et humus. Je tire sur la laisse pour arrêter les chiens, regarde Taylor se relever. Une entaille au bras, il saigne. Un autre gardien surgit derrière lui, et j'ai la surprise de reconnaître Beau. Il est arrivé si vite.

« Continuez ! hurle Taylor. Je vous suis. Allez-y. »

Les chiens tirent sur leur laisse. Ils sont contrariés d'avoir dû s'arrêter.

Beau court auprès de moi, Marie à son côté, silencieuse et attentive. Je la sens nerveuse, et j'espère que le désir de Beau d'attraper ce fugitif lui fera passer l'envie de s'en prendre à moi.

Et nous y voilà. Nous sommes arrivés. Ce n'est guère plus qu'une cabane, cette bâtisse, une maison oubliée, de pauvres planches qui soutiennent un toit rouillé. Les chiens se ruent sur la porte. Ils sont sûrs d'eux. Je la vois en eux, cette conviction profonde.

Respiration bruyante derrière nous, et Stevens apparaît, précédé de ses chiens.

« Toi ! s'écrie Beau en le pointant du doigt. Donne tes chiens à Martin et va frapper à cette porte. »

Stevens blêmit, pourtant il détache ses animaux de sa ceinture pour les accrocher à la mienne. J'en ai cinq maintenant, c'est trop. Si la traque reprend, ils auront ma peau, c'est sûr.

« Va là-bas », siffle Beau en se retirant à couvert dans le bois, fusil pointé.

Stevens s'approche de la cabane, lève le poing, frappe fort contre la porte, trop fragile pour encaisser pareils coups. Autour de moi, la forêt tremble. Nous avons quitté la chênaie pour ce bois de grands pins à écorce rouge.

« Eh, toi ! beugle Beau. Tu ferais mieux de sortir tranquillement. » On ne le voit presque plus, dans le sous-bois.

On entend du bruit à l'intérieur, un gémissement de métal, un crissement. Stevens se retourne vers Beau au moment où la porte s'ouvre. Un dénommé Hughes apparaît. C'est un habitué de la bibliothèque comme Dean, il aime les livres sur les machines – les égreneuses à coton, les moteurs, l'imprimerie. De haute stature, la taille et les épaules épaisses, des yeux trop grands pour son visage – des yeux terribles, qui acculent un homme aux excuses ou à la confession, des yeux de meneur, pas de fugitif. Il a un fusil à la main, qu'il tient au niveau des hanches. Nul n'a le temps de voir de quel calibre il s'agit que Stevens est déjà à terre, avec un grand trou dans le côté.

Son corps est une cacophonie : aspiration, roulade, gémissement de sa peau, de ses os, de ses entrailles invisibles soudain exposées à l'air, des vaisseaux qui se vident. Et puis le son qui sort de sa bouche, un doux murmure, à peine plus qu'un souffle.

« Merde, dit Hughes en regardant par terre. C'était pas pour toi, ça, mon frère. »

Stevens se concentre sur sa plainte, Hughes lève les yeux vers moi. J'attends que Beau lui tire dessus.

« Je vais pas te tuer, Roscoe.

– Je n'en ai pas envie. »

Les chiens sont calmes, ils fixent des yeux le fusil. Le métal est un maître convaincant.

Pas un bruit, pas un mouvement depuis l'endroit où se trouve Beau.

« Où il est le gardien qui était avec toi ? demande Hughes.

– Il s'est enfui », je réponds pour laisser plus de temps à Beau.

Hughes sourit. « Au fond d'eux, ce sont des lâches. » Il regarde Stevens. « Roscoe, qu'est-ce qu'il dit ? »

Je me fraie un chemin parmi mes chiens et je m'accroupis près de Stevens, l'oreille tout près de sa bouche. Sa blessure est très différente de celle de Jennings, et je vois tout de suite qu'il est perdu. Je le sais au bruit et à la couleur. Il ne passera pas la nuit. Il ne quittera pas cet endroit. N'ira pas jusqu'au cheval de Taylor, à quelques kilomètres derrière nous.

« "Mon Dieu." Il ne cesse de répéter, "mon Dieu", encore et encore. »

Cette proximité m'effraie davantage que la mort elle-même.

Stevens est très pâle, le sol autour de lui, sombre.

Mais où est passé Beau ?

Mes chiens ne savent plus quoi faire. Ils n'ont pas l'habitude de l'odeur du sang.

« Je ne peux pas retourner là-bas, Ross », déclare Hughes en enjambant le chaos de Stevens.

Je m'écarte de quelques pas, offrant à Beau une belle ligne de mire. Il faut qu'il tire tout de suite.

« Non », dit une voix qui ressemble à celle de Marie — elle est là à nouveau, parmi les arbres.

Hughes tient toujours son arme à la hauteur de sa taille. « Vaudrait mieux que tu restes là, toi, dit-il.

— Ils vont te rattraper.

— Peut-être, mais pour l'instant, je m'en vais. C'est bon pour toi, Ross ? » J'acquiesce. « Retiens tes chiens.

— Très bien. »

Alors il détale, déploie ses longues jambes dans la direction opposée à celle où se cache Beau. Les branches émettent un instant un léger fracas, cris, craquements. Il n'ira pas loin.

« Beau ! » je l'appelle, mais personne ne répond.

Tu ne veux pas qu'il s'échappe ? me demande Marie au moment où elle apparaît à mon côté.

« Non », et en prononçant ces mots, je comprends que c'est la vérité. J'ai beau le connaître et ne lui avoir jamais souhaité le moindre mal, je veux qu'on attrape Hughes. Je veux que sa tentative échoue. C'est le plus près que je puisse m'approcher de la liberté dans mon univers confiné : voir celle d'un autre entravée.

Ce n'est pas une grosse perte, déclare Marie à propos de Stevens.

« Je sais. » Que je veuille voir Hughes capturé, sans guère me soucier du sort malheureux de Stevens en dit long sur moi. Ai-je définitivement pris le parti de la prison, plutôt que des prisonniers ? Mon uniforme est-il cousu sur ma peau, les fibres fusionnant avec ma chair jusqu'à se mêler si étroitement qu'elles ne se détacheront plus jamais les unes de l'autre ?

Où est Beau ?

« Marie, j'ai peur. »

Sur son visage, de la tristesse, et nos bois sont pleins de bruit. Le fracas provient d'une seule direction, martèlement de pieds, cris, sabots de chevaux, et encore des chiens. Les miens se mettent à gémir.

C'est le directeur en personne qui nous repère, haut perché sur son hongre châtaigne, le plus beau cheval de la prison.

« Dieu du ciel. Que se passe-t-il, Martin ? »

Dis-lui que c'est toi, murmure Marie.

« Martin ! » s'écrie le directeur.

Marie disparaît, mais j'entends encore ses paroles qui me chargent de culpabilité, du poids du cadavre de Stevens. Si je l'accepte, je romps tout lien avec le directeur et Taylor, le chapelain et Rash. Ce sera pire que Reed et son couteau, que Fred, Gil et Vincent, pire même que Beau.

Si je me déclare coupable, je marche tout droit vers le mitard, tout près de Yellow Mama, je vais à sa rencontre.

Est-ce là que je devrais aller, Marie ?

« Martin ! crie de plus belle le directeur. Qui diable a fait ça ? »

C'est moi. Je l'ai fait. Même si tout le monde devinera que je mens, car je n'ai ni fusil ni raison, n'empêche : c'est moi. Liez-moi les poignets et ramenez-moi à la prison. Attachez-moi à la chaise d'Ed. Rendez-moi mon électricité.

Je voudrais que les mots se forment sur mes lèvres. *C'est moi qui ai fait ça. Je suis de mèche avec Hughes. On avait tout prévu.* Et puis je réponds : « Hughes. Il s'était caché à l'intérieur. Ce sont les chiens qui nous ont amenés jusqu'ici. Beau a ordonné à Stevens d'aller frapper à la porte. »

Alors que je prononce ces mots, Beau surgit des fourrés, des feuilles collées aux bras de son uniforme. « Le fugitif a tourné son arme vers moi, monsieur. J'ai juste eu le temps de plonger pour lui échapper. »

Les chiens geignent.

« Faites taire ces maudites bêtes », me demande le directeur, et j'obéis.

Beau s'est couvert d'opprobre sous nos yeux, dans la lâcheté et la disgrâce.

Le directeur s'agenouille devant le visage livide de Stevens. Ses lèvres remuent encore, mais son corps est immobile.

« On ne sauvera pas celui-ci. Ôtez votre chemise, Martin et couvrez au moins ses entrailles. »

Je me déshabille et voile les viscères luisants de Stevens. Le tissu se gorge de sang et les moustiques se ruent aussitôt sur ma peau nue. La ceinture des chiens s'enfonce un peu plus dans la chair de mon dos. Mes côtes sont trop saillantes, mon estomac se creuse sous sa cicatrice boursouflée. J'ai l'impression de manquer de respect au mourant, en me retrouvant ainsi dénudé.

Des gardiens arrivent avec Michaels, attaché à ses chiens. Ils fixent Stevens et le directeur. Ils sont aussi perdus que les miens. Beau est toujours dans les buissons.

Taylor arrive enfin.

« Quelle chance que votre cheval ait trébuché, mon vieux, dit le directeur. Vous connaissant, vous auriez voulu frapper à cette porte vous-même, et vous auriez pu vous retrouver à terre. »

Taylor sait forcément que c'est vrai, tout comme Beau.

« Laissez-le reposer là jusqu'à la fin, ordonne le directeur aux gardiens. Ensuite, ramenez-le sur un cheval. C'est l'œuvre de Hughes. Un costaud, celui-là. Vous le connaissez. Reprenez la chasse, messieurs. Martin, vous et l'autre – il désigne Michaels – lancez vos chiens à nouveau sur ses traces. Je suis derrière vous. » Il fait signe à un jeune gardien. « Retournez à la prison et informez-les de ce qui se passe. Ramenez le chapelain et une équipe pour s'occuper de ce cheval.

– Oui, monsieur », répond-il.

Ma chemise est toute rouge.

Beau s'approche. « Je vais avec les chiens, monsieur.

– Vous allez rester auprès de cet homme, explose le directeur. Et vous escorterez son corps jusqu'à la prison, ensuite vous prendrez place sur un des bancs à l'extérieur de mon bureau, et vous attendrez aussi longtemps que nécessaire jusqu'à ce que j'en aie fini.

– Oui, monsieur. »

Michaels et moi entrons dans la cabane pour que les chiens flairent à nouveau l'odeur du fugitif : sur ce haillon, là, par terre. Ils la respirent et jappent, geignent, tirent sur leur laisse.

Comment est-ce possible que je puisse encore courir ? Stevens est à l'agonie, peut-être déjà mort, Beau s'est couvert de honte devant tout le monde, mais rien ne change. Les hommes laissent des traces derrière eux. Ils courent pour fuir des chiens qui ne veulent qu'une chose, les poursuivre. Les branches ploient sous notre poids, les brindilles cèdent sous nos bottes. J'ai mal aux jambes, j'ai mal au dos, pourtant je suis toujours attaché à ces animaux, les miens et ceux de Stevens, cinq en tout. Mon ventre et ma cuisse sont défigurés par des cicatrices, mon bras est foutu, ma clavicule affligée d'un affaissement irréversible.

Peu importe les transformations que j'ai subies, ils continuent à me faire courir. Taylor me demandera encore d'effectuer des recherches pour lui dans les livres. Rash, de les ranger sur leurs étagères. Le chapelain de lire la bonne parole à ses ouailles avant leurs repas. Cet endroit me grignote morceau par morceau, jusqu'à me réduire à l'état de Stevens, gorgeant de mon sang la chemise d'un autre.

La nuit est tombée quand les chiens s'arrêtent. Ils nous ont menés jusqu'à une maison décrépite sur les bords de la rivière Alabama, près de là où elle commence – le cours d'eau en question naît de la rencontre des rivières Coosa et Tallapoosa. Il ne peut y avoir plus d'une ou deux pièces dans cette masure. Par les fenêtres carrées, de la lumière filtre. Le directeur descend de cheval et les gardiens se mettent en position dans les buissons environnants. Michaels et moi avons pour ordre de faire taire nos chiens et de ne pas rester dans le passage. Nous nous séparons pour les calmer, et je me retrouve seul parmi les arbres.

Les occupants doivent savoir que nous sommes là, mais ils n'en montrent rien. Le directeur s'avance sur la véranda de guingois, mal entretenue, pour frapper à la porte de toute son autorité de représentant du département de la justice de l'État d'Alabama, puis résonne sa voix de stentor. « Nous savons qu'Henry Hughes se trouve ici. Qu'il sorte sans faire d'histoires. »

Des bruits de lutte et des cris jaillissent de l'intérieur, puis la porte s'ouvre sur un homme encore plus impressionnant que Hugues. Le directeur pointe son fusil sur lui, et trois ou quatre canons apparaissent dans l'obscurité. Le géant tient Hughes par le bras et le pousse en avant. Hughes trébuche sur le seuil et atterrit à genoux, aux pieds du directeur.

« Oh, Henry, pleure une femme qui prend place à côté du colosse. Tu nous avais dit que tu étais sorti.

– Ce n'est pas le cas, madame, répond le directeur.

– Sale bâtard, s'écrie l'homme à la porte. Sois maudit pour avoir fait subir ça à ta pauvre mère. Vous, ramenez-moi donc cette raclure à la prison et enfermez-le à double tour, vous m'entendez ?

– Oui, monsieur », répond le directeur. Jamais je ne l'ai entendu appeler quelqu'un « monsieur ».

La maman de Hughes se penche sur lui, l'attrape par son épaule énorme. « Pourquoi, Henry ? Pourquoi tu nous as fait ça ? Tu devais finir ton temps et nous revenir après, pour de bon !

– C'est juste que j'en avais tellement marre, maman, répond-il sans relever la tête.

– Alors va au bout de ta peine et reviens-nous. Pour de bon ! »

Le directeur ne lui dit pas que son fils est désormais un meurtrier, que cet acte va lui coûter la vie. Hughes a été condamné pour vol et trafic d'alcool, la peine maximale ne doit pas dépasser les dix ans. Un jour, il m'a parlé de l'argent qu'il avait gagné, du maïs qu'il volait. Il doit encore y en avoir dans les bois, derrière cette maison penchée on distingue les vestiges d'une remise, dans l'obscurité.

Le directeur le laisse prendre sa mère dans ses bras une dernière fois avant de lui passer les menottes. Le géant – son père, je suppose – est déjà retourné à l'inté-rieur. Je voudrais dire à Hughes que j'ai été renié de la même façon, que la seule manière de survivre, c'est de haïr l'homme qui vous hait pour vous persuader que vous le haïssiez le premier.

Je sens une main sur mon épaule. Marie.

Tu aurais pu le sauver, dit-elle.

« Marie. »

Maintenant, il va mourir. Tu aurais pu empêcher ça.

Je ne pense pas que je l'aurais pu.

Les mains de Marie se posent sur mon visage, sur mon menton. Elle est si belle.

« Pourquoi tu m'as obligé à déménager ? » je lui demande.

Ses jeunes lèvres se posent sur les miennes, rudes et vieillies.

Pourquoi es-tu venu ? me questionne-t-elle. De sa jolie tête, elle désigne Hughes, ses poignets entravés, les larmes de sa mère, l'absence de son père. *Paie. C'est ta faute.*

Mais j'ai déjà tellement payé : pour nos enfants jamais nés, pour la mort de Wilson dans les mines de charbon, pour celle de George Haskin, pour toute la colère accu-mulée. Là, je ne peux plus.

« Martin ! crie le directeur. Michaels ! Surveillez-le. »

Nous nous rapprochons de Hughes, les chiens tirent pour le renifler de près. J'aimerais qu'il s'évade, qu'il creuse un tunnel comme celui que j'espérais pour Jennings, un tunnel profond qui mène à la mer. Là-bas, Ed le retrouvera sur la plage, et ils rameront jusqu'à Londres, où ils monteront une association de voleurs. J'avais tort de souhaiter sa capture.

Si je pouvais, je lui présenterais des excuses.

Un chariot arrive à l'aube, des gardiens nous font monter dedans. Ils encerclent Hughes et nous laissent, Michaels et moi, nous occuper de nos chiens. À l'est, le ciel est d'un rose poudreux, presque orange, à l'ouest demeure la trace ténue de quelques étoiles. J'enlève ma ceinture, j'ordonne aux chiens de se coucher, puis je m'étends à mon tour.

Quand nous arrivons à Kilby, ils ne réussissent pas à me réveiller, et on me raconte qu'il faut un gardien costaud pour me charger sur ses épaules et m'amener jusque sur ma paillasse, dans ma cellule.

Je dors toute la journée et une bonne partie de la nuit suivante, et je somnole en rêvant dans le noir. Les murs sont comme des vagues, comme l'océan d'Ed, et je pourrais presque le voir de l'autre côté des barreaux.

« Qu'est-ce que tu fiches debout si tard, Ross ?

– Hughes va avoir droit à ta chaise parce qu'il a tué un gars, je lui dis.

– Ça ne nous regarde pas. » Il se met à fredonner la chanson que les hommes ont inventée en guise de prière à Yellow Mama. « *Je sais que j'ai fait du mal. Je sais que je dois payer. Y a mille jours que je suis dans cette prison. Tous les appels sont épuisés. Je gagnerai pas. Mais j'ai fait mon temps et mangé mon dernier repas. Yellow Mama, aie pitié de moi.* Elle aura pitié de Hughes, ne t'inquiète pas. »

J'entends Marie à nouveau, qui m'invite à prendre la place de Hughes. *C'est une manière tellement douce de s'en aller. D'un seul coup. Ils ne peuvent plus enlever un morceau de toi.*

À présent, tous les hommes de Kilby chantent pour Yellow Mama, un chœur océan, et puis il y a un orgue, et le chapelain en chaire, les mains nouées sous son menton, et il prie Yellow Mama avec nous, et des anges chantent avec les hommes dans les champs, et l'océan d'Ed vient déferler sur les rivages de Kilby.

Au matin, je ne me sens pas reposé et Taylor déclare que j'ai une mine affreuse quand j'arrive au chenil avec le seau des chiens.

« Quelle honte, poursuit-il. Toute cette histoire est une honte. On a perdu une bonne recrue, et à présent, Hughes est un meurtrier. Au moins, on a liquidé Beau hein ?

— Monsieur ?

— Le directeur l'a mis dehors dès son retour à la prison. Il aura du mal à retrouver un poste de gardien, pour sûr. » En me disant cela, Taylor oublie la hiérarchie qui nous sépare, mais cela ne dure pas. « On va procéder au dressage des chiots, aujourd'hui. Ce sera pas trop dur pour toi, Martin. Vas-y donc quand tu auras nourri les autres.

— Oui, monsieur. »

J'aimerais revoir ma jeune Marie.

Tu ferais mieux d'oublier tes fantômes, me dit mon père. *Concentre-toi sur ce que tu as devant toi et pas sur ce qu'il y a dans ta tête. Fais donc ton maudit boulot, Roscoe.*

D'accord, papa.

Je respecte ses paroles car j'y sens à présent une vérité que je n'avais jamais entrevue jusque-là. Ici, dans la remise, les mains pleines du sang de la viande et de la poussière d'os, le nez gorgé de cette puanteur, ici, oui, je comprends enfin pourquoi il trouvait tant de réconfort dans ces veines de charbon. Elles étaient tangibles, de même que les chariots, et les mules, et les hommes. On pouvait les toucher, les déplacer, pas comme ce courant impalpable qui se déploie dans les câbles et que j'admire tant. Son charbon était pareil au maïs dans les champs, aux vaches à l'étable, aux chiens dans le chenil : des choses concrètes qu'on peut sentir avec ses mains, voir avec ses yeux, humer, entendre, goûter. Il y a de la satisfaction dans cette matérialité.

J'aimerais pouvoir lui dire que je comprends.

SECONDE PARTIE

Je vois encore Kilby tout entier devant moi : la cour, la cantine, l'infirmerie, la chapelle, la remise, la laiterie, les portails, les vastes étendues des murs et mes doigts couverts de goudron. Et puis je vois ce camion garé sur la terre battue le jour où je suis sorti, il était vert foncé comme les feuilles de micocoulier, des planches de bois formant la base. C'était un véhicule agricole, et je souhaitais tant voir Marie en descendre.

Hughes allait bientôt rencontrer Yellow Mama, quant à moi j'avais enfin obtenu ma libération anticipée. Et c'est grâce à Hughes qu'on me l'avait accordée, grâce à sa tentative d'évasion. J'attendais la décision de la commission, assis sur le banc en face de la salle d'audience, quand le directeur est venu m'apprendre la nouvelle. « C'est une sacrée traque que vous avez menée en continuant à poursuivre Hughes après qu'il avait tiré. Nous notons ce genre de faits dans les dossiers. » Il m'a offert une cigarette. « Vous serez heureux de la décision de la commission, cette fois. »

Donc je n'ai pas été surpris quand le grand type qui avait pris la place du chauve m'a dit que j'étais libre.

Le chapelain est venu me trouver et il a posé la main sur mon épaule. Puis il m'a lu un passage d'Isaïe, au sujet des arbres qui applaudissaient mon retour, et m'a offert une bible. Rash, lui, m'a donné un dictionnaire et le livre de Hartley sur les chiens.

« Bon Dieu, s'est-il exclamé. Je suis content qu'on te libère, mais je suis dégoûté que tu partes. »

J'ai trouvé Dean à la cantine. « Continue à aller à la bibliothèque, je lui ai dit. Même si je ne suis plus là.

– Bordel, Ross. Ça sera plus pareil, mais je vais essayer. »

Voilà ce qu'on peut appeler dire au revoir à un ami.

J'ai écrit à la maison pour annoncer à Marie la date de ma libération : « S'il te plaît, viens me chercher le 10 avril. Je sortirai par le portail principal à trois heures de l'après-midi. » Si je n'avais pas de réponse, comme les autres fois, alors je ne retournerais pas là-bas. Je me rendrais au bord de l'océan et je me trouverais un phare.

Mais il y avait ce camion agricole dans le parking, et j'ai su que c'était pour moi. Par la vitre arrière, on voyait un fusil et une canne à pêche, ce qui m'empêchait de voir la tête du conducteur.

« Martin ! » J'ai entendu derrière moi la grosse voix de Taylor qui disait : « J'ai un cadeau d'adieu pour toi. »

Maggie trottait à ses côtés, le museau en l'air, essayant de définir ce qu'il lui faudrait flairer.

« Elle est fatiguée, et je ne crois pas qu'elle puisse avoir d'autres chiots. Elle me sert plus. J'ai pensé que tu pourrais lui offrir une retraite. » Il m'a mis une vieille corde dans la main, dont l'extrémité était attachée au collier de la chienne. Jamais il ne se serait séparé d'une de ses laisses en cuir.

« Merci, monsieur. » Nous nous sommes serré la main.

« Vaut mieux que j'te revois pas par ici.

– Oui, monsieur. »

Il a tiré sur une des oreilles de Maggie, puis lui a donné une petite tape sur l'arrière-train. « Allez, ma vieille. »

Elle s'est retournée une seule fois pour regarder son ancien maître. « Viens, ma jolie. » Je lui savais gré pour cette distraction, d'avoir autre chose en tête que l'espoir de voir ma femme, là, sur le parking de Kilby.

Quand nous sommes arrivés à quelques mètres du camion, la portière s'est ouverte, mais ce n'est pas Marie qui en est descendue.

Je me suis arrêté, et j'ai senti Maggie se crisper. *C'est celui-là que je dois chercher ?* demandait son corps. *T'as besoin de moi, là ?*

« Wilson », ai-je dit. Il avait les cheveux courts, et quelques rides de plus autour des yeux, mais son visage n'avait pas tellement vieilli depuis la dernière fois où je l'avais vu. Il est venu vers moi, a contourné le camion, et c'est alors que j'ai vu son bras gauche – qui s'arrêtait au coude.

Mon bras à moi pendait le long de mon corps, légèrement fléchi au coude, mais j'avais toujours ma main, mon avant-bras, et j'en faisais bon usage. Et ça continue.

Maggie s'est mise à gronder. « Non. Assise, lui ai-je ordonné.

– Tu t'es trouvé un chien, Ross ? » Wilson m'a tendu sa main droite, et je l'ai serrée comme celle de Taylor, un moment plus tôt. « Tu as un problème au bras ?

– J'ai été blessé à l'épaule. Il ne fonctionne plus très bien. »

Wilson a levé ce qui restait de son membre. « Moi, j'ai le parfait usage de ce qui m'en reste.

– Qu'est-ce qui s'est passé ?

– On a tout le temps pour ça. Il y a un repas qui t'attend à la maison. Je ferais mieux de te ramener. »

Maggie est montée à l'arrière du camion sans qu'on ait besoin de la pousser beaucoup, et j'ai attaché la laisse pour l'empêcher de sauter. Je ne m'étais jamais retrouvé dans un véhicule avec Wilson. Je ne l'avais jamais vu conduire, mais il avait l'air à l'aise, son moignon posé sur le volant lorsqu'il devait passer sa vitesse.

« C'est Marie qui t'envoie ? »

Il m'a regardé d'un air que je connaissais bien. « Ross, quand est-ce que tu as eu des nouvelles de Marie pour la dernière fois ?

— Ça remonte à neuf ans.

— On a le temps pour ça aussi. Kilby donne un animal de compagnie à tous les détenus qui sortent ?

— Je travaillais au chenil.

— Tu t'occupais des chiens ? Tu pourchassais les fugitifs ? » J'ai acquiescé. « C'était un boulot convoité à la mine. Ça te permettait de rester là-haut, d'aller te balader dans les bois. Toi, ça t'a permis d'échapper à quoi ?

— La laiterie.

— La laiterie, ça m'aurait pas déplu. »

Certains jours, à moi non plus, la laiterie ne me déplaisait pas. Parfois je me revois là-bas, même si je sais que ce n'est pas ma place.

Le camion cahotait sur le chemin de terre en direction de la grand-route, on traversait la chênaie. Derrière nous, Kilby observait notre poussière de tous ses yeux ombreux.

« Où est Marie ?

— À Mobile. »

D'abord je n'ai pas compris. Je l'avais toujours connue sur les terres de son père. Marie nous avait fait déménager là-bas et j'avais construit ces transformateurs et ces lignes clandestines, le long du champ de maïs, pour électrifier la batteuse. George Haskin n'aurait rien eu à bricoler si nous n'avions pas été là. La peine que j'avais purgée à Kilby était la cause directe de ma présence sur ces terres, et jamais nous ne nous y serions installés sans l'insistance de Marie.

Il y avait du travail pour un électricien à Mobile. Pourquoi ne pas nous avoir amenés là-bas directement ?

« À Mobile ?

— Moa te prépare un bon repas, Ross. Avec tout ce qu'il faut.

— Que fait Marie à Mobile ? »

Wilson avait posé son moignon sur la portière, par la vitre baissée. Sa main droite était balafrée, des cicatrices marbraient sa peau, certaines roses, d'autres noires. « Tu t'attendais à la voir ? Tu croyais qu'elle viendrait t'attendre ? »

Je ne sais pas si je l'avais cru.

« Je ne m'attendais pas à ce qu'elle soit à Mobile.

— Il y a beaucoup de choses auxquelles tu ne t'attendais pas, Ross. »

Je pensais qu'il faisait référence à George Haskin et à nos peines de prison, mais je sais à présent qu'il parlait de nos nouvelles vies, celles qui commençaient à cet instant même dans ce camion.

Devant nous s'étalait la grand-route. C'était le printemps, les chênes luisaient de leurs feuilles toutes neuves. Les houx semaient de vert les fourrés, certains s'élevaient, rivalisant avec les arbres. La route était lisse, fraîchement repeinte, et ça m'a rappelé la chaise d'Ed. Nous avons traversé un bosquet de pins echinata, avec leurs bouquets d'aiguilles et leurs groupes de fruits. Ces pommes de pin poussent en se tournant le dos les unes aux autres sur leur branche, tels des reflets — c'est à ça qu'on reconnaît l'espèce.

Maggie gardait la tête en l'air, museau pointé, oreilles battantes.

« Que fait-elle à Mobile ?

— Elle enseigne.

— Et Gerald ? Où est-il ?

— À Tuscaloosa.

— À l'université ?

— C'est ça. »

Gerald, c'était normal, mais pour Marie, c'était un mystère que je ne comprenais pas — je ne parle pas d'elle jeune, ni de la femme qui peut-être était venue me voir à l'infirmerie. L'infirmière Hannah n'avait jamais nié ni confirmé sa présence évanescente.

« Marie est-elle venue à la prison ?

— On a su où tu étais », a répondu Wilson. Il a soulevé ce qui restait de son bras gauche. « Bien sûr, Moa, elle, n'a rien su. Même pas où j'étais, sans doute parce qu'ils ne tenaient pas de registres. Que des chiffres, tu vois, quand on prend son service. Tu sais ce que c'était leur phrase préférée à propos des détenus envoyés dans les mines ? *Un de perdu, dix de retrouvés.* » Son bras a cogné la portière avec fracas. « Tu sais quoi, Ross, on m'a dit que j'avais de la chance. Je serais mort s'ils m'avaient pas amputé en cautérisant ce qui restait. Tu as déjà senti l'odeur de la chair brûlée ?

— Pas de près.

— De loin, alors.

— Il y a une odeur, à Kilby, quand ils utilisent la chaise.

— La chaise ! a-t-il ri. Ils vous donnent des chiens quand vous sortez. Des infirmières quand vous êtes malades. Des livres à lire. Même pour les exécutions, vous avez un traitement spécial. À Sloss, soit c'est la mine soit c'est un gardien qui exécute la sentence. » Il a secoué la tête comme s'il n'avait jamais rien entendu d'aussi drôle. « La chaise ! On t'a consulté là-dessus, Ross ? On a fait appel à ton expertise en électricité ?

— Non.

— Quel dommage. »

Je ne lui ai pas dit combien j'avais été proche de celui qui l'avait fabriquée.

Enfin, nous avons quitté la route pour un chemin, la terre volant en poussière rouge derrière nous. Les arbres à notre droite avaient cédé la place à de vastes plantations d'arachide. La récolte approchait. Au milieu, on apercevait de petits carrés de légumes – laitues et oignons. Ça m'a rappelé la cantine, un gars qui travaillait dans les champs et parlait des oignons, les jaunes, les rouges, les blancs. « Y a deux saisons, pour les oignons, je l'ai entendu dire. Faut planter les bulbes début février, et tu récoltes début juin, ensuite tu les replantes à la fin septembre ».

On a longé les poteaux qui soutenaient les lignes sur lesquelles je m'étais branché. À environ trois kilomètres, elles tournaient pour suivre le bord du champ.

Quatre cents mètres plus loin, on a tourné dans le chemin plein d'ornières qui menait à la maison, toujours bordé de pacaniers aux feuilles épanouies et bien vertes. Les champs s'étendaient derrière. Plus je découvrais les choses, plus j'avais peur de ce qui suivrait. Il y avait la nouvelle clôture qui filait vers l'extrémité ouest de la grange maintenue par des cordes, avec ses fils de fer flambant neufs au milieu des autres, ternis. Il y avait le poulailler et les poules. Chaque élément était bien là, guère différent de ce que j'imaginais à Kilby. Je m'étais vu remonter cette allée, Maggie à mes côtés. « On est allés chasser le lapin », je m'entendais dire. Je suis juste un chasseur sorti avec son chien.

Maggie a gémi à l'arrière, assez fort pour qu'on l'entende.

« Elle est sympa, elle parle pour vous deux », a dit Wilson, et puis la maison est apparue au milieu des chênes. Les bardeaux blancs et la double véranda – une en haut, une en bas, comme l'avait voulu le père de Marie. Les cheminées s'élevaient aux deux extrémités, les briques bien assises dans le mortier frais. Les deux vérandas ne s'étaient pas affaissées avec le temps ainsi que tant d'autres aperçues sur le chemin – l'angle est qui ployait sur le sol à cause d'un poteau pourri, les corniches qui s'effondraient. L'ensemble avait été récemment repeint. Sur la véranda du bas, toujours les deux mêmes rocking-chairs, mais poncés et vernis, ils paraissaient neufs. Le bois devait être de bonne qualité, et j'aurais aimé qu'Ed soit là pour me dire de quelle essence il s'agissait.

La première fois où j'avais vu Kilby, j'avais trouvé que cela ressemblait à une école avec un phare devant, deux choses étranges pour moi, et soudain, cette ferme bien entretenue me paraissait étrangère elle aussi. Jamais elle n'avait été aussi belle. Même quand l'argent rentrait, nous n'avions pas arraché les plantes qui grimpaient le long des cheminées. Marie les aimait bien.

Sa jument n'était nulle part en vue, sans doute était-elle morte depuis longtemps.

Wilson s'est garé dans l'atelier et a ouvert la portière de sa main droite. « Reste là une minute si tu veux. Le repas sera bientôt prêt, et je sais que Moa a hâte de te voir, mais reprends d'abord tes esprits. » Il est sorti du véhicule. « Tu veux que je laisse descendre ta chienne ? Elle ne va pas courir après les poules ?

– Non. »

Il a claqué la portière, et je l'ai regardé remonter une des planches à l'arrière pour faire sortir Maggie. Elle hésitait à sauter, alors Wilson a passé son moignon sous elle, le bras par-dessus son cou, l'a soulevée et déposée sur le sol comme un bébé.

Autrefois, Wilson était mon ami. Nous avions tendu des lignes et vu des récoltes se transformer en argent, pris des repas ensemble et observé nos enfants qui grandissaient. Le père de Marie avait toujours payé ses ouvriers. Son grand-père n'avait jamais possédé d'esclaves. Wilson était un homme libre, jusqu'à son arrestation.

Maggie a reniflé son unique main, incertaine. Elle a jeté un coup d'œil au camion, mais je n'ai pu que hocher la tête avant de me plonger à nouveau dans la contemplation de l'atelier et de ma vieille batteuse.

Je ne sais pas combien de temps je suis resté ainsi, mais il s'écoulait, long et plein de rancœur, comme quand j'étais à l'isolement. Je suis seulement sorti quand j'ai entendu une femme crier mon nom.

Je voulais tellement que ce soit Marie. Je voulais qu'elle apparaisse devant moi et me dise qu'il lui avait fallu tout ce temps pour réfléchir – neuf années, voilà ce que ça avait pris. Mais elle avait compris que j'avais agi pour elle et pour Gerald, pour la ferme et même pour Moa et Wilson et leurs enfants, tout autant que pour moi. Elle avait compris que j'avais besoin de travailler avec l'électricité, que j'étais attiré par cette puissance cachée qui sommeillait jusqu'à ce qu'on l'allume. Elle me prenait dans ses bras, me laissait enfouir mon visage dans son épaisse chevelure, qu'elle portait détachée. Je sentais les odeurs des plats qu'elle avait préparés pour mon retour – les haricots au bacon et au sirop d'érable que j'adorais par-dessus tout, le pain, le poulet rôti, le café. J'aurais pu lui pardonner son silence si elle avait pu me pardonner ce que j'avais fait.

Mais c'était Moa qui se tenait près de la porte, les mains jointes sur son tablier. Elle avait vieilli plus que Wilson – davantage de rides aux coins des yeux, autour de la bouche, ses cheveux grisonnaient sur les tempes. Elle avait aussi pris du poids, paraissait plus lourde.

Maggie, qui m'attendait allongée près de la roue arrière, s'est redressée et m'a suivi sur les marches de la véranda. « Je ne voulais pas qu'il aille vous chercher, a-t-elle commencé. Je lui ai dit que c'était à vous de trouver votre chemin. Comme lui. D'aller chercher du travail dans les mines. Pour voir si ça vous convenait.

– Vous savez que j'ai travaillé dans les mines, Moa.

– Avec votre papa comme contremaître. Et la plupart du temps à l'air libre. » Elle me dominait, en haut des marches. « Wilson a pour vous de la compassion, monsieur Roscoe, mais j'ai vraiment du mal à comprendre pourquoi. » Ses mains se sont serrées plus fort, puis elles se sont séparées pour claquer sur ses cuisses. « Vous l'avez entraîné dans votre chute, hein ? Sans jamais rien faire pour lui.

– J'étais en prison, Moa. Comment aurais-je pu l'aider ?

– En leur disant que tout était votre faute.

– Je leur ai dit. Ils ne m'ont pas écouté. »

Elle a baissé les yeux. « Il a perdu un bras, Roscoe.

– Si je pouvais faire quelque chose, je le ferais.

– Tu as dit ce que tu avais sur le cœur, Moa. » On entendait la voix de Wilson à travers la porte grillagée. « Allons manger.

– Ce chien n'est pas le bienvenu dans cette maison.

– Elle n'est jamais entrée dans une maison », ai-je répondu en posant la main sur la tête de Maggie tout en lui ordonnant de rester là. Elle s'est couchée sur le sol de brique. Auparavant, c'était de la terre battue.

La véranda était impeccable, et les rocking-chairs encore plus reluisants de près. Des lampes électriques encadraient la porte, qui n'a pas grincé quand je l'ai ouverte. À l'intérieur, tout était bien plus beau qu'auparavant aussi. Dans l'entrée un nouveau papier peint avait été posé au-dessus des lambris, décoré de rinceaux aux feuilles en forme d'étoiles et aux baies orange vif sur fond jaune pâle. Des oiseaux de toutes les couleurs et de toutes les formes étaient posés parmi les branches, et au milieu, un écureuil jaune orangé tenait sa cour. Le vieux papier était vert foncé, avec de simples figures géométriques.

Un nouveau lustre électrique était accroché au plafond, ses pampilles brillaient même quand les ampoules étaient éteintes. « Marie a voulu un peu plus d'éclairage ici, a dit Moa. Il y a quelque temps, on a retiré le vieux papier peint pour en mettre du neuf. Vous allez voir, en passant à table. Posez votre manteau. »

Le portemanteau n'avait pas changé, un vrai meuble de chêne avec une place pour les parapluies et une assise pour enfiler ses chaussures. Dans le miroir se reflétait un des écureuils, juste à droite de ma tête. J'avais vieilli et maigri, ma présence était complètement incongrue devant ce papier peint, je me faisais l'effet d'un clochard dans une chambre d'enfant.

« Venez au salon », m'a proposé Moa.

Je ne voulais plus rien voir d'autre.

Le papier dans le salon était rose et vert pâle, chargé de fleurs et de feuilles. Dans l'angle, la chaise où lisait Gerald était à présent rose elle aussi, avec une lampe électrique à côté.

« J'aimerais m'asseoir », ai-je déclaré en me dirigeant vers cette chaise. D'instinct, j'ai attrapé un petit livre posé sur une petite table, un roman que Rash forçait les autres à lire, encore un ouvrage de Melville sur la mer. « C'est l'histoire d'une mutinerie, avait-il expliqué. Ça ne suffit pas pour les intéresser ?

– Non. »

« Vous allez vous endormir sur cette chaise si vous ne vous levez pas, a dit Moa. Allez, venez. Le repas est prêt. »

J'ai reposé le livre sur la table, et je les ai suivis par la grande arche qui ouvrait sur la salle à manger. Les fleurs roses s'étaient multipliées sur les murs de cette pièce aussi.

Moa m'a versé du café, et il était en tout point aussi bon que je l'avais espéré. Elle a apporté un poulet entier, puis un plat de haricots, du pain de maïs et du beurre frais. Les pêches en conserve étaient d'un bel orange dans leur bocal. Moa avait préparé des bettes, du chou vert et de la couenne de porc frite. Il dépassait mes espérances, ce festin préparé par cette femme qui n'était pas la mienne. Et de l'autre côté, ce n'était pas mon fils, mais un homme dont j'avais contribué à arracher le bras, à l'amputer, dont j'avais offert la peau aux flammes pour arrêter l'hémorragie.

Moa a récité un extrait du Deutéronome, un des passages préférés du chapelain : « "Car Yahvé votre Dieu est le Dieu des dieux et le Seigneur des seigneurs, le Dieu grand, vaillant et redoutable, qui ne fait pas acception de personnes et ne reçoit pas de présents. C'est lui qui fait droit à l'orphelin et à la veuve, et il aime l'étranger, auquel il donne pain et vêtement". Merci Seigneur pour ce repas. »

Nous avons dit amen ensemble et pris notre repas sans un mot. Je mangeais tout ce que Moa mettait dans mon assiette. J'en ai repris une deuxième fois, puis une troisième fois. Oui, encore un peu, merci. Cette nourriture m'avait tellement manqué, mon esprit ne parvenait à se concentrer que sur l'assiette, la fourchette et le couteau, la viande plongée dans le jus sucré-salé des haricots, le pain de maïs frais, tartiné d'une épaisse couche de beurre, aliment auquel je n'avais pas goûté depuis des années. Les épices mélangés aux pêches, clous de girofle et cannelle, les légumes verts au goût amer et puissant. Peu m'importait le papier peint, la compagnie, la blancheur des bardeaux dehors, l'absence de plantes grimpantes, la nouvelle allée de briques, l'atelier, la batteuse, les arachides desséchées, la récolte proche, ou même que Maggie soit restée dehors. Je n'étais plus qu'un homme qui mange son dîner.

« Merci, Moa, ai-je dit.

— Vous avez de la chance que je sois une femme qui vit dans la crainte de Dieu, monsieur Roscoe. Je vais chercher la tourte. »

Elle était aux pêches, et elle l'a nappée de crème fraîche.

« Une autre part ? a-t-elle demandé quand j'ai fini la première.

— Oui, merci. »

Ni Wilson ni Moa ne se sont resservis, et ils m'ont regardé finir la mienne avec prudence et inquiétude. J'aurais voulu pouvoir profiter une minute de plus du réconfort de cette nourriture avant qu'ils m'apprennent quel souci fronçait ainsi leur front.

« Nous vivons dans cette maison, à présent, Roscoe », a dit Wilson. Il y avait encore un morceau de tarte dans mon assiette, quelques quartiers de pêche et un peu de crème. « Marie nous a installés ici lorsqu'elle est partie à Mobile. »

Cette grande maison – ça n'avait jamais été la mienne auparavant. Alors maintenant...

« Elle vient souvent ? ai-je demandé.

– Rarement », a répondu Moa, et je n'ai plus eu envie de finir mon dessert, que j'ai repoussé.

« Qui s'occupe des terres ?

– Nous, a dit Wilson.

– Et qui vous paie ?

– Nous-mêmes, a repris Moa. Il y a un moment, maintenant.

– Combien de temps ?

– Cinq ans. »

J'ignorais comment me figurer Moa et Wilson dans la maison de Marie, et Marie dans une école à Mobile. Avait-elle vue sur la baie, les goélands distrayaient-ils ses élèves par la fenêtre ?

« Où sont vos enfants ? » ai-je demandé à Moa et Wilson. Voilà la question que j'ai choisi de poser, alors que c'était le cadet de mes soucis.

Moa s'est mise à débarrasser la table. « C'est au-dessus de mes forces. Je vais faire la vaisselle, Jenny finira de débarrasser.

– Donc, Jenny est ici ? »

Moa a lâché un soupir en s'en allant.

« Il faut lui laisser du temps », a déclaré Wilson.

Une belle jeune fille à la peau sombre est sortie de la cuisine, ses cheveux tressés lui tombant sur les épaules. Elle ressemblait à ses parents, mais n'avait pris que le meilleur. « Jenny, ai-je dit. Tu n'étais qu'une petite fille la dernière fois que je t'ai vue. »

Elle a regardé son père.

« Ça va, ma chérie. Débarrasse juste la table. »

Il lui a fallu trois allers-retours à la cuisine. Je n'ai plus rien dit avant qu'elle ait terminé.

« Je suis donc si affreux ?

– On n'est pas encore sûrs », a répondu Wilson.

J'ai appuyé les doigts sur mes yeux jusqu'à ce que je voie des étincelles sur l'écran de mes paupières. La nourriture me pesait sur l'estomac, et à cet instant, j'ai regretté Kilby, la facilité de la routine, la simplicité des repas, des cellules.

J'ai soudain eu un haut-le-cœur et j'ai quitté précipitamment la table en renversant ma chaise. Je ne suis pas allé plus loin que la véranda, seulement jusqu'à la rambarde, et j'ai vomi mon repas sur les plantes décoratives qui désormais bordaient la maison. Maggie était attentive dans l'allée, ne sachant comment réagir. Mon corps ne s'est pas arrêté avant d'avoir tout rendu. Quand j'ai pu me redresser, je suis allé à la pompe dans l'atelier, et j'ai passé ma tête sous l'eau. Je pompais d'une main, le visage sous le jet, et l'eau froide m'a remis les idées en place. Elle coulait dans ma bouche, le long de mes joues, de mon menton, trempant mon col. J'ai rempli un seau rouillé pour nettoyer les dégâts que j'avais causés dans les buissons, et comme pour Jenny, il m'a fallu trois allers-retours. Maggie trottinait à mes côtés.

Je me suis dit que j'allais écrire à Taylor pour le remercier de m'avoir donné la chienne.

Wilson est sorti sur la véranda quand j'ai eu terminé. Je suis sûr qu'il m'avait observé par la fenêtre.

« Si c'est possible, vous me raconterez le reste demain. J'aimerais aller dormir, maintenant.

– Bien sûr. Aide-moi à prendre les affaires dans l'atelier. » Dans la remise, Wilson a appuyé sur un bouton et tout s'est éclairé, ma batteuse devant nous. « On l'utilise toujours. Il y a longtemps que nous avons l'électricité – légalement, j'entends. Juste après notre départ, ils ont mis le paquet pour amener l'électricité jusqu'au fin fond des campagnes, chez nous. Ils ont utilisé tes câbles. »

Il m'expliquait à quel point mon projet nous avait coûté cher, que nous avions presque tout perdu, alors qu'en attendant un peu nous aurions tout obtenu sans effort.

Wilson a sorti deux lampes à pétrole de derrière un fatras de pièces détachées. « Il y a du pétrole dans le réservoir, derrière toi. Les lignes sont amenées. » J'ai rempli les lampes. « Mais on ne les a pas prolongées dans tous les bâtiments. Tu pourrais t'en occuper, si tu veux.

– Où est-ce que je dors, Wilson ? »

Il m'a donné une boîte d'allumettes en bois, au bout jaune.

Le chemin qui partait de la maison était envahi par la végétation, et les herbes passaient à travers mon pantalon. Je me revoyais sur ce sentier en direction du champ nord, enthousiaste à l'idée de partager avec Wilson mes plans pour la ferme. « C'est ça, ou je m'en vais. » – C'était catégorique – soit l'électricité, soit mon départ – mais je sais aujourd'hui que les deux étaient liés. Mettre mon plan à exécution avait causé mon départ, ce qui, je suppose, avait aussi entraîné mon retour.

« On n'a pas eu le temps de l'entretenir, a dit Wilson lorsque nous sommes arrivés devant son ancienne maison en sortant du bois. Mais elle est à toi aussi longtemps que tu le voudras. »

Les buissons s'étaient rapprochés du bâtiment, quelques vieux pins étaient tombés, seuls ou avec de l'aide. Les plantes grimpantes envahissaient presque toute une façade, et les quelques planches encore visibles étaient pourries. Autour de nous, plein de bruits nouveaux – craquements, cliquètements, plusieurs carreaux de fenêtre étaient brisés.

« Trop de boulot sur les terres, a ajouté Wilson. Trop de boulot dans la grande maison. »

J'aimais cette ruine, j'aimais que quelque chose ici ait autant vieilli que moi.

« Il y a des meubles ?

– Une table et des chaises. Je ne te garantis pas la propreté, mais il y a des lits où dormir, tu auras le choix. »

Avec le soir montait la fraîcheur, et j'avais laissé ma veste dans la grande maison. « Il y a des couvertures à l'intérieur ?

– Plein.

– Remercie Moa pour ce repas.

– J'y manquerai pas. »

Je l'ai regardé repartir dans les buissons et les hautes herbes. J'aurais dû le rappeler, pour lui dire ce que je pensais de cet endroit où nous nous retrouvions. Au lieu de cela, je suis entré dans la maison. La porte ne fermait plus. Je m'en occuperais au matin, je pratiquerais de nouveaux trous pour les gonds, je remplacerais les planches pourries.

« Allez, viens, ai-je dit à Maggie. Ça ne vaut guère mieux que ton abri. »

Elle a courbé l'échine, nerveuse, a ramené ses oreilles contre sa tête, l'extrémité pendait dans son cou. « Allez. » Elle ne voulait pas entrer.

À l'intérieur, les ombres du soir envahissaient déjà les lieux, et j'ai allumé les deux lampes pour les chasser. Au centre de la pièce principale, une longue table et des bancs, des placards le long d'un mur, un évier avec une pompe à eau manuelle, des chaises, un poêle noirci dans un angle. Il y avait deux petites chambres sur la gauche – une pour les parents, une pour les enfants. La remise était de l'autre côté.

J'espérais trouver de la nourriture dans les placards, et j'ai déniché quelques bocaux de betteraves au vinaigre, de pêches, et un petit sachet de viande séchée. Le sachet avait été rongé par les souris, ainsi que la viande, mais c'était suffisant pour attirer Maggie à l'intérieur.

Elle ne comprenait pas ce qu'elle faisait dans cette maison. Elle ne chassait personne, elle ne travaillait pas. Elle a pris la viande, qu'elle a mâchée lentement, ployant la tête sous l'effort. J'ai refermé la porte derrière elle, et cherché un balai. Dans un coin gisait un cadavre de souris, et quand j'ai ouvert le poêle, j'y ai trouvé trois moineaux. Ils avaient dû entrer par la cheminée et rester coincés à l'intérieur, pour mourir de soif et de faim dans ce tombeau poussiéreux. Je les ai déposés sur le tas de saletés, et balayés vers la porte. Alors j'ai revu ces cadavres blancs tomber du grenier, dans la grange chez mes parents, et j'ai songé au réconfort que je trouvais auprès de ma sœur. Nous partagions notre exil à l'époque, comme je le partageais maintenant avec Maggie.

Au matin, on est allés faire le tour du cottage. On était tous les deux fatigués et prudents, on n'avait pas beaucoup dormi ni l'un ni l'autre. Après neuf ans passés au milieu des mêmes bruits, des mêmes odeurs et ressorts dans le dos, des draps rêches et des couvertures plus rudes encore, des lumières perpétuelles, il m'était difficile de dormir dans cette maison tranquille parmi les pins, avec un oreiller de plumes et un épais matelas, même vieux et fétides. J'avais fini par me réfugier sur une espèce de lit d'appoint sans doute utilisé par les enfants naguère, et sur ce maigre matelas, à quelques centimètres du sol, j'avais réussi à dormir un peu.

Maggie et moi avons tourné autour de la maison en décrivant des cercles de plus en plus grands pour prendre nos marques, et nous sommes tombés sur la ligne électrique. Elle venait directement de la grande maison et s'arrêtait à l'orée de la forêt.

J'ai envisagé de rester assez longtemps pour électrifier le cottage, le temps de décider où j'irais. Je n'avais jamais cru que je renoncerais à travailler dans l'électricité si l'occasion se présentait. Je suis certain que la commission de liberté anticipée n'y croyait pas non plus.

J'ai mesuré la distance qui nous séparait de la maison, moins de cinquante mètres. Quand je travaillais pour Alabama Power, on plantait un poteau tous les vingt-cinq mètres, mais cette ligne là était plus basse, donc j'avais intérêt à en rajouter un de plus.

« Trois poteaux, ai-je dit à Maggie. On va les prendre derrière la maison, pour donner un peu plus de clarté. D'accord, ma fille ? »

Elle s'est assise et a gémi.

« Tu as faim ? »

Je n'avais aucun désir de retourner à la grande maison, mais je savais que j'aurais besoin de l'assistance de Wilson et Moa tant que je vivrais ici, même si ça ne durerait pas.

Ils étaient sur la véranda, assis dans les rocking-chairs et buvaient leur café.

« Ce chien n'est pas le bienvenu dans la maison.

— Je n'y songeais même pas, Moa.

— Comment as-tu dormi ? a demandé Wilson.

— Je n'ai pas fermé l'œil.

— Il m'a fallu une semaine avant de pouvoir dormir dans un lit.

264

– Plus que ça, a dit Moa. Souvent, je le retrouvais recroquevillé par terre dans le couloir. Ça a duré presque deux mois.

– J'essaierai le plancher ce soir », et avant que toute idée de confort ne se soit totalement dissipée, j'ai ajouté : « J'aurai besoin de quelques affaires au cottage. Des outils, surtout.

– Il y a du travail là-bas, pour sûr, a répondu Moa. Vous avez des choses à vous dans le placard derrière la cuisine. Commencez d'abord par boire une tasse de café. Il y a du jambon et des biscuits, aussi.

– Attendez », ai-je dit, mais Moa était déjà rentrée, et Maggie était allongée dans l'allée comme si ces paroles valaient pour elle.

« Tu vas voir, tout se confond, a dit Wilson. Le mieux que tu puisses faire, c'est te concentrer sur ce que tu as sous la main. C'était pareil pour moi quand je suis revenu.

– Et ça remonte à quand ?

– Un moment.

– Marie était là ?

– Oui. » Il m'a tenu la porte. « Viens à l'intérieur prendre un petit déjeuner.

– Pas bouger », ai-je dit, même si Maggie était déjà au repos.

Dans la salle à manger, plus trace de notre dîner ; la porte de la cuisine était ouverte, c'était la pièce qui avait le plus changé. Je ne reconnus que le plan de travail mais il était désormais aussi poli et reluisant que le reste de la maison. Une sorte de glacière grondait sourdement contre le mur. L'évier était maintenant pourvu d'un robinet. Il y avait une cuisinière électrique, plusieurs spirales de métal s'enroulaient autour d'un point noir en leur centre. De nouveaux placards blancs s'alignaient contre les murs, du sol au plafond, et plusieurs gadgets électroménagers étaient posés sur le comptoir. Je ne savais même pas à quoi ils servaient.

Mixeurs ? Broyeurs ?

« C'est joli, hein ? a déclaré Moa. Marie l'a fait faire pour moi, vu tout le temps que je passe ici. Elle m'a même laissé choisir le papier peint. »

Seul un mur était tapissé : c'était une dentelle de cadres miniatures où l'on voyait des hommes offrir des tulipes géantes à des femmes. Les visages surpris des dames étaient tournés vers la pièce, les messieurs, de profil, sans expression. Ce papier a toujours pour moi un caractère triste et désespéré.

« Monsieur Roscoe, le placard est par là. »

Je me souvenais de ce débarras, pièce étroite utilisée pour le rangement d'objets inutiles, qui n'avaient rien à faire là, souvent chargés de valeur sentimentale. On allait rarement y chercher quoi que ce soit, plutôt y entreposer des choses.

Il était rempli à ras bord de tout ce qui naguère m'avait appartenu.

« Wilson a laissé une brouette devant la porte de la cuisine pour vous, pour transporter vos affaires. Je vais vous préparer le petit déjeuner. J'imagine que ce chien aussi a besoin de manger. » Elle a déposé des déchets de viande dans un bol en métal. « Vous me le rapporterez quand vous voudrez. »

Maggie et Wilson n'avaient pas bougé de leur place.

« J'ai essayé de l'amener jusqu'ici, mais elle ne s'intéresse pas à moi. J'imagine qu'elle a l'habitude de pourchasser des hommes de ma couleur.

– Il n'y avait pas beaucoup d'hommes de couleur à Kilby.

– C'est vrai, pourquoi envoyer un homme en prison quand on peut le vendre à la mine pour quelques dollars. »

Je suis resté là à regarder Wilson, sa manche vide repliée, les cicatrices sur sa main, en imaginant ce que je pourrais dire pour réparer.

« Quand tu auras récupéré tes affaires, tu me diras de quoi tu as besoin.

– Merci. Viens, Maggie. » Je lui ai fait sentir la viande, et elle m'a suivi avec entrain, passant le nez entre mes jambes, me poussant. Wilson a ri en nous voyant ainsi depuis la véranda.

« Je crois que cette chienne a une belle retraite devant elle », a-t-il commenté.

Je me souviens d'avoir remâché ce mot : retraite.

Maggie était couchée dans l'herbe, sur le flanc, près de la porte de derrière, tandis que je sortais mes affaires pour les trier sur la pelouse. J'imaginais que Marie avait d'abord rangé les objets les plus gros – mes boîtes à outils et mes vêtements – pour finir par les plus petits. Je voyais les couches se succéder. La première – donc la dernière pour elle – était constituée d'objets dont la propriété restait douteuse. J'ai retrouvé le cendrier que son père m'avait donné pour un Noël, l'un des rares cadeaux qu'il m'ait offert. « Il appartenait à son père avant lui », m'avait-elle appris, et non seulement il lui avait appartenu, mais c'était lui qui l'avait fabriqué. Ce dernier était orfèvre, et sa maison était remplie de plats et de chandeliers, de l'argenterie familiale et d'un service à thé. Marie avait une brosse au manche d'argent et un miroir à main qu'il avait confectionnés pour elle quand elle était petite. Le cendrier était une des dernières choses qu'elle avait remisées, jugeant sans doute sa propriété discutable.

Une photo encadrée de notre mariage était rangée près d'un tableau peint par ma mère que Marie admirait, puis venait mon profil découpé face au sien à elle, qu'elle avait fait exécuter, enfin une petite carte avec les reliefs de l'Alabama, peinte à la main par un cartographe ami du père de Marie. J'ai découvert aussi un ciseau de sculpteur, autre œuvre du grand-père, et un mouchoir de soie. Dans le fond, j'ai trouvé mes livres sur l'électricité, derrière un almanach de 1923 et un livre de cuisine. Un ours en peluche avec des boutons bleus en guise d'yeux, et une veste en drap de laine rouge. Je ne voyais pas en quoi ces choses-là pouvaient être à moi, mais je les ai prises quand même. Vêtements, objets de salon, bibelots, livres. Quand je suis arrivé au fond du débarras, j'ai retrouvé mon fusil et trois boîtes de cartouches, tous mes outils, plusieurs bocaux de clous et de vis, neufs grosses bobines de câble et le reste de ma réserve d'isolateurs en céramique.

Maggie rongeait un os quand j'ai sorti les derniers objets.

« Elle fait une de ces têtes, a dit Moa qui étendait des draps sur la corde à linge. Avec ses oreilles qui tombent, elle peut obtenir tout ce qu'elle veut, non ? Wilson a tué deux chevreuils la semaine dernière. J'ai préparé suffisamment de bouillon avec les os. Je vous en ai mis un sac de côté.

– À ce rythme là, vous la laisserez bientôt entrer dans la maison.

– Doucement, monsieur Roscoe. »

C'était presque agréable d'être là, avec ma chienne qui rongeait son os, la pointe d'humour entre Moa et moi, le soleil tiède, les chênes couverts de feuilles, et les champs s'étendant au-delà.

Moa a retiré une pince à linge de sa bouche. « J'aimerais que cette pelouse soit dégagée avant la nuit.

– Oui, m'dame. » Je ne m'étais jamais adressé à elle en ces termes.

Maggie trottinait derrière moi quand j'ai emporté mon premier chargement au cottage, transportant dans la gueule son os, tel un trophée. Déjà elle était plus calme qu'à notre arrivée, oubliant l'urgence de flairer, courir, chasser.

« Ne prends pas trop tes aises, nous ne resterons pas là longtemps. »

Au deuxième chargement, j'avais les bras et les jambes coupés, et je me suis reposé après le troisième. La nuit tombait, l'air fraîchissait, mais ma chemise était trempée de sueur. Je n'avais toujours pas récupéré ma veste dans l'entrée. J'ai pompé de l'eau dans l'évier au cottage pour remplir une petite tasse. Maggie a passé le nez entre mes jambes.

« Tu as soif ? » J'ai rempli un bol que j'ai posé par terre. Elle a délicatement lâché son os puis s'est mise à laper l'eau de sa longue langue. Elle ne se départait jamais de ses manières pour boire. Même après une longue traque, elle buvait toujours avec grâce, alors que les autres chiens se noyaient presque dans leur écuelle, tout à leur désir frénétique de s'abreuver.

Ma veste était posée sur une caisse de bocaux de nourriture, un paquet enroulé dans un torchon posé dessus. Moa m'avait préparé mon dîner et des provisions à ranger dans le placard. J'ai chargé le tableau, la carte, la photo, les portraits découpés, le cendrier, l'ours en peluche, je les avais gardés pour la fin dans l'espoir qu'ils se volatilisent. J'ai rajouté ma veste et la nourriture, et Maggie et moi sommes repartis chez nous.

Nous avions déjà redonné son tracé au sentier, les herbes étaient couchées là où nous étions passés, mais je ne voulais pas tailler les buissons et les branches. Je préférais me courber plutôt que de dégager la vue sur la grande maison.

À dix mètres du cottage environ, Maggie s'est arrêtée en pointant devant elle vers la silhouette qui accourait vers nous, comme on le lui avait appris. En reconnaissant Wilson, elle s'est décontractée et s'est mise à remuer la queue. Il s'est penché pour lui caresser la tête de son moignon. Dans sa main droite, une thermos et un sac en toile de jute.

« Moa a pensé que tu apprécierais un bon café après avoir travaillé comme ça. Elle dit que tu peux garder la thermos. Et il y a des haricots dans le sac.

– Merci.

– Je crois que cette chienne l'a conquise. Bonne nuit, Ross.

– Toi aussi. »

Je l'ai regardé s'en retourner vers la maison, et je l'ai interpellé avant qu'il ne disparaisse.

« Wilson ?

– Oui ?

– Quand est-ce que je saurai ce qu'est devenue ma famille ? »

Au bout d'un moment, il a répondu : « Quand le moment sera venu, j'imagine. Ce n'est pas une réponse très satisfaisante, mais je n'en ai pas d'autre.

– Ça ira », ai-je menti.

Arrivé au cottage, j'ai déposé mon dernier chargement, renversé la brouette contre le mur, et je me suis mis à table avec la nourriture de Moa. Elle m'avait donné quantité de jambon et de biscuits, afin qu'il m'en reste pour le petit déjeuner. J'ai sorti de la caisse un bocal d'épis de maïs, tiré sur l'anneau, soulevé le couvercle. Maggie est retournée à son os et je me suis versé une tasse de café. Un oiseau chantait une mélodie à six notes dehors. Marie aurait su de quelle espèce il s'agissait. Je me souvenais de toutes ces choses qu'elle m'avait apprises autrefois.

J'ai allumé une lampe et nettoyé les miettes, puis j'ai rangé les biscuits et le jambon dans une boîte en métal fermée pour les protéger des souris. J'avais prévu de réparer la porte, mais cela attendrait.

Dans la pile de vêtements, j'ai trouvé un vieux pyjama, léger mais doux. À Kilby, il n'y a pas de pyjamas. Je me suis lavé dans l'évier, et l'eau froide de la pompe sur mon visage, mes bras, dans mon cou m'a fait du bien. J'avais découvert une salle de bains dans ce que je croyais être un placard entre les deux chambres, équipée d'une bassine, d'un pot de chambre et d'un tub. Mais ça aussi, ça attendrait.

J'ai ouvert *Billy Budd, marin*, trouvé parmi mes affaires dans le placard. Marie l'avait déposé pour moi dans la première couche, avec les derniers objets. J'avais déjà lu ce roman à Kilby – son maître d'armes prend par erreur le pauvre Billy pour un mutin, une mort accidentelle se produit, il passe en cour martiale et se retrouve condamné à mort –, je n'étais pas certain de ce que Marie voulait que je retire de cette lecture. Billy était accusé à tort. Marie aurait pu vouloir suggérer que la même chose était vraie à mon sujet, le procès, la sentence, l'emprisonnement, tout cela était une erreur. Mais son silence me laissait croire qu'à ses yeux, ma culpabilité ne faisait aucun doute. Peut-être voulait-elle seulement que je m'intéresse à la condamnation, l'exécution de Billy constituant une sorte de pendant à mon propre sort. J'entendais encore la jeune Marie me pousser à m'accuser de la mort de Stevens pour me jeter dans les bras de Yellow Mama.

Sur la première page, elle avait écrit : *Cher Roscoe.* C'est par ces mots de sa main que commençaient toutes les lettres que j'aurais voulu qu'elle m'écrive.

Cher Roscoe, Gerald et moi nous espérons que ce livre te plaira à ton retour. Marie.

Cher Roscoe. Cher Roscoe. Cher Roscoe.

Qu'aurais-je aimé qu'elle m'écrive ?

Cher Roscoe, Gerald et moi nous avons envie de lire ce livre avec toi à ton retour.

Cher Roscoe, tu nous manques terriblement.

Cher Roscoe. Bienvenue à la maison.

Cher Roscoe, pour toi ce livre, avec l'amour de ta femme.

La jeune version de Marie avait donc raison : elle n'avait rien à me dire.

J'avais envisagé de relire ce livre, mais les mots de Marie, écrits de sa main ou ceux en caractères d'imprimerie, huit ans plus tôt, ne m'intéressaient pas : ces messages étaient destinés à un homme qu'elle avait l'intention de ne jamais revoir.

Les arbres autour de la maison étaient hauts et droits, et il m'a fallu deux jours pour en abattre un et l'écorcer – j'aurais mis quatre fois moins de temps à l'époque où j'avais l'usage de mon bras droit. Les poteaux n'avaient pas besoin d'être parfaits, mais je voulais qu'ils soient lisses, pareils à ceux que j'avais plantés pour la compagnie d'électricité. J'avais retrouvé mon couteau à deux manches dans le placard, je l'ai affuté en le tenant dans la lumière pour voir les endroits que j'avais ratés. Le tranchant arrachait l'écorce par morceaux, puis le bois pâle par copeaux. Le geste était méthodique, comme pelleter la bouse dans les stalles à la laiterie, ou remplir les écuelles des chiens, et dans ma tête je suis revenu à mon ancienne cellule, Ed était toujours là, couvert de sciure, fatigué et amer à cause de sa chaise. « Jaune ! s'est-il écrié. Ils vont recouvrir ce magnifique érable de peinture pour route, les salopards ! Peindre le bois est une disgrâce. Vous m'entendez ? Ils déshonorent ma profession dans cette maudite prison !

– Je ne peindrai pas ce poteau », je lui ai dit.

Nous n'étions plus dans notre cellule, mais dans la petite clairière près du cottage.

« Tu es un ami, Ross. »

Il avait l'air plus fort, les bras et le cou plus épais.

« Tu me rends visite à présent ?

— Faut croire.

— Tu es venu ici ?

— Je t'avais dit que je le ferais, pas vrai ? Nom d'un chien, j'ai accepté de construire la chaise électrique, et tu as bien vu que je ne m'étais pas défilé, là-dessus, non ? Rendre une visite, c'est un engagement facile à tenir.

— Et Marie, qu'a-t-elle dit ? »

Ed a hésité. « Je te l'ai écrit, Ross, ta Marie est bonne cuisinière. Elle m'a préparé un repas de roi. Mais on n'a pas beaucoup parlé, tu sais.

— Tu m'avais affirmé qu'elle n'était pas là.

— C'était plus simple comme ça.

— Tu as couché avec ma femme, Ed ?

— Ce n'était plus ta femme. Plus depuis un moment. »

Comme ma jeune Marie, j'avais inventé ce nouvel Ed. Je le savais bien. Ses mots étaient les miens : c'est moi qui les mettais dans sa bouche.

« Elle a cessé d'être ta femme à l'instant où elle a perdu vos futurs enfants. » Il avait raison. Même dans les bons moments, au début où nous avions l'électricité, Marie était restée un fantôme, un arbre creux, une créature qui attendait le moment de s'échapper.

« Pourquoi suis-je ici ? » ai-je demandé à Ed.

Il a secoué la tête — c'est à peu près tout ce que les autres pouvaient faire pour moi à l'époque. Aujourd'hui je suis habitué au silence, à l'absence de mots qu'engendrent le calme et le réconfort, mais dans ce pré avec Ed, ce hochement de tête muet s'est concentré, pareil à la frustration qui avait causé ces bleus sur les bras de Gerald,

273

et les insultes proférées contre Reed. J'ai pris mon couteau à deux manches, les doigts frémissant de colère sur les poignées, la lame lente sur le bois, mes phalanges frottant contre l'écorce rude. Je n'ai pas compris que ma peau se déchirait et que du sang imbibait le pin.

J'ai mêlé Marie à ma colère, j'aurais voulu qu'elle soit là pour répondre de ses actes.

Maggie a gémi et posé le museau contre mon genou.

« En arrière ! »

Mon sang avait taché le pin et demeurerait incrusté dans le bois même après que je l'aurais raboté. Encore une seule couche. Maggie a posé à nouveau son museau et je lui ai donné un grand coup de pied dans le torse.

« En arrière, nom de Dieu ! En arrière ! »

L'instant d'après, j'étais à genoux, je rampais vers elle, lâche que j'étais, et que je suis encore − enfin, certains jours. Elle m'a laissé passer le bras autour de son cou, enfouir mon visage dans la douce fourrure de son poitrail, tirer sur ses oreilles comme sur des cordes, à croire que je voulais y grimper.

« Bonne chienne. Oui. Tu es une bonne chienne. »

Elle a voulu me lécher les mains, mais je les ai relevées hors de sa portée et je suis allé lui chercher un os frais. Elle l'a saisi pour l'abandonner aussitôt en voyant que je me dirigeais vers la pompe, où j'ai rempli la bassine pour y tremper les mains. L'eau a rosi. J'avais mal.

J'ai déchiré des bandes de tissu dans une vieille chemise pour fabriquer des pansements, et quand j'ai repris mon couteau à deux manches, la douleur a fusé dans mes bras. « Vous connaissez ça, ai-je dit à mes mains. Suivez le mouvement. » J'ai empoigné l'outil et j'ai tiré, le sang a transpercé le tissu. Pourtant je luttais contre la douleur, contre moi-même, contre Marie, la maison, Kilby, et même le village, là-bas, sur la Coosa − je luttais contre tout ce qui m'avait amené auprès de ce poteau, dans cette clairière.

Quand le moment est venu de creuser, je suis allé jusqu'à la grande maison pour emprunter une bêche.

« Prends ce que tu veux dans l'atelier », m'a dit Wilson. C'était le matin, et Moa et lui étaient encore sur la véranda, à l'image d'un couple qui démarre lentement pour apprécier le début de la journée.

« Pas n'importe quoi ! a ajouté Moa.

– Rien qu'une bêche, Moa. C'est promis. »

La batteuse m'a accueilli dans l'atelier qui sentait le moisi – odeur intime et pourtant lointaine. Je me sentais nerveux, comme si Marie m'était apparue. J'ai touché la machine, le métal frais dans la pénombre, et j'ai vu son moteur électrique se mettre en marche, transformer l'électricité en nourriture, en ventes, en salut. J'aurais dû ressentir de la culpabilité. J'aurais dû détester cette grosse bête mécanique. Seulement j'en étais toujours aussi fier. Je reconnaissais toujours ses capacités, et plus que tout en cet instant, je voulais qu'on reconnaisse la prospérité que j'avais fait advenir grâce à elle.

J'ai pris une bêche au bord fin et affûté.

Mon bras gauche fournissait presque tout le travail, mon autre épaule était faible et inutile pour ce genre de tâches. Il fallait creuser profond. Grâce aux bandes de tissu qui entouraient mes mains, j'ai évité de trop grosses ampoules, mais rien ne protégeait mes pouces. Avant d'avoir achevé, ils étaient en sang, et j'ai dû m'interrompre pour aller de nouveau tremper mes doigts dans l'eau froide. Maggie m'a suivi à l'intérieur.

J'ai confectionné d'autres bandes avec une nouvelle chemise pour m'entourer les mains, elles étaient si épaisses que je parvenais à peine à bouger les doigts. Si je réussissais à terminer de creuser ce trou, je rentrerais et je m'offrirais tout un bocal de pêches au sirop. Ensuite je m'allongerais sur mon matelas épais et j'essaierais de dormir. J'offrirais à mon corps ce qu'il désirait.

Quand j'en ai enfin terminé, j'ai poussé un cri qui a ameuté Maggie à mes côtés. Mes pouces saignaient, et les ampoules qui s'étaient formées sur mes phalanges s'étaient ouvertes.

J'ai fait du feu à l'intérieur et j'ai mis des casseroles d'eau à bouillir sur le poêle. Wilson et Moa avaient dû créer cette salle de bains lorsqu'ils habitaient encore ici, et je les en ai remerciés quand je me suis plongé dans l'eau chaude. Mes mains me brûlaient, puis la douleur s'est apaisée, comme dans les muscles de mes bras, de mes jambes, des épaules et du cou. La vapeur calmait mes poumons, et j'écoutais mon souffle, j'entendais à chaque fois *Cher Roscoe*, le *Cher* étant plus appuyé que mon nom. *Cher* inspiration, *Roscoe* expiration. J'entendais la voix de Marie, là, dans ce tub. Elle disait à Ed : « Oh ? Vous avez partagé la cellule de Roscoe. Entrez. » Elle lui disait : « Venez. » À moi, elle déclarait : « Cher Roscoe. Cher, cher Roscoe. J'ai préparé des conserves comme une folle cette saison. La récolte a été abondante, et nous avions assez d'argent pour acheter des pêches à ne plus savoir quoi en faire. »

Et puis j'ai entendu à son tour ma jeune Marie, elle n'est pas venue en personne, il n'y avait que la voix, légèrement différente de celle de sa version plus âgée. « Endosse le blâme. Trouve-toi une place permanente à Kilby. Il n'y a rien pour toi, au-dehors. »

L'eau a refroidi avant que je sorte, et mon corps ressemblait à une graine rabougrie. Les serviettes du cottage avaient connu des jours meilleurs, mais elles étaient plus épaisses que tout ce qui existait à Kilby, et je me suis séché avant d'enfiler mon pyjama.

Maggie était allongée près du poêle quand je suis revenu dans la pièce principale, elle était toute chaude.

À Kilby, elle avait connu un enclos vétuste, de longues chasses dans les bois, les affres douloureuses de la procréation, tandis qu'ici, elle avait des os à ronger, des déchets de jambon à manger, l'herbe et le plancher où se coucher, le poêle, la paillasse qui servait de lit d'appoint. Il n'y avait rien de désagréable pour elle dans cette nouvelle vie.

Je l'ai tirée de trente centimètres en arrière, pour éviter qu'elle ne prenne feu.

J'ai suspendu mes bandages sur le dos de la chaise et j'ai éteint les lampes. Je suis allé me coucher sur le matelas épais de la chambre, et après m'être tortillé pendant quelques minutes, je me suis réfugié sur la paillasse, puis comme j'avais froid, j'ai émigré près du poêle. J'ai emporté la literie avec moi et j'ai dormi par terre, avec ma chienne.

Maggie s'était recroquevillée contre mes jambes pendant la nuit, par-dessus les couvertures. Je l'ai caressée avant de me lever, les mains encore en feu. J'avais hâte de procéder au câblage et plus encore de m'en aller, certain que ma présence ici n'était que temporaire, halte en attendant que ma véritable sentence soit prononcée.

Maggie est restée tout près de moi, couchée dans l'herbe, tandis que je travaillais. Vers le soir, elle a levé la tête en entendant le bruit des pas de Jenny qui arrivait dans la clairière. « Dîner, a-t-elle annoncé en soulevant ce qu'elle tenait entre les mains. Je vous le pose près de la porte. »

Elle n'était jamais venue me voir encore.

« Merci.

– Il faut remercier ma mère.

– Alors remercie ta mère. »

Maggie s'est approchée pour flairer l'ourlet de sa jupe, et Jenny s'est accroupie pour la caresser.

« Monsieur Roscoe ?

– Oui.

– J'ai un service à vous demander. »

J'ai sursauté. Je ne voyais pas comment j'aurais pu rendre un service à quiconque.

« En quoi je peux t'aider ?

– Papa ne vous a rien dit parce qu'il a honte, mais Charles a... » Son regard s'est égaré parmi les arbres, comme pour chercher les mots. « Il a été... incarcéré. Comme vous. En prison. Et, en vérité, on ne sait pas où il a été envoyé. Papa a pensé que vous aviez peut-être des relations là-bas et qu'on pourrait leur poser la question. On vous serait tellement reconnaissants.

– Qu'est-ce qu'il a fait ? »

Jenny s'est mise à triturer le tissu de sa jupe. « Il avait trop bu et il a... agressé un homme.

– Tu sais ce que cela signifie ? »

Elle a hoché la tête. Elle devait avoir dix-neuf ans, peut-être vingt, et soudain j'ai été en colère contre Wilson et Moa de l'avoir obligée à venir me présenter leur requête.

Maintenant bien sûr, je sais pourquoi ils en avaient chargé Jenny.

« Je serai heureux de vous aider, Jenny, mais dis à tes parents qu'ils peuvent me demander tout ce qu'ils veulent, eux aussi.

– Oui, monsieur.

– Ne m'appelle pas monsieur.

– Très bien. »

Elle s'est à nouveau accroupie pour caresser Maggie.

« J'aimerais bien que les gens arrêtent de s'en aller, a-t-elle murmuré.

– Où est Henry ?

– Il s'est marié, a-t-elle répondu en souriant. Il a eu une petite fille, à qui il a donné le prénom de maman. Elle a six mois, elle est très belle. Il a envoyé une photo.

278

– Et où est-il ? »

Son visage s'est teinté à nouveau de mélancolie. « Ils sont à New York. Maman et papa sont très fiers. Madame Marie lui a payé ses études, comme à Gerry, et maintenant il travaille, il est professeur. Madame Marie nous a tous mis dans le train pour aller assister à la remise des diplômes. »

Cela devait remonter à environ un an.

« Et toi, pourquoi n'es-tu pas partie, Jenny ?

– Je suis pas bonne avec les livres comme Henry. J'aime bien ce travail. » Elle caressait les oreilles de Maggie.

« Écoute. La prochaine fois que tu m'apportes mon repas, apporte aussi du papier et un crayon. Je sais à qui on peut écrire à la prison de Kilby pour savoir ce qu'est devenu Charles.

– Merci, monsieur Roscoe. » Elle est restée sans bouger tout d'abord, puis elle est passée par-dessus Maggie pour venir me serrer dans ses bras. Je n'avais pas tenu une femme dans mes bras depuis neuf ans, quels que soient son âge, sa corpulence ou sa couleur, et je ne savais pas quoi faire de mon corps. Elle s'est écartée aussi vite qu'elle était venue. « Excusez-moi, a-t-elle dit en lissant sa jupe. Vous allez rester ? Jusqu'à ce qu'on sache où il est ?

– Oui, bien sûr.

– Tant mieux. Il faut que je rentre maintenant. Je reviendrai dès que je pourrai avec du papier et un crayon.

– Jenny, ai-je demandé avant qu'elle ne reparte, tu sais pourquoi je suis ici ? »

Elle paraissait aussi tranquille que son père quand je lui avais posé la question, et je m'attendais à une réponse aussi vague qu'imprécise, mais elle m'a dit : « Parce qu'ici, c'est chez vous, j'imagine, monsieur Roscoe. »

Elle a pris la direction de la grande maison sur le sentier, et juste avant de disparaître, elle a crié : « Qu'est-ce que vous voulez manger, demain soir ? »

Je songeais à l'idée d'être chez soi.

« Ce que vous voudrez. Ce que ta maman et toi vous préparerez. »

En revenant à l'intérieur, mon corps n'était que souvenir. Je ne parvenais pas à me rappeler les détails de l'étreinte de Jenny, seulement son rugissement. Je voulais sentir à nouveau les bras de la jeune fille autour de moi, et puis encore une fois, chaque jour. Je ne me rendais pas compte à quel point j'avais besoin qu'une personne me serre tout simplement contre elle.

Ce besoin a fini par s'apaiser un peu.

Avec un sentiment de honte, j'ai déballé notre dîner et glissé la portion de Maggie dans le plat à tarte qui lui servait d'écuelle. Puis j'ai commencé à manger moi aussi, réalisant soudain combien j'avais faim.

J'ai creusé mes trois trous et fixé la barre horizontale sur les poteaux.

« Tu vas avoir besoin d'un coup de main », m'a lancé Wilson en apparaissant soudain dans la clairière le matin où je comptais planter les poteaux.

« Qu'est-ce que tu fais là ?

— Jenny nous tient au courant.

— C'est ton espionne ?

— Elle dit grand bien de toi, Ross.

— C'est gentil de sa part. »

J'avais numéroté mes poteaux et je les avais classés par taille décroissante à mesure qu'on se rapprochait du cottage. Wilson m'a rejoint devant le premier. « Prends le bout. Je tiens la base. Après, je continue à tenir, hein. Pas question que je remette la terre.

– J'ai des étais. Ça le maintiendra pendant que je reboucherai le trou. » Mais il a soulevé la base, serrant le tronc contre lui. Le fantôme de son avant-bras et de sa main gauches se sont tendus de l'avant.

« Prends ton bout à toi », m'a-t-il dit.

Wilson avait été mon menuisier quand nous avions élevé les poteaux le long du champ nord. Il avait abattu les arbres, les avait écorcés, il avait découpé les barres horizontales, puis les avait fixées sur les poteaux. C'est moi qui maintenais droits ces derniers pendant qu'il remplissait les trous.

« Ça penche déjà vers la droite, a-t-il remarqué. Trop à gauche. Encore un peu. Trop.

– On a le temps pour les derniers ajustements.

– C'est toi, au début, qui voulais qu'ils soient droits.

– C'est vrai, je m'en souviens. »

Nous n'avons rien ajouté à ce sujet.

Il tenait le poteau, son bras gauche appuyant sur le devant, tandis que sa main droite s'enroulait derrière, et je me suis mis à pelleter en rythme – six pelletées, puis tassement de la terre en tournant deux fois autour du poteau. Pelletées, tassement, et rebelote. Quand le trou s'est trouvé à moitié rempli, le poteau tenait tout seul, alors Wilson s'est écarté.

« Il a l'air bien, a-t-il observé. Plus droit que quand c'était encore un arbre. »

Remplir le trou s'est avéré moins difficile que de le creuser, mais le tassement entraînait des vibrations dans mon épaule endommagée. Quand j'en aurai fini avec les deux autres, à la fin de la journée, je serai mort.

« Tu as l'air à ton affaire, Ross, m'a dit Wilson qui s'était adossé à un pin. Tu as creusé des trous à Kilby ?

– Pas si profonds.

– Comment savais-tu à quelle profondeur il fallait creuser ?

– Je suis observateur. »

Wilson s'est mis à rire. « J'ai jamais rien rebouché à Flat Top. La poudre, c'était réservé aux blancs. Jamais ils nous auraient confié les explosifs. Je les creusais, les trous, je les leur préparais, mais ensuite, un gars d'en haut descendait avec les bâtons de dynamite, le coton, les mèches. On n'était pas très loin dans le puits qu'il faisait tout péter. »

J'attendais ce moment, quand Wilson me raconterait ce qu'il avait vécu sous terre.

« Combien de temps as-tu passé au fond ? je lui ai demandé.

– Presque trois ans. »

Attends un peu, je me suis dit. *Attends un peu*. Nous avions été condamnés en 22, les travaux forcés dans les mines s'étaient arrêtés en 28. J'avais passé au moins six ans à m'imaginer Wilson mort ou travaillant dans ces tunnels, assiégé par la conscience de l'avoir envoyé là-bas, de l'avoir condamné à ces jours sombres. La culpabilité m'avait un peu épargné à cause du silence de Marie. J'avais privé cet homme de sa famille. Quel droit avais-je de jouir de la mienne ?

Seulement il n'avait passé là-bas que trois ans, le tiers de mon temps.

« J'ai rencontré un type qui était à la mine Peerless quand ça a sauté, m'a raconté Wilson. À cause des étincelles d'une scie. Il s'appelait Conrad, il espérait que ça lui vaudrait son ticket de retour, avec ses brûlures, mais ils l'ont juste raccommodé un peu et expédié à Flat Top. Ils te laissent seulement partir quand tu ne peux plus travailler, et encore, à condition qu'ils n'aient plus la paperasse pour te retenir. »

J'ai appuyé le poteau contre ma poitrine pour mieux le regarder.

« Vaudrait mieux finir de remplir ce trou. Y en a encore deux autres, si j'ai bien compté.

– Tu as raison. » J'avais presque fini. *Pelleter*, disais-je à mes bras. *Planter. Pelleter.* Ensuite, *Poser la bêche. Saisir le poteau. Le tenir fermement, bon Dieu. Le tenir. Frapper, maintenant. Encore.* Même avec la présence de Wilson, ça n'était qu'un travail – un travail comme un autre, pareil que de traire les vaches, de nettoyer les stalles, de construire des abris, de faire courir les chiens, conduire une charrette dans une allée étroite, ordonner des cartes, mémoriser des chiffres. Piocher dans une veine de charbon sur le côté et respirer de la poussière de minerai, attendre les explosions, soulever, charger. Tasser, pelleter, planter. Le travail se mesure en temps autant qu'en salaire. Je ne sais pas très bien combien il faut courir d'heures pour égaler le prix de la main d'un homme, de son poignet, de son avant-bras, de son coude. Combien de livres à ranger en échange d'un doigt ? Combien il faut remplir de seaux de lait ? Combien il faut creuser de trous, sortir de chiens de la terre puis les enterrer encore plus profond ? Combien d'épouses et d'enfants ?

Je ne sais toujours pas précisément combien je dois.

J'ai terminé et je suis passé au trou suivant. Wilson me parlait à présent, plus que je ne pouvais l'écouter. « Il y a ces histoires qu'on se transmet d'un camp de mineurs à l'autre. » On a transporté le deuxième poteau. Mon bras droit bien raide, épaule contractée. Je savais que je ne pourrais pas tourner la tête le lendemain. « Toutes ces histoires dans les mines. Tous ces hommes vendus par l'État. On dirait des histoires de fantômes. Regarde cette souche. C'est un des arbres que tu as coupés ? »

J'ai secoué la tête et je l'ai contournée.

« C'est comme la mine Banner », a-t-il poursuivi.

J'étais le premier à lui avoir parlé de Banner, transmettant ce récit telle une malédiction.

J'ai tourné le poteau vers Wilson et j'ai commencé à pelleter. Savoir ce qui s'était passé à Banner n'avait rien à voir avec les peines que nous avions purgées Wilson et moi, ni avec ce travail que nous partagions à présent, ici, à la ferme.

« Tu t'es déjà retrouvé dans un tunnel où il n'y a plus d'oxygène, Ross ?

— Tu sais bien que non. Si c'était le cas, je serais mort. Pourquoi as-tu envoyé Jenny me demander ce service au sujet de Charles ?

— Tu voudrais que je me taise ?

— Oui. »

Il a souri.

« C'est bien que tu sois ici. On le pense tous les deux, Moa et moi. Ça la surprend elle-même. »

En guise de réponse, je suis resté silencieux.

Le sol était bien tassé autour du poteau. « Merci pour ton aide, ai-je dit à Wilson. Le dernier est plus petit. Je pense pouvoir m'en tirer seul. De toute façon, ça attendra demain.

— Tu as mal ?

— Oui.

— C'est du boulot, hein, de lever des poteaux. »

Je suis passé à côté de lui et il m'a emboîté le pas un moment avant de tourner en direction de la grande maison. Je le sentais sur mes talons. J'entendais son souffle et le bruit de ses pas dans la terre, dans l'herbe, un pas si différent de celui de Taylor sur son cheval.

Je venais de me glisser dans mon bain quand Maggie s'est mise à gémir d'excitation. *Une visite*, disait-elle. *Quelqu'un à la porte*. Je n'avais pas encore réparé le loquet.

J'ai eu du mal à m'arracher à l'eau chaude. J'avais fait chauffer de pleines casseroles pendant une heure.

« Silence », ai-je dit à Maggie. Elle s'est tue et s'est assise sur son arrière-train. J'ai passé une vieille serviette autour de ma taille, m'attendant à voir Wilson, désireux de parler un peu. Je savais que je l'écouterais, tout comme le lendemain, lorsqu'il tiendrait le troisième poteau. J'écouterais tête baissée, les bras et les mains douloureux, mes deux bras, mes deux mains. Il me raconterait d'autres histoires de fantômes avec coups de grisou et effondrements, et je songerais au flanc de Stevens mis en pièce par le fusil de Hughes, ou à ce petit morceau de métal incrusté dans le rein de Jennings, qui avait empoisonné son sang.

« Monsieur Roscoe ? » Ce n'était pas la voix de Wilson mais celle de Jenny. « Je vous dérange, monsieur Roscoe ? » J'ai entendu la porte s'ouvrir.

« Une minute ! ai-je crié. Attends dehors une petite minute, Jenny », et j'ai récupéré mes vêtements, crasseux après cette pénible journée de labeur, raidis parce qu'ils traînaient par terre. J'ai aussi ressenti une chaleur dans le bas-ventre, et je me suis maudit moi-même.

C'est rien, ai-je murmuré. J'étais nu, dans mon bain, quand une jeune femme avait surgi devant ma porte. Bien sûr que je tremblais. *Allez, calme-toi maintenant.*

Je suis resté pieds nus, les cheveux humides.

« Je vous dérange, a dit Jenny quand j'ai ouvert la porte. Vous vous prépariez à dormir. Mes excuses, monsieur Roscoe. J'ai apporté le dîner et les choses pour écrire comme vous avez demandé. »

Jenny était si petite quand j'étais parti, c'était la plus jeune des enfants de Moa et Wilson, une fillette qui jouait parfois avec Gerald. J'avais peu de souvenirs d'elle seule – je la revoyais courant après les poules devant ce même cottage, accrochant des rubans dans un arbre. À présent, elle était l'unique personne qui me rendait visite pour me parler de choses qui ne me clouaient pas au pilori.

« Je préfère manger que d'aller me coucher. Je vais allumer les lampes. »

Jenny a refermé la porte derrière elle du mieux qu'elle a pu.

« Tu as un crayon ? » ai-je demandé.

Elle m'a tendu un bâtonnet jaune à moitié usé, sans doute volé dans l'atelier de son père. J'ai émoussé bien vite la pointe en écrivant sur la porte « *Réparer* ».

« Comme ça vous croirez toujours qu'elle est cassée. » Jenny a posé de la nourriture sur la table, il y en avait assez pour deux, voire trois personnes. « J'ai pensé qu'un petit supplément ne vous ferait pas de mal. » Elle a déposé de la viande dans le plat à tarte de Maggie, et lui a tiré l'oreille tandis qu'elle se mettait à manger.

La sensation des bras de Jenny autour de moi m'est revenue.

J'ai commencé à manger les haricots de Moa – pas aussi bons que ceux de Marie, mais pas mal quand même – puis j'ai demandé à Jenny le papier.

« On va écrire au directeur adjoint Taylor. C'est lui qui m'a donné la chienne.

– Papa trouve ça pas bien qu'on vous ait donné un chien quand vous êtes sorti.

– J'ai travaillé avec ces chiens pendant des années », ai-je dit à cette jeune fille que cela ne concernait pas du tout, qui n'était coupable de rien, et qui n'avait rien à voir avec Kilby ou Flat Top.

Elle a posé les mains sur la table. « Je suis sûre que vous savez ce qu'il faut écrire dans la lettre, monsieur Roscoe. Charles Emit Grice. C'est son nom entier. Papa lui a donné en second prénom celui de M. Emit. Vous le saviez sûrement déjà.

– Non.

– Ça a été dur quand on a perdu M. Emit, mais maman dit toujours que chaque malheur a son opposé positif, et elle savait que c'était la vérité puisque vous êtes venus, avec madame Marie et le petit Gerald. Elle

286

raconte toutes ces histoires sur cette époque. Quand le maïs était aussi haut que les pacaniers, qu'il y avait trois à quatre graines d'arachide par cosse. Tout le monde avait le ventre rond et la ferme était plus vaste et plus prospère à chaque saison...

– Ce n'est pas vrai, ai-je interrompu. La ferme peinait à survivre avant qu'on ait l'électricité. »

Nous sommes restés un moment silencieux, les lèvres de Jenny brillaient dans la faible lumière de mes lampes.

« Charles Emit Grice », ai-je dit finalement. Il n'y avait que Jenny et moi dans le vieux cottage de ses parents, nous deux et ma chienne de prison.

Monsieur le directeur adjoint Taylor, ai-je écrit. Je me suis montré poli et direct, posant notre question de manière simple. J'ai écrit *s'il vous plaît*. Je lui demandais un service, et je m'exprimais en conséquence. Juste avant de signer, j'ai ajouté : *Merci de m'avoir donné Maggie*. Puis j'ai signé. *Roscoe T Martin*, et c'est seulement en voyant mon propre nom sur le papier que j'ai réalisé que j'avais écrit une lettre à un illettré.

Je ne pouvais le dire à Jenny. Je ne pouvais lui avouer que j'avais échoué dans cette entreprise avant même d'avoir remis la lettre au postier.

J'avais mémorisé l'adresse de la prison grâce à toutes les lettres que j'avais écrites autrefois, et c'était bien étrange d'intervertir les adresses de l'expéditeur et du destinataire. Celle que j'avais écrite pour Jenny serait la première à partir pour Kilby depuis cette maison.

« Je l'emmènerai à la poste demain matin, a dit Jenny. Papa va en ville. »

Je n'arrivais pas à lâcher l'enveloppe, j'en avais mal au ventre. On risquait de ne pas avoir de retour, vieille angoisse qui me taraudait l'esprit.

« Il faudra du temps avant qu'il réponde, non ? » Elle semblait aussi effrayée que moi. « Vous avez dit que vous attendrez jusqu'à ce qu'on ait une réponse. Même si ça prend des semaines, hein ? Même des mois.

– Oui, Jenny, j'attendrai. »

Les poteaux plantés, c'était bon d'avoir une autre excuse. J'avais beau avoir plus d'une fois repensé aux paroles de Jenny, me disant que j'étais chez moi, j'étais encore convaincu que je ne pouvais pas rester.

« Merci, monsieur Roscoe. »

Je m'attendais à ce qu'elle contourne la table pour me serrer contre elle de gratitude, mais à la place, elle s'est dirigée vers la porte. Au-dessus de sa tête je lisais « *Réparer* ». Il faisait encore assez jour dehors pour que je distingue sa silhouette par la fenêtre, la lettre d'un blanc éclatant dans l'air du soir.

Je craignais d'avoir oublié du matériel quand je me suis attaqué aux lignes. L'électricité arrivait sous forme de courant alternatif d'un voltage plus élevé, et le nouveau transformateur installé par la compagnie sur la ligne principale suivant la route en diminuait la puissance pour livrer un courant à usage domestique et l'amener jusqu'à un autre transformateur, qui s'alignait avec mes nouveaux poteaux.

Wilson m'a conduit en ville pour acheter le nécessaire chez Bean. Des lampes électriques étaient accrochées au plafond.

« Wilson », a dit Bean. Il a contemplé mon visage quelques instants avant de lentement prononcer mon nom. « Roscoe T Martin. Que je sois pendu.

– Bean.

– Bienvenue, a-t-il dit en sortant de derrière son comptoir pour venir me serrer la main. C'est une véritable honte la manière dont tout ça s'est passé.

– Je vois que vous avez capitulé, ai-je dit en désignant de la tête les suspensions à l'éclairage vif.

– Ah ! il a ri. Tu te rappelles comment j'étais opposé à toutes tes sottises électriques ! Eh bien, quand ils ont amené l'électricité dans le quartier, disons que je n'ai pas pu résister plus longtemps.

– Et comment ça se passe ?

– Je suis toujours diablement nerveux, mais je reconnais que c'est pratique. Qu'est-ce que je peux faire pour vous, messieurs ?

– Je voudrais du fil de cuivre, cinq cents mètres de longueur, et cinquante de gainage. »

Bean a regardé Wilson. « Tout est légal, maintenant, Bean. C'est du travail honnête. Ross installe l'électricité dans le cottage, ça va bien améliorer l'état de la propriété. »

Bean m'a donné une grande tape dans le dos. « Faut bien que je me renseigne, fiston. Je peux pas te laisser repartir juste après que tu viens d'arriver. Il va falloir m'aider à porter les bobines, les gars. »

J'ai revu Bean à la barre des témoins, disant au jury que je m'étais bien acquitté de ma dette. Je me rappelais ces factures détaillées qu'il m'envoyait, soustrayant les sommes que je lui versais, et puis la dernière, où il était écrit *Dernier paiement. Merci d'avoir fait affaire avec nous.*

Nous avons tout chargé dans le camion, et Wilson a dit à Bean de le mettre sur le compte.

« C'est le compte de Marie ? lui ai-je demandé dans le camion sur le chemin du retour.

– C'est celui de la ferme. Quand tu seras prêt à installer l'éclairage, on l'utilisera aussi. »

Wilson m'a aidé à transporter les câbles jusqu'au cottage. « Il te faut autre chose ? a-t-il demandé quand on a eu terminé.

– Non.

– Appelle quand tu veux. »

C'était étrange d'aller trouver Wilson quand il me manquait du matériel, une bêche, des câbles, des lampes. Autrefois, il fournissait sa force de travail – il avait soudé les transformateurs, creusé et rempli les trous, planté et récolté. Je le revoyais qui remplaçait les planches de cette barrière, retirant à deux mains les parties pourries. C'était superflu, pourtant il m'avait demandé un coup de main le jour où j'étais moi-même venu solliciter son aide pour les lignes électriques. Désormais il aurait toujours besoin d'assistance, et je me demandais s'il était de mon devoir de rester là pour pallier l'absence du bras de Wilson, ma présence devenant alors une nécessité. C'était clair et net, comme les colonnes de chiffres dans le registre des dettes de Bean – quelque chose qui tendait vers l'équilibre.

Tisser les fils ensemble s'est avéré long – il y en avait huit, qui s'entrecroisaient les uns les autres. Ils étaient déjà recouverts d'une gaine mince, qui s'adaptait à leurs circonvolutions de manière à donner un courant plus fluide à travers le câble final.

J'ai achevé cette phase au bout d'une semaine puis j'ai introduit les fils dans leur gainage. Cela me déplaisait souverainement d'attirer à nouveau Wilson dans la même entreprise, pourtant je lui ai demandé de m'aider à fixer les lignes sur leurs isolateurs de porcelaine. Il tenait le câble enroulé tandis que je l'étirais, trois lignes par poteau pour distribuer le courant en cas de surtension, ou de foudre, avant qu'elles se rassemblent dans le conduit d'entrée que j'avais bricolé dans un pignon du cottage. Les lignes continuaient leur course dans les conduits d'acier qui montaient puis faisaient un coude avant de ressortir à l'intérieur. Les câbles électriques résistent très bien à l'eau, mais enfermez-les dans un espace confiné avec de l'eau stagnante, et les ennuis sont garantis. L'eau en captivité est une bête sauvage, elle engendre rouille, moisissure et pourriture. Laissez entrer un peu d'air, de soleil, et elle s'en va sans demander son reste.

« Encore deux mètres », ai-je crié à Wilson. Nous étions arrivés à la dernière ligne du dernier poteau, les fils de cuivre tissés bien cachés sous leur gaine noire, le câble épais s'insérant comme s'il se mettait au lit dans son isolateur de porcelaine marron brillant. Toutes ces pièces étaient si belles ensemble – douillettes, utiles, prêtes –, et je me suis abandonné à cette magie inhérente que j'avais toujours ressentie. Le courant que j'allais bientôt envoyer dans ces fils provenait de l'eau, tout là-bas au loin, à la source des lignes électriques qui descendaient depuis le barrage sur la rivière Coosa. Nous avions extrait cette force sauvage et ardente d'une substance humide et fluide. Nous l'avions complètement transformée, pourtant elle se comportait toujours de la même manière.

« C'est tout ce que j'ai », m'a dit Wilson.

Nous sommes allés ensemble jusqu'au transformateur de la compagnie, haut perché. Wilson a tenu l'échelle pendant que je montais. « J'ai même pas besoin d'abattre un arbre, cette fois », a-t-il dit. Alabama Power avait veillé à couper le courant jusqu'à ce qu'on lui demande de le rétablir.

J'ai fixé mes fils, puis relevé l'interrupteur.

Il manquait l'excitation de la première fois, néanmoins, et j'aurais bien voulu que Marie soit là pour me voir installer légalement l'électricité sur ses terres, améliorer la ferme comme je l'avais promis.

L'électricité bourdonnait à travers le cottage, les câbles dans leur gaine blanche filaient le long des murs et des plafonds à travers de petits isolateurs blancs que j'avais commandés chez Bean. Je sais que de plus en plus les gens dissimulent leurs fils à l'intérieur des murs, mais moi je préférerai toujours les voir.

Les nouvelles lampes diffusaient une lumière éclatante, et j'aimais mieux la douceur des lampes à pétrole. Cela seyait davantage au cottage, comme à la bibliothèque de la grande maison, je suppose.

La porte maintenant était bien droite dans ses gonds, un nouveau cadre l'enserrait. J'avais gratté le mot *Réparer*, et pour finir, j'avais tout gratté, et j'avais même décapé le bois avant de le passer à l'huile de lin. Je disposais à présent d'une belle entrée.

J'avais aussi remplacé les vitres brisées.

Trois semaines s'étaient écoulées depuis que Jenny avait expédié la lettre et nous n'avions toujours pas de réponse. Elle ne s'attardait pas quand elle m'apportait mes repas.

L'été s'est abattu, chaud et humide, mais plongé dans l'ombre le cottage restait frais. Les feuilles des chênes environnants tombaient sur le toit depuis si longtemps que c'en était devenu une espèce de tourbe. Une fuite au-dessus du poêle s'était agrandie, les planches du plafond s'étaient gauchies, et les gouttes tombaient à grand bruit dans les cocottes que j'avais disposées par terre. Avec les orages d'été, la situation s'est envenimée. Donc je suis monté pour entreprendre des réparations. Les bardeaux du toit étaient tellement pourris qu'ils avaient la même consistance que les feuilles mortes agglutinées, une espèce de pâte que je pelletais avec ma bêche. J'ai planté quelques piquets dans la charpente pour ne pas tomber, puis j'ai balancé toute cette bouillie par-dessus les pignons, à un angle de la maison, et de gros tas bruns se sont formés sur le sol. Quand je suis arrivé à la charpente, j'ai eu l'impression d'exhumer un trésor : les planches lisses, en parfait état sous les bardeaux rongés d'humidité. Le cottage avait été bâti avec une grande maîtrise.

À présent je pouvais manier la bêche sans avoir d'ampoules.

J'ai ratissé la purée de feuilles et de bardeaux sur toute l'étendue du pré, en couche fine pour que le soleil la dessèche. Si le ciel m'accordait deux jours sans pluie, ce serait assez sec pour que je puisse tout mettre en tas et le brûler. Wilson m'avait donné un rouleau de papier goudronné que j'avais l'intention de poser sur la toiture le jour-même, seulement il fallait laisser sécher un peu. J'ai prié le ciel d'être clément.

« Tu parles à qui, imaginais-je mon père me dire. Tu es du genre à prier, maintenant ? »

Ma jeune Marie poursuivait : « Tu ne devrais pas être là, mon amour. Tu devrais rendre visite à Yellow Mama. »

Ed aurait conclu : « Tu es en train de te corseter dans cet habit de fermier, pas vrai, mon frère ? »

« Allez », ai-je murmuré à la charpente, les yeux posés sur les houx et les cornouillers, les chênes imposants, les pins tordus et les touffes d'herbe. Le vent balayait les arbres où les oiseaux menaient grand tapage. Les travaux du jour s'écoulaient en sueur le long de mes bras, humidifiant le manche de bois du râteau. Ses dents étaient brun rouge, rouillées. « Ed ? » ai-je interrogé. « Papa ? »

Dans l'ombre où elle était couchée, Maggie a levé la tête et a émis un long grognement. Un bruit de pas a suivi, et une silhouette inconnue est apparue parmi les buissons et les arbres. Il était grand et massif, la taille épaisse et repue. De bonnes joues, le menton tombant, un visage d'enfant triste, comme un garçon au bord des larmes.

Maggie s'est dressée sur ses pattes et s'est mise à aboyer, alors l'homme a pris peur et j'ai reconnu cette expression. Gerald – mon fils. Quelle genre de vie lui avait offert une telle abondance de temps, de nourriture et de facilité, pour qu'il puisse devenir aussi gras du ventre et du visage ? Je me souvenais de lui comme d'un garçon actif, en plus de ses lectures. Il se battait à l'épée, grimpait aux arbres, courait les champs parmi le maïs.

« Du calme, ai-je dit à Maggie. Couchée. »

Elle a grogné une fois, puis s'est étendue à nouveau, trop chaud pour chercher des histoires.

« Gerald ?

— Salut, Papa. »

Quel âge avait-il ? Dix-huit ans ? Dix-neuf ans ? Je ne savais plus. Enfin, j'étais aussi jeune quand j'avais rencontré sa mère.

Il a passé ses bras épais autour de moi, serré mon corps contre le sien, écrasant le râteau que je tenais toujours à la main. « Papa.

— Gerald ? » Ma question était un murmure, et je doute qu'il ait entendu.

Il m'a lâché avant que j'aie eu le temps de répondre. Nous n'avions pas été aussi proches depuis le jour où le shérif Eddings était venu me chercher. Nous avions plaisanté à table sur le fait qu'on frappait à la porte : un pirate venu voler notre trésor. Nous étions résolus à nous battre, l'épée à la main. En sortant, je lui avais ébouriffé les cheveux et promis d'être de retour avant qu'il se couche.

« J'ai appris ta libération. Moa m'a dit que tu étais ici.

— Oh ? »

Il regardait les arbres.

« Je voulais te rendre visite quand tu étais là-bas, a-t-il fini par dire.

— Et pourquoi tu n'es pas venu ? »

Voilà la question que je voulais lui poser — la seule qui m'importait —, après, libre à lui de répondre ou pas. Je l'ai vu se mordre l'intérieur des joues, habitude qu'il avait déjà enfant — il se mangeait lui-même quand il réfléchissait, se grignotait pour aboutir à son idée. Il se rongeait les ongles aussi, et j'ai vu qu'il continuait : la peau sur le pourtour était rouge et arrachée.

« Maman m'a convaincu que c'était de ta faute. Que tu étais responsable de tout – Wilson, la dette, les années difficiles qui ont suivi. La mort de cet homme. » Il a rentré la tête dans ses épaules. « À un moment, j'ai cessé de lutter contre elle. Et puis j'ai reçu cet appel de Moa, m'annonçant que tu étais là et je… il fallait que je vienne. » Il a porté son pouce à sa bouche, mais il n'y avait plus rien à ronger ni à arracher.

Je ne savais pas si le voir était une bonne chose ou si c'était horrible. C'était mon petit garçon pendant la période faste, époque où je savais ce que c'était d'être père, et puis il avait disparu. Moi aussi j'avais disparu. J'ignorais que je cesserais d'être son père le jour où le shérif Eddings était venu me chercher. Gerald aussi. Et maintenant, il m'apprenait que j'aurais pu continuer de l'être pendant ces neuf longues années, si seulement sa mère l'avait laissé.

J'ai essayé de trouver le moyen de relancer le processus – être père. Je pouvais l'inviter à l'intérieur, lui offrir un verre d'eau pour se rafraîchir, peut-être ouvrir un bocal de pêches au sirop pour lui donner quelque chose à mâcher et distraire ses mains. Les mots étaient déjà dans ma bouche, clairs dans mon esprit. *Entre*, dirais-je. *Viens donc au frais à l'intérieur. Asseyons-nous pour parler un moment. Nous avons beaucoup de temps à rattraper.* Je passerais mon bras autour de ses épaules, bien qu'il soit désormais plus grand que moi, ce qui rendrait mon geste maladroit mais pas moins sincère. *Entre, mon fils. Tu m'as manqué.*

Oh oui, il m'avait manqué. Et cela n'a jamais cessé. Je regrettais le garçon de douze ans, de onze ans, de dix, je voulais que cet enfant se métamorphose en cet inconnu debout devant moi, avec son visage plein et ses mains nerveuses. Je voulais trouver le moyen d'être son père.

« Je suis désolé. Tellement désolé, papa. »

Et pendant un moment, je nous ai vus tous les deux : nous marchions jusqu'aux lignes électriques, puis à l'atelier où nous regardions la batteuse, à l'automne nous allions dans les bois au sud, fusil à l'épaule, en songeant à la viande de gibier. Je lui avais appris à tirer.

« J'aurais dû me rebeller plus tôt contre elle. »

J'ai laissé choir mon râteau et je l'ai attrapé de mon bras vaillant. Il était si grand, si massif. Il n'était même pas encore engagé sur le chemin au bout duquel il serait un homme quand j'étais parti, il n'avait pas de poils, n'avait pas commencé sa poussée de croissance, et je me suis pris à imaginer chacun de ces moments que j'avais ratés – la première moustache et la première barbe, le premier rasage, la mue de la voix, les jambes qui deviennent musculeuses, les poils qui poussent, sombres et drus, recouvrant le corps. À présent, c'était un homme, et il le serait toujours, et moi, j'avais manqué sa métamorphose.

Je lui ai proposé d'entrer, mais il a aussitôt refusé. « Je ne peux pas rester. Je ne savais même pas que j'allais venir aujourd'hui – j'ai sauté dans la voiture. Il faut que je retourne prendre mon service à la bibliothèque.

– Je travaillais à la bibliothèque à Kilby.

– Maman me l'a dit. Elle ne m'a jamais montré tes lettres, mais de temps en temps, elle me donnait de tes nouvelles.

– Donc elle les lisait. »

Pendant un moment, nous sommes restés muets tous les deux.

« Je peux revenir ? a-t-il demandé. Samedi, peut-être ?

– Oui, avec plaisir. »

Nous nous sommes serré la main – la main droite, et il a remarqué les limites nouvelles de mon bras. « C'est à cause de cette bagarre avec l'autre détenu ? Je me souviens d'en avoir entendu parler. »

Wilson m'avait dit la même chose.

« C'est une autre blessure. Plus tard, à cause d'un gardien, pas d'un détenu, mais ça va. » Je tenais toujours sa main dans la mienne. « Est-ce que ta mère est venue me rendre visite quand j'ai été blessé la première fois ? Est-ce qu'elle est venue à l'infirmerie ? »

Gerald a eu l'air aux abois, tel un animal piégé. « On en parlera la prochaine fois, d'accord ? »

Donc, Marie était bien venue. Ces visions évanescentes à l'infirmerie étaient réellement fondées. Elle m'avait parlé, était restée assez longtemps pour glisser quelque chose dans ma main avant que l'infirmière Hannah la chasse. Des corneilles en plein vol, criant et se chamaillant.

« La prochaine fois, ai-je confirmé.

— Au revoir, papa. »

Il est reparti vers le sentier, il était encore plus imposant de dos. Il avait besoin d'aller chez le coiffeur et il avait des auréoles sous les bras, mais j'ai remarqué son pas : de grandes enjambées rapides. Toutefois, je dois avouer que j'aurais aimé qu'il corresponde à tout ce que j'avais imaginé, réalité hésitante, intenable, erronée. Dans le moment qui a suivi le départ de Gerald de la clairière, j'ai eu peur. Le râteau gisait à mes pieds. Maggie était allongée dans l'ombre du cottage. Un oiseau a poussé une note aiguë et puissante, unique. J'aurais dû le reconnaître. J'étais capable de nommer toutes les plantes qui m'entouraient, les arbres, les buissons, les fleurs, les graminées. Je savais dresser des poteaux et électrifier une maison à l'abandon. Retirer la garniture d'un toit et me retrouver au milieu d'années de pourriture étalées dans un pré, la laisser sécher avant de la brûler. Hélas, je ne savais pas si je pouvais redevenir un père pour mon fils.

Ce samedi-là, Gerald ne m'a pas rendu visite, mais Jenny, oui, une enveloppe à la main. J'étais dehors, et elle est venue à moi à pas lents.

« Qu'est-ce que c'est ?

– C'est arrivé. Une lettre de Kilby. »

Voir mon nom sur l'enveloppe m'a ôté un grand poids invisible des épaules. J'attendais ça depuis neuf ans, *Prison de Kilby* dans le coin en haut à gauche, avec l'adresse d'ici, Wetumpka-Montgomery Highway. Je n'ai pas reconnu l'écriture, en grosses lettres d'imprimerie, trop grosses pour cet espace. Quelqu'un avait écrit mon nom sur cette enveloppe, puis l'avait postée, et un facteur l'avait déposée à la grande maison, où Marie recevait le courrier que je lui envoyais. Son écriture à elle était bien plus jolie que celle que j'avais sous les yeux, seulement pas une fois elle n'avait pris la peine de la transformer en mots, et de m'envoyer les mots. Rares sont les choses qui franchissent librement les murs de Kilby, mais les lettres en font partie. *Juste une lettre, Marie. Une enveloppe avec mon nom de ta main. Roscoe T Martin.* Quatre semaines seulement s'étaient écoulées avant que Kilby me réponde.

« Je ne sais pas si je peux l'ouvrir », ai-je dit à Jenny. Déjà mes doigts laissaient sur le papier des traces brunes que j'aurais aimé pouvoir nettoyer. Une enveloppe, c'était une chose trop parfaite.

« Vous feriez mieux », a-t-elle répondu. À ses pieds, le paillis épais, et ses doigts tripotaient le tissu de sa jupe, le tordant pour le rider, exactement comme la première fois qu'elle avait sollicité mon aide au sujet de Charles.

Le rabat s'est détaché assez facilement, la lettre à l'intérieur était d'un papier fin, plié en trois.

« Qu'est-ce que ça dit ? » a demandé Jenny.

Le message était court, l'écriture encore plus grosse et hasardeuse.

« Rien, ai-je répondu.

– Rien ? »

Alors je lui ai lu à haute voix la réponse : « *Martin. Tu sé tré bien que je peu pas te répondre o sujé dé gas qui passe par isi. Coman va la chiene ?* » Après le point d'interrogation, l'écriture changeait pour former un seul mot : *Taylor*. Il l'avait pratiqué, ce mot, le seul dont il ait vraiment besoin. Le reste de la lettre devait être la réponse verbale de Taylor mise par écrit par un de ses nouveaux hommes de confiance. Apparemment, celui-là ne devait guère fréquenter la bibliothèque, ni commander des articles sur l'élevage des chiens.

La lettre était courte, mais je pouvais y entendre la voix de Taylor. Ces quelques mots établissaient une communication directe entre lui et moi. J'avais écrit un message à Taylor, et il m'avait répondu. Il me posait même une question. *Coman va la chiene ?*

Maggie était étendue à l'ombre du cottage, du côté le plus éloigné des débris du toit. Elle s'était enfoncée dans les hautes herbes, la tête posée sur ses pattes de devant, les oreilles en désordre sur le sol. *Elle est épatante*, ai-je eu envie de répondre à Taylor. *C'est la meilleure chienne au monde. Le plus beau des cadeaux.* Car elle était un cadeau. Je l'ai bien compris sur le moment. Je le sais encore aujourd'hui.

Pourtant, je n'ai jamais plus écrit à Taylor.

« Qu'est-ce que ça veut dire ? » a demandé Jenny.

J'ai replié la lettre comme à l'origine et je l'ai glissée à nouveau dans son enveloppe.

« Ça signifie qu'il fait seulement attention aux gars qui travaillent avec lui, ou à ceux qu'il pourchasse. On dirait bien que Charles n'y est pas.

– Ah, c'est décevant. » Un sourire déterminé s'est affiché sur son visage, et elle a désigné le toit. « Mais là, vous en avez pour un moment.

– Pas plus d'une semaine. » Ensuite, je partirais. Il y aurait bien un barrage quelque part près de l'océan, des lignes à poser, une force à capturer et à convertir. Je travaillerais comme avant. Maggie et moi, on se trouverait une petite maison dans un village, et peut-être que je rencontrerais une infirmière pareille à mon Hannah, alors, qui sait, j'aurais un ou deux enfants ? J'oublierais que je devais à Wilson la besogne qu'il ne pouvait plus effectuer, j'oublierais que j'avais vu mon fils devenu homme, j'oublierais que tous ces gens existaient encore bien des années après que ma mémoire les eut figés.

« Je vais vous chercher votre dîner, a dit Jenny sans pourtant bouger.

– Qu'est-ce qu'il y a ?

– Eh bien… » Elle ne me regardait pas. « Je ne sais pas pourquoi ça me paraît si mal, mais j'ai… j'ai… Ils ont. Je veux dire, eux… » Ses yeux se sont fixés sur une haute branche, bien loin sur la droite de son champ de vision. « C'est à eux de parler. Voilà ce que je veux dire. Ils ne veulent pas que je le dise, c'est pour ça qu'ils m'ont envoyée vous voir au départ. Vous avez demandé ça, et j'ai fait tout mon possible pour ne pas répondre avec sincérité. Ils voulaient laisser le temps passer, vous voyez, ils voulaient que tout rentre dans l'ordre, ils voulaient…

– Mais de quoi tu parles ? »

Ses mots étaient timides, pleins de réserve. « Ils ont pensé que cette histoire avec Charles, ça vous occuperait. Ils arrêtaient pas de discuter avant votre retour, et faut que je vous dise que tout ça, c'était un plan au cas où vous voudriez pas rester.

– Jenny, où est Charles ? »

Elle a regardé derrière elle, en direction de la grande maison.

« Où est-il ? ai-je répété.

– À New York.

300

« – Et Henry ?

– Oh, ça, c'est vrai, monsieur Roscoe, Henry, il est aussi à New York. Ils sont tous là-bas. Maman et Papa sont si fiers d'eux.

– Pourquoi avez-vous choisi Charles ?

– Quoi ?

– Pourquoi avez-vous décidé que ce serait Charles le criminel ? Pourquoi pas Henry ? Merde alors, et pourquoi pas Gerald, mon propre fils ?

– Papa se rappelait que vous l'aviez vu se mettre en colère quand il vous aidait avec la batteuse et les moissons. »

Évidemment. J'avais vu Charles taper du poing contre le mur de l'atelier, jusqu'à en saigner, tout ça parce qu'il s'était trompé dans ses calculs – il n'y avait pas autant d'épis qu'il escomptait dans le seau. Je l'avais vu crier, s'emporter, et je n'avais pas un instant douté de la violence qui avait pu le conduire en prison. Leur plan était malin.

« Quand tu dis "ils", ai-je demandé en m'approchant de la jeune fille qui m'avait tant menti, ce "ils" désigne les personnes qui ont monté tout ça, et j'imagine que Marie en fait partie ? »

Elle a secoué la tête.

Ma colère a été prise de court, en proie à la confusion. J'étais prêt à mettre cette nouvelle injustice sur le compte de Marie. Elle avait ignoré mes lettres, oublié notre couple, m'avait volé mon fils, puis elle m'avait relégué dans le quartier des domestiques. C'était pourtant logique de rejeter la faute sur elle, et c'est ce que je désirais. Je n'avais que mépris pour sa charité, sa pitié, sa condescendance.

« Qui alors ?

– Il faut que vous parliez à ma mère, à mon père, à Gerald. Je sais qu'il est venu vous voir, mais il a d'autres choses à vous dire.

« – Il devait venir aujourd'hui.

– Oui. Je sais. Mais la lettre est arrivée.

– Donc tu as rempli ta mission ?

– On peut dire ça. »

Nous sommes restés à nous regarder dans le blanc des yeux pendant ce qui m'a paru durer une journée, une semaine, neuf ans.

Enfin, elle a dit : « Je vais chercher votre dîner, monsieur Roscoe. » Elle a pris la direction du sentier, de plus en plus petite, jusqu'à ce qu'il n'y ait plus que les bois, l'herbe, et la ligne électrique descendant depuis le troisième poteau jusqu'à la maison.

Le lendemain matin, les Grice m'ont trouvé sur leur véranda en rentrant de l'église, Maggie couchée à mes pieds.

Jenny et Wilson se sont arrêtés en bas des marches, et Moa est montée en lançant : « Le moins que vous pouvez faire, c'est nous dire bonjour.

– Bonjour.

– C'est mieux. Allez, venez donc déjeuner. Je devrais sans doute aussi laisser entrer cet animal. »

Moa essayait de m'adoucir, et j'aurais dû refuser pour garder ma solennité. *Non, merci*, j'aurais dû dire. *Maggie est très bien dehors.*

Mais je ne pouvais pas la priver d'une écuelle de viande dans cette belle demeure, et Moa le savait. C'est toujours la plus intelligente d'entre nous.

Jenny m'a aidé à me lever du rocking-chair où je m'étais installé quelques heures plus tôt, et nous sommes entrés dans la maison, main dans la main, à la suite de son père. Maggie nous a frôlés au passage, trottinant vers la cuisine comme si elle était venue d'innombrables fois. Cette chienne était trop gâtée. Elle l'est restée.

302

Dans l'entrée, le papier peint aux écureuils m'a agressé, et j'ai fait tout mon possible pour détourner les yeux de ce décor fantaisie. Comme les couches de graisse sur le corps de mon fils, ces écureuils étaient l'œuvre du temps et de l'opulence. J'aurais tant aimé prendre quelques kilos à Kilby – pour me remplumer le visage, redonner de l'intensité à mon regard, couvrir mes côtes. J'aurais aimé voir des images qui n'avaient aucune autre raison d'être que celle de divertir les yeux, rendre le moment plus joli, comme les fleurs du chapelain. Au lieu de quoi, je m'étais accoutumé à l'efficacité et à la précision. Ce qui n'était pas nécessaire devait être abandonné. L'homme que j'étais à mon arrivée à Kilby était ressorti en version condensée, seul le cœur de mon être avait survécu, cette partie de moi qui travaillait, qui mangeait et dormait afin de survivre.

Le papier peint et les bourrelets n'avaient aucune place dans cette vie.

Moa était déjà aux fourneaux dans la cuisine, la bouilloire fumait presque, la table était dressée sur le plan de travail au milieu, avec biscuits et confiture.

« Asseyez-vous, Roscoe. Et servez-vous. »

Elle a donné à manger à Maggie à la porte de derrière, et la chienne s'est jetée sur la nourriture, l'ingurgitant à toute vitesse, à croire que les autres chiens de la prison se pressaient contre elle pour avoir leur part – elle boit avec grâce mais mange comme une goinfre.

Moi aussi j'avais faim, mais je ne l'ai pas imitée. J'avais passé des heures assis sur cette véranda, la faim aiguisant les mots que j'avais l'intention de prononcer. Je ne voulais pas me sentir rassasié.

« Tu préférerais qu'on commence, j'imagine. »

J'ai regardé Wilson qui apportait un tabouret pour moi.

« Tu es au courant de ce plan qu'on a monté, et je m'excuse pour ça. Tu dois savoir qu'on a fait ça parce qu'on était inquiets pour toi. Il fallait que tu restes, et on n'a pas trouvé d'autre moyen.

– Pourquoi fallait-il que je reste ?

– On avait besoin de se construire une opinion sur vous, a dit Moa.

– Et, a ajouté Wilson, on voulait que tu aies le temps de te trouver un endroit à toi.

– Je ne pense pas que ce soit le cas.

– Tu te trompes. Regarde tout ce que tu as accompli : l'électricité, les poteaux, le câblage, la rénovation du cottage. Voilà un travail qui te convient, Ross, un travail que tu fais bien.

– Pour le meilleur et pour le pire, a ajouté Moa.

– Moa.

– J'ai le droit à mes doutes, Wilson », a-t-elle rétorqué en regardant son mari.

Je médite encore ses paroles.

J'étais moi-même la proie de mes propres incertitudes. Je me voyais travailler, comme disait Wilson – avec le courant électrique, cette énergie qui m'avait éveillé à la quête de la connaissance. Tout ça ne s'était pas produit avec les chiens, ni avec les livres défraîchis, ni même en lisant la bible à d'autres hommes. Ni quand je trayais les vaches, remplissais les seaux de lait, ou que je m'occupais des veaux. C'était un travail que je connaissais et que j'aimais, mais ça se passait ici, sur les terres de Marie, avec tous les souvenirs – la familiarité fantômatique de l'atelier et du sentier, des pieds de maïs et de cette barrière près de laquelle j'avais pour la première fois exposé mon projet à Wilson, oui, ça se passait ici, dans cette maison où je me trouvais en cet instant, avec son nouveau papier peint et ses habitants, où ma famille ne résidait plus.

« Comment pourrais-je rester ? » ai-je demandé.

J'ai vu Moa et Wilson échanger un regard, puis Moa et Jenny.

« Tu veux bien nous excuser, Jenny ? » lui a dit sa mère. J'ai été fier d'elle quand elle a répondu « Non ». Elle avait gagné en courage depuis que j'étais là – un courage qui s'était renforcé à chaque repas qu'elle m'apportait, à chaque mensonge qu'elle prononçait.

« S'il te plaît, laisse-nous, a répété Moa. Je sais bien qu'on t'a demandé de jouer un rôle important dans toute cette histoire, mais nous devons parler seul à seul avec Roscoe à présent.

– Je suis au courant de tout.

– Écoute ta mère, a renchéri Wilson. Laisse-nous.

– Bien papa. »

Je me souvenais qu'autrefois, c'étaient les paroles de Moa qui avaient force de loi, ses ordres étaient toujours suivis. Wilson était plus tendre. Mais en mon absence, ils avaient échangé leurs rôles, et j'ai eu du mal à ne pas être envieux face à ces deux êtres qui avaient passé suffisamment de temps ensemble pour devenir semblables.

Jenny m'a adressé un signe de tête en guise de soutien, je présume, puis elle a quitté la pièce. Les marches de l'escalier ont craqué sous son pas lorsqu'elle est montée à l'étage. Nous l'avons entendue progresser dans le couloir, puis ouvrir la porte de sa chambre, encore un bruit de pas et la porte s'est refermée.

« Elle est partie, normalement, là », a dit Wilson, mais Moa l'a fait taire.

Encore quelques lattes de parquet qui craquent, puis le grésillement d'un disque nous est parvenu. Il était à Marie, et les notes se sont plantées directement dans ma mémoire.

« Viens », m'avait dit Marie. Nous étions dans notre minuscule salon – je rentrais après avoir passé ma journée à fixer des câbles en haut des poteaux – et elle avait pris mes mains dans les siennes. « Est-ce que ce n'est pas la plus belle musique que tu aies jamais entendue ? » Nous avions dansé sur cette chanson-là, dans la petite pièce, elle avait posé la tête contre mon torse, comme il fallait.

« Ça s'appelle "The World is Waiting for the Sunrise". Tu l'entends, ce désir ? m'avait-elle dit.

– Oui. »

Je l'entends encore.

J'imagine que Jenny l'entend, elle aussi, en l'écoutant en ce moment même.

Maggie avait fini de manger depuis longtemps et rongeait un os près du poêle. Moa nous a servi du café. « Jenny a raison, elle sait à peu près tout de ce qu'on va vous dire. C'est juste que je ne voulais pas qu'elle voie votre réaction, voilà pourquoi je vous demande de rester aussi calme que vous pourrez tandis que je vais tout vous raconter. Vous pourrez ?

– Oui, madame.

– Merci, Ross », a dit Wilson.

J'étais de plus en plus troublé.

« Vous reparlerez de tout ça avec Gerry demain, lorsqu'il viendra, mais je pense qu'il vaut mieux que vous soyez informé avant, pour ne pas être dans tous vos états quand vous le verrez. Vous lui avez beaucoup manqué, Roscoe, et il veut que vous retrouviez votre place dans sa vie.

– Très bien.

– Que la responsabilité de tous nos malheurs repose ou pas sur toi, Roscoe, a repris Wilson, Marie, elle, a décrété que c'était le cas, et elle a fait son possible pour en convaincre Gerry. »

Moa a hoché la tête. « Wilson a essayé de lui parler deux fois. J'imagine que vous savez aussi bien que nous combien Marie peut être entêtée. Sur ce point-là, aucun moyen de la faire changer d'avis. Mais je dis ça uniquement pour assurer que Gerry n'a rien à voir dans cette histoire.

– Vous me rendez nerveux, Moa.

— Tu parles, a gloussé Wilson, moi aussi. »

Moa tenait sa tasse bien serrée entre ses mains. Elle a repris son souffle pendant ce qui m'a paru de longues minutes, inspirant tout l'air qui se trouvait dans la pièce, pour nous le restituer en exhalant. « Marie a obtenu le divorce, Roscoe. Il y a des années de ça. »

Je m'attendais à sombrer dans la colère, dans le flux d'un grand courant. Je m'apprêtais à la sentir monter en moi, me crispant à mon tour sur ma tasse, prêt à la lancer contre ce maudit papier peint, à maculer ces personnages minuscules avec leurs fleurs gigantesques, une grande tache pour souiller cette pièce éclatante.

Moa et Wilson m'observaient.

Mais ma main n'avait pas la force de lever suffisamment la tasse pour la jeter. À la place, j'ai repris une gorgée du café que Moa avait préparé pour nous. Le café était toujours un délice pour moi, j'en avais été privé si longtemps. Je crains aujourd'hui de m'être trop habitué au confort, le café est redevenu un élément du quotidien, comme de dormir dans un lit, de me réveiller dans ma chambre, d'effectuer mon travail. Toutes ces choses sont des privilèges.

« Ross ? a hasardé Wilson.

— J'encaisse la nouvelle, ai-je répondu avant de demander, mais comment s'y est-elle prise ?

— Elle t'a fait signer les papiers la seule fois où elle t'a rendu visite. Tu étais blessé. Elle nous a dit que tu étais parfaitement conscient et que tu avais donné ton accord, mais j'ai compris qu'elle avait menti le jour où je suis venu te chercher, quand tu m'as demandé si elle t'avait jamais rendu visite.

— Pourquoi ne m'a-t-elle pas simplement posé la question quand j'étais en état de réfléchir ?

— Là, on peut pas te répondre, Ross.

« – Mais il y a d'autres choses que nous pouvons vous dire, a affirmé Moa. C'est pour cela que nous avions besoin de temps – du temps ici, avec vous. » Son débit était rapide, comme si elle était proche de la panique. « Quand Marie a terminé de rembourser les dettes à la compagnie d'électricité et que nous avons à nouveau eu du courant, la ferme a retrouvé sa prospérité. Tout allait bien pour nous. Six mois après le retour de Wilson, Marie a décidé de s'en aller malgré tout. Elle est partie à Mobile pour y prendre un poste d'institutrice. Elle a emmené Gerald contre sa volonté, et elle a insisté pour qu'on emménage dans la grande maison, pour la maintenir en état. Environ un an plus tard, elle est revenue avec un avocat qui a rédigé un acte de vente pour la maison et les terres.

– Elle nous a tout vendu pour cent dollars, a ajouté Wilson.

– Cent dollars que nous lui avions déjà donnés : pris sur nos salaires. Elle ne nous a pas laissé placer un mot. »

Je pensais au divorce, j'essayais de me remémorer les choses, de les replacer dans le temps passé à Kilby. Marie était absente, pourtant dans ma tête, elle avait joué son rôle d'épouse, une épouse silencieuse, invisible, se manifestant même parfois sous l'aspect d'une jeune fille, mais c'était toujours – et ça n'a pas changé – la femme que j'avais épousée, elle était encore mienne.

« Ross ?

– Ça fait beaucoup en une seule fois », a déclaré Moa.

J'ai retracé l'histoire de ce qu'ils m'avaient raconté, de mon divorce furtif jusqu'à la visite de l'avocat. « C'est à vous ? ai-je demandé. Toutes les terres ?

– Oui, a confirmé Wilson.

– Et vous avez choisi de me ramener ici ? »

Ils ont hoché la tête, j'ai regardé entre les deux, envahi par un sentiment d'étrangeté. Les terres du père de Marie données aux gens qui étaient payés pour les cultiver, ceux-là mêmes qui m'avaient accueilli. J'occupais ce cottage à cause d'eux, de la compassion qu'ils m'avaient témoignée.

« Il faut me pardonner », ai-je dit à Moa et à Wilson, tenaillé par un désespoir grandissant, un besoin tellement puissant de fuir que je n'ai pas réussi à aller au bout de ma pensée – je n'ai même pas pu leur dire que je partais avant de sortir. Je me suis arrêté juste un instant à la porte pour rappeler Maggie à mon côté.

J'ai passé les jours suivants à brûler le vieux toit pourri et à fixer du papier goudronné sur la charpente sèche. Deux fois j'ai fait et défait mon sac. La seconde, je suis même allé jusqu'à la première ligne électrique le long d'Old Hissup Road, mes affaires sur le dos, ma chienne à mes côtés. Je me suis arrêté devant mes trois vieux transformateurs, spectres rouillés et muets. Cette vision m'a renvoyé au cottage, ne sachant plus quel rôle je jouais : celui des fils animés par le courant, ou des vieux transformateurs cassés, depuis longtemps remplacés.

Puis Jenny est arrivée. « Vous venez à la grande maison ? Gerald est là. »

Mon sommeil était irrégulier depuis que j'avais parlé avec ses parents, des questions m'empêchaient de dormir, des questions vagues, sombres, boiteuses.

J'ai laissé Jenny m'emmener dans le pré, par les herbes écrasées, le cercle noir de la bouillie brûlée du toit, puis est apparue la grande maison, ses fenêtres luisantes, ses flancs éclatants.

Je me suis arrêté sur les marches de la véranda, le museau de Maggie au creux des genoux.

« Allez », m'a dit Jenny, mais je ne savais pas si j'étais prêt pour une nouvelle conversation au sujet de mon ex-femme et de sa propriété.

Elle a fini par me prendre par la main.

Mes orteils se prenaient dans chaque marche, et c'est seulement la poigne ferme de la jeune fille qui m'empêchait de tomber. Nous avons ainsi grimpé pendant des heures, me semblait-il, les six marches. La véranda aussi s'était élargie. Ses planches s'étendaient au loin vers la porte d'entrée, à un bon kilomètre et demi de distance.

« Je ne peux pas », ai-je dit à Jenny, mais elle m'a tiré de l'avant. Maggie s'est étendue sur l'allée de briques sans qu'on lui ait rien demandé. La lourde porte en chêne était ouverte, comme elle l'était toujours en été lorsque j'habitais ici. Même le plus petit souffle d'air servait à lutter contre la chaleur. Il y avait des gens dans le salon, ils ont avisé ma présence. Mon pantalon était crotté, mes mains calleuses. Ma chemise tombait en désordre, les poignets usés jusqu'à la corde. J'avais le nez et le front brûlés par le soleil, et la barbe que j'avais laissé pousser pour masquer la peau relâchée de mes joues couvrait plus ou moins mon menton. Je porte toujours la barbe, mais j'ai des trous au niveau de la mâchoire qui ne seront jamais comblés.

Jenny m'a amené dans la pièce où m'attendaient Moa et Wilson ainsi que cet étranger, dont je savais à présent que c'était mon fils. À nouveau, j'ai été surpris par son apparence – sa taille, ses vêtements, sa corpulence.

« Salut, papa. »

À côté de lui, un homme d'environ mon âge. Costume bleu foncé, cravate dorée. Il avait les tempes grises, mais le reste de sa chevelure brune était coiffée en arrière, bien huilée.

« Monsieur Martin. » Il a levé son énorme main dans ma direction. « Heureux de faire votre connaissance. » Sa voix me rappelait celle d'Ed, avec une pointe d'accent étranger. « Robert Hill. Gerald m'a engagé pour que je m'occupe de votre situation.

– Nous allons tout passer en revue, a confirmé Gerald.

– Je reste », a dit Jenny en s'installant sur un fauteuil, et personne n'a rien dit.

Gerald est venu vers moi, et je l'ai laissé me serrer contre lui.

Moa m'a donné un verre de thé glacé, il était froid et humide dans ma main. Wilson et Gerald se sont installés dans les fauteuils de chaque côté de Jenny, nous laissant à Moa, Robert Hill et moi le canapé. Nous nous sommes serrés sur les coussins. Mon verre suintait.

Chacun a pris une gorgée. La brise du dehors faisait gémir les murs.

À nouveau, je me suis demandé quel âge avait mon fils – dix-huit ? dix-neuf ? Son anniversaire était en mars. Peut-être le 16 ? Ça ne me semblait pas juste. L'anniversaire de Marie tombait le 16 juillet. Le mien, le 10 septembre. J'allais avoir quarante ans. Je me sentais vieux.

« Moa et Wilson t'ont dit qu'ils étaient propriétaires de ces terres, a commencé Gerald, et ils t'ont parlé du… » Il a alors regardé les Grice, sollicitant leur aide.

« Du divorce, a achevé Wilson. Oui, Moa et moi, nous lui avons tout raconté.

– On ne savait pas quoi faire, a poursuivi Gerald d'une voix plaintive. J'espère que tu comprends : on ne savait pas comment affronter maman, ni même s'il le fallait, ou encore comment agir quand tu serais libéré. On avait besoin de temps pour trouver quelque chose, pour te connaître à nouveau, je sais que je ne l'ai pas fait, mais je vais essayer, et j'ai confiance dans ce que Moa et Wilson m'ont raconté sur toi.

– Gerald, mon chéri, a dit Moa, tu n'as pas à t'excuser. Explique seulement à ton père ce que nous avons décidé. »

Il a pris une profonde inspiration. « Monsieur Hill est ici pour t'aider à remettre en cause la procédure de divorce. »

L'avocat a dû percevoir ma stupéfaction. « Monsieur Martin, nous sommes tous convaincus que ce divorce a été obtenu sans votre consentement.

– Oui.

– Et c'est contraire à la loi. Votre ex-femme a disposé de ses biens à sa convenance, mais si vous étiez mariés, comme le déclare la loi, tous ses biens seraient autant à vous qu'à elle.

– Mais elle vous a déjà donné cette propriété », ai-je dit à Moa.

Elle a hoché la tête, et Wilson a pris la parole. « Tu ne mérites pas d'en être complètement exclu.

– Il existe quelques solutions pour y remédier, a expliqué Robert Hill. Vous pourriez contester le divorce, ce qui serait la voie la plus longue. Cela nécessiterait des témoins de l'hôpital de la prison attestant de votre état mental lorsque votre femme vous a rendu visite. Vous pourriez aussi la poursuivre en justice en revendiquant la moitié de ses biens, qui sont significatifs – Gerald nous a montré son testament, et il est clair qu'elle s'est bien débrouillée. Elle a investi les bénéfices de la ferme dans des affaires lancées par son père, ainsi que dans d'autres propriétés, comme celle de Tuscaloosa, où réside actuellement Gerald. Elle a des biens à distribuer, c'est certain.

– Et si aucune de ces possibilités ne m'intéresse ? »

Ce maudit thé glacé me paraissait bien trop fantaisiste, leurre impliquant que nous étions le genre de personnes qui avaient le temps de s'asseoir pour siroter pareille boisson au milieu de l'après-midi. Je l'ai posé sur la table.

Robert Hill s'est penché sur le côté du canapé et nous a présenté une liasse de papiers.

« Regardez ça. »

Les mots sautaient, ustensiles à la crête acérée. *Dernières volontés et testament de Marie Dawson Martin*. C'était étrange de voir le nom de Marie associé à ces mots-là. Nous n'avions jamais rédigé de testament.

Garde des personnes dépendantes : « Jusqu'au 15 mars 1932, la garde du fils de Mme Martin, Gerald Roscoe Martin, sera attribuée à M. et Mme Grice. »

Le 15 mars. Comment avais-je pu oublier que ça tombait au beau milieu du mois ? Les Ides de mars ?

« Est-ce que l'État vous aurait autorisé à avoir la garde légale de Gerald ? ai-je demandé à Moa et Wilson.

– L'avocat de Marie était prêt à se battre contre les lois ségrégationistes, a répondu Moa. Chaque jour, je remercie Dieu de nous avoir épargné cela. »

Après le sort de Gerald, venait une liste de biens, longue, vertigineuse. La ferme et les terres n'étaient pas mentionnées, comme je m'y attendais, mais il y avait une adresse à Mobile et une autre à Tuscaloosa. Il y avait des comptes dont je n'avais jamais entendu parler, des investissements qui pour moi n'avaient aucun sens. L'argenterie de la mère de Marie était citée, ainsi que plusieurs pianos et deux voitures. Un manteau de fourrure valant une petite fortune, un service de porcelaine. Les « livres » avaient leur ligne à eux, valeur « inconnue ». Il y avait également une bague en diamant, d'« autres bijoux », et deux toiles d'Eileen Agar. Qui était Eileen Agar ? Les meubles étaient classés par catégorie : armoires et placards, tables, console, fauteuils, canapés, chaises, lits. Quand Marie avait-elle acquis tous ces biens ?

Après la liste, venait le *Partage des biens*.

« Je suppose que c'est la partie qui vous intéresse le plus », a dit l'avocat.

Les objets de peu de valeur – meubles, livres, vêtements – devaient être donnés à des œuvres de charité. Je suis resté interdit en apprenant qu'elle léguait à Gerald sa bague en diamant, puis j'ai compris qu'elle songeait à sa future épouse. Le reste des bijoux de Marie allait à Jenny.

La maison de Tuscaloosa, première propriété concernée, était pour Gerald, comme la maison de Mobile.

« Rien de tout ça ne m'appartient, ai-je dit.

– Si, en partie, a répondu Wilson.

– Ah ? » *Wilson a perdu un bras*, avais-je envie de leur dire, et son temps était à la fois plus court et beaucoup plus long que le mien. Je me suis levé, sans très bien savoir pourquoi.

« Tout va bien, papa, m'a dit Gerald. Tu n'es pas obligé de décider quoi que ce soit si tu n'as pas envie. Monsieur Hill a autre chose à te montrer. »

J'ai appuyé les mains contre mes yeux, et j'ai frotté avec force, pour effacer cette pièce, ces fichues roses sur les murs, et ces gens dans leurs fauteuils.

« Tout va bien, Roscoe, a répété Moa. Asseyez-vous. »

J'ai obéi – la partie de moi qui était encore en prison répondait toujours aux ordres qu'on lui donnait. « Très bien, a conclu Robert Hill. Ces deux premières options demeurent valables : elles sont indépendantes de ce que je vais vous dire à présent, mais étant votre avocat, je vous encourage à poursuivre l'une de ces actions. Dans un cas comme dans l'autre, vous possédez beaucoup d'atouts. Ce que nous avons là – il a désigné une autre liasse de papiers –, c'est un document que M. et Mme Grice ont rédigé récemment, avec l'aide de Gerald. Autant que vous le lisiez vous-même. »

La première page décrivait une petite bâtisse sur un lopin de terre, agricoles pour la plupart, comptant soixante-cinq hectares, dont un de forêt. Le bâtiment était une « construction de bois sur des fondations de bois sans aménagements modernes ». Les pages suivantes citaient toutes sortes d'éléments juridiques au sujet des barrières, des impôts, droits de passage et lignes électriques. Les noms cités m'étaient familiers : le comté de Coosa, Old Hissup Road, limite nord de la propriété, le ruisseau Jacks le bornant à l'ouest. C'étaient les terres de Marie, mais cette parcellisation n'avait pour moi aucun sens. La ferme était composée de deux parties – presque cinq cents hectares en tout – et jamais elle n'avait été divisée. « La terre ne se découpe pas en petits morceaux, disait le père de Marie. Si tu n'en veux qu'un petit bout, alors va habiter en ville et achète-toi une maison. »

À la fin j'ai trouvé un acte de transfert du droit de propriété.

« Je ne comprends pas.

– Il en a fallu beaucoup pour me persuader, a répondu Moa, et je ne suis toujours pas entièrement convaincue. Mais Wilson croit que vous méritez d'avoir un foyer, et vous avez fait ce qu'il fallait pour me démontrer que vous méritez au moins une seconde chance.

– Tu as fait du bon travail ici, Ross.

– C'est chez vous, monsieur Roscoe, a ajouté Jenny en souriant. Comme j'avais dit. »

Moa a offert sa place à Gerald, qui s'est glissé à mon côté tel un enfant. « Maman nous a séparés l'un de l'autre », a-t-il murmuré, chaud et moite à mon oreille. J'ai lutté contre un sentiment de révulsion. C'était mon fils, mais en tant qu'homme, il était trop délicat à mon goût. J'aurais dû pouvoir entendre ses besoins, détecter dans ses mots ma propre perte, mes propres infortunes. Au lieu de cela, j'entendais un garçon bien éduqué, bien nourri, bien habillé, élevé dans l'aisance et le confort, dont le seul handicap – qu'il s'infligeait lui-même – était de se ronger les ongles et de se mordre les joues, et j'ai écouté ce jeune homme se lamenter sur ces années de privilèges, années certes passées sans son père, mais années faciles tout de même. Je savais qu'il était injuste de ma part de comparer son expérience à la mienne. Je ne l'ai pas oublié. Quand je le vois, je me rappelle à moi-même que mon châtiment procédait d'un choix conscient de ma part, alors que le sien échappait totalement à son contrôle. J'essaie de parler avec lui de sa vie là-bas, à Tuscaloosa, pleine de dîners, de robes fantaisie, de dames de passage, car il ne s'est pas encore marié.

« Tout va bien, mon fils », lui ai-je dit. Moa était debout entre les fauteuils de Jenny et de Wilson. Ils étaient si forts tous les trois ensemble, suffisamment forts et unis pour pouvoir m'offrir une partie de leur vie. Je ne voulais pas de la moitié des biens de Marie. Je ne voulais pas dénoncer la procédure de divorce. Mais je voulais bien rester ici. Ce n'était pas le cas avant cet instant, avant d'avoir vu Moa, Wilson et Jenny face à moi. Je voulais rester auprès d'eux. Je voulais rester parce qu'ils étaient libres de consentir à cette donation.

Je voulais rester parce qu'ils étaient convaincus que je le devais.

Je venais de prendre mon bain et j'étais attablé devant mon petit déjeuner quand on a frappé à la porte. J'ai imaginé que c'était Jenny, ma visiteuse habituelle. Une semaine s'était écoulée depuis la rencontre avec Robert Hill, et depuis elle venait tous les jours. Au début, je croyais que c'était par culpabilité, mais de plus en plus, je songeais que c'était par amitié. À présent, nous échangeons nos connaissances : elle s'intéresse à l'électricité, et j'apprends à utiliser les plantes qu'elle cultive dans le pré.

« J'arrive », ai-je dit en enfilant un tricot, réussissant à glisser mon bras droit dans la manche. Je voulais lui épargner la vue de mon ventre et de mon épaule.

Mais Jenny n'était pas à la porte.

Bon Dieu, Marie.

Elle portait une robe bleue comme autrefois, lorsqu'elle était jeune, sauf qu'elle n'était plus jeune. Les manifestations de l'âge étaient partout visibles : cheveux grisonnants, plus clairsemés, pattes d'oies aux coins des yeux, taches et veines apparentes sur les mains. Elle aurait pu être sa mère, debout devant moi, cette femme depuis longtemps disparue et que je n'avais jamais connue.

« Tu as un chien », a-t-elle dit d'une voix inchangée.

Le vent agitait les arbres au-dehors. Les feuilles frottaient les unes contre les autres, comme un murmure.

« Puis-je entrer ? » a-t-elle demandé, et je me suis écarté. J'ai regretté d'avoir enfilé ce tricot. Jenny ne méritait pas de voir le triste spectacle de mon corps détruit, Marie, oui.

Elle s'est assise à table et j'ai refermé la porte.

J'ai pris place en face d'elle et Maggie m'a suivi, un grondement sourd dans la gorge.

« Assise, lui ai-je ordonné et elle a obéi avec un petit gémissement.

– J'ai entendu un moucherolle phébi en venant ici », a dit Marie.

Je n'ai pas répondu.

« Roscoe. »

La femme en face de moi était un désordre de fragments rassemblés, vermoulus et disharmonieux dans leur nouvel agencement. Je n'arrivais pas à reconnaître son visage, autrefois si familier, et pourtant complètement étranger. C'était la jeune femme que j'avais rencontrée dans ce village sur la rivière Coosa, et c'était aussi celle qui s'était assise à mon chevet, à l'infirmerie de la prison, en m'intimant de signer un acte de renoncement à mon passé. Elle aurait pu être une institutrice revenant de l'école et moi un électricien qui rentrait du barrage. Son ventre aurait pu s'arrondir lors d'une deuxième grossesse, Gerald un beau bébé que gardait Nettie Williams. Mais c'était aussi cette femme brisée, pâle, en sang, qu'on emmenait à l'hôpital de Montgomery, où on allait lui retirer sa matrice, et en même temps sa compassion et son espérance. Elle était la mère d'un enfant qui tétait le sein d'une nourrice, trois maisons plus loin. La fille d'un homme décédé qui lui avait laissé ses terres ; une propriétaire terrienne qui avait donné sa propriété ; la mère d'un fils plein de ressentiment ; une épouse sans mari.

Le soleil avait tourné au dehors.

« Roscoe.

— Pourquoi es-tu là, Marie ? »

Elle a regardé cette pièce fruste. Elle a soupiré, et son souffle était laid – profondément soucieux et vieilli, mais familier. Déjà quand elle était jeune, on y décelait les mêmes tonalités.

« Tu es maigre.

— C'est la prison.

— Ça te va bien. »

Elle me dévisageait, et je me suis forcé à me concentrer sur ses traits – ses yeux clairs avec leurs rides nouvelles, ses cheveux gris, ses lèvres fines et son nez plus large, ses pommettes plus apparentes. Elle avait grossi, pourtant son visage était blême et émacié.

« Je ne m'attendais pas à ce que tu sois là », a-t-elle dit.

À nouveau, je n'ai pas répondu.

« Je ne m'attendais pas à ce que tu sortes si vite, et quand on t'a libéré, j'imaginais que tu t'en irais ailleurs. Tout cela – d'un geste elle a désigné la pièce – me surprend. Gerald m'a informée que tu étais ici. Il dit que tu vas te battre pour obtenir ta part *légitime* des biens, que tu as déjà engagé un avocat. Je suppose que c'est la raison principale de ma présence. J'ai donné ces terres à Moa et Wilson. C'est à eux, Roscoe, et c'est ainsi que cela doit être. Après tout ce que nous leur avons pris, ce n'est que justice. C'est la seule manière que j'ai trouvée de commencer à réparer nos torts. Wilson a beaucoup souffert – sa famille a beaucoup souffert – à cause de nos erreurs.

– Nos erreurs ? »

Elle a baissé les yeux et s'est pincé le nez. « J'en ai beaucoup commis, moi aussi. Tu crois peut-être que je ne veux pas l'admettre ?

– Je ne sais pas ce que tu veux, Marie. »

Elle a acquiescé, comme si je lui avais posé une question. *Oui*, signifiait ce geste, *c'est vrai*.

« Est-ce qu'ils t'ont dit ? a-t-elle demandé.

– Dit quoi ? » Je voulais qu'elle reconnaisse sa traîtrise, sa malhonnêteté, ses manipulations. Elle aurait pu dire tant de choses.

Je regrette, Roscoe.

Je voyais pratiquement la lettre qu'elle aurait pu écrire.

Ses yeux se sont posés sur la paillasse, près du poêle. « Tu dors là ?

– Parfois. »

J'ai contourné la table pour m'approcher d'elle.

« Enlève-moi mon tricot.

– Pardon ?

– Lève-toi et enlève-moi mon tricot.

– Roscoe, tout ça ne me plaît guère. Je… Tu dois le savoir. C'est…

– Retire-moi mon tricot. »

Elle a pris une inspiration profonde, s'est levée du banc. Ses mains tremblaient, nerveuses et rapides. Elles se sont approchées de moi, puis éloignées, enfin elles ont saisi l'ourlet de mon tricot. Nous étions ensemble dans cette pièce. *Pose tes mains sur mon corps, Marie.*

Ses doigts étaient froids lorsqu'ils ont effleuré ma peau. J'ai levé le bras gauche, mais le droit n'a pas bougé, alors elle a fait le nécessaire pour glisser le vêtement comme elle pouvait le long du membre inerte.

Elle a contemplé mon torse et du doigt a touché la cicatrice sur mon ventre.

319

Le soleil brillait dehors, sur les arbres, dans le ciel. Maggie était là, la tête posée sur ses pattes avant. Sentir Marie me toucher était une vraie torture.

D'une voix qu'elle a tenté d'étouffer le plus possible, elle a déclaré : « Nous ne sommes plus mariés ensemble, Roscoe. »

C'est vrai, Marie. Nous ne le sommes plus.

Sa main s'est attardée sur moi.

« C'est mieux pour tout le monde.

– Mieux ? » ai-je répliqué, la colère s'emparant de moi, urgente, effrayante, et avec elle, les mots que j'avais envie de lui assener depuis que je l'avais reconnue à la porte. « Est-ce vraiment plus facile pour Gerald ? Pour Moa, Wilson et Jenny ? C'est plus facile pour eux d'avoir à me prendre en charge ? »

En m'entendant ainsi, Maggie s'est dressée et elle est venue se coller derrière moi. J'aurais pu si facilement arracher un morceau de la robe de Marie et la donner à flairer à Maggie. « Tu la sens ? C'est celle-là qu'on veut, lui aurais-je dit.

– Mais pourquoi tu lâches ton chien sur moi ?

– Maggie sait repérer les mauvaises personnes. »

Ou bien j'aurais tout simplement pu dire à Maggie que Marie était une criminelle, une détenue, or nous, cette chienne et moi, nous avions l'habitude de pourchasser ce genre de personnes.

J'ai imaginé que Marie se réfugiait dans un arbre, sa robe bleue se déchirant dans les branches, sur l'écorce, jusqu'aux genoux, puis jusqu'aux cuisses, la peau égratignée. Maggie s'arrêterait au pied de l'arbre, aboyant contre mon ex-femme, acculée ainsi comme n'importe quel autre fugitif.

Du calme. Du calme. Rien ne s'est passé ainsi.

Mes mains se sont retrouvées sur ses épaules, juste à la hauteur tolérée par mon bras droit. Sous les épaisseurs légères du tissu, de la peau, ses clavicules. *Tu étais si belle autrefois, Marie.* Je l'ai poussée contre le mur, mes coudes s'appuyaient contre sa poitrine, mes avant-bras de chaque côté de son visage vieilli, et mes mains se sont perdues dans ses cheveux gris. Mon épaule se rebellait, mais je l'ai forcée à m'obéir.

Des larmes sont apparues aux commissures de ses paupières tombantes. « Roscoe », a-t-elle dit.

Sa main était toujours posée contre mon ventre, sur cette longue cicatrice.

Je me suis appuyé contre elle, contre son visage, contre le chemin qu'elle avait planté à cet endroit, et en poussant ainsi, je les ai vus, ces gens qui avaient partagé mon existence, Ed et le chapelain, Taylor et le directeur, même Beau et ce qui restait de Stevens. Tous avaient participé à mon histoire, et je suivais les routes qu'ils avaient tracées pour moi. Même George Haskin était un piège dont on m'avait libéré. J'avais été l'homme de Taylor, le lecteur du chapelain et l'ami d'Ed, avant cela, j'avais à la fois sauvé Marie et je l'avais déçue, et avant cela, bien longtemps avant, j'avais été son époux, un électricien qui travaillait avec le courant électrique sur les berges de la rivière Coosa, et puis aussi un père, même si ça n'avait duré que quelques instants, le temps de tenir dans mes bras notre fils, bébé, et de lui offrir mon doigt à téter pour calmer ses pleurs.

À présent, j'étais propriétaire, je vivais de la générosité de ceux que j'avais blessés. J'étais constitué de ce qui m'entourait : un vieux cottage alimenté nouvellement par l'électricité, une chienne dressée pour traquer les hommes jusque dans les arbres, qui paressait près d'un poêle à bois. J'étais une espèce de paillasse qui avait naguère servi de lit à des enfants, aussi proche que possible d'une couchette de détenu. J'étais une charpente abîmée, des poutres, un cercle noir de débris brûlés dans l'herbe. J'étais les poteaux que j'avais élevés – des arbres écorcés, réaffectés, renommés. J'étais le bras perdu de Wilson.

Si on lui avait laissé le choix, Marie m'aurait renvoyé à Kilby, ou sur les routes, cheminant vers une destination inconnue. Elle aurait préféré que je disparaisse.

Mes mains étaient toujours dans ses cheveux, mes bras sur ses épaules. Ses doigts se sont écartés de mon ventre.

« Roscoe », a-t-elle dit à nouveau.

Je voyais Gerald en elle, cet homme mou qu'il était devenu, le fils satisfait qu'il était naguère. J'avais un jour laissé des marques sur lui, j'en laisserais aussi sur elle – toute ma colère, ma vie gâchée, se concentrant sur elle, en elle, à travers elle. Je voyais Yellow Mama m'accueillir, la jeune Marie qui au bout du compte aurait raison, Yellow Mama serait ma dernière étape, toute cette électricité m'aurait conduit jusqu'à elle, jusqu'à ses câbles, son voltage.

Mais j'avais pourchassé Hughes. Je m'étais commis avec le directeur, et Taylor, et Rash, et le chapelain, et grâce à cette loyauté envers eux, je m'étais enfui – j'avais fui Yellow Mama et ses gardiens, Kilby et ses hauts murs, l'infirmerie et le mitard. J'avais fui, et on m'avait offert un nouveau foyer : ici, dans cette maison.

Je ne laisserais pas Marie me voler ça. Je ne la laisserais pas me renvoyer.

J'ai appuyé, pour laisser une légère empreinte sur son cou diaphane, pour lui rappeler ce que j'avais fait, et ce que j'étais encore capable de faire. Puis je me suis écarté, le sentiment de sa présence se desséchant avec ma colère, objet fragile, parcheminé.

Ses mains sont remontées jusqu'à sa gorge, ses doigts ont parcouru sa peau, elle avait les yeux écarquillés, humides.

« Roscoe, a-t-elle répété comme si c'était le seul mot qu'elle connaissait.

322

– Est-ce qu'ils t'ont dit ? Au sujet de cette maison ? Tu sais qu'elle est à moi ? » Son visage m'a appris qu'elle l'ignorait, et je me suis réjoui de l'avoir surprise. Je me suis rapproché d'elle, elle s'est dérobée, son corps me suppliant de la laisser glisser contre le mur pour filer. Je ne voulais pas la toucher – plus jamais – mais elle ne le savait pas. « Moa et Wilson m'ont signé un acte de propriété : le cottage et soixante hectares de terres. C'est ici chez moi, maintenant. » Ma voix était calme, plus effrayante que si j'avais crié, et peut-être même plus encore que mes doigts sur sa gorge. « Je ne te poursuivrai pas en justice pour demander la moitié de tes biens, Marie. Cet endroit, le cottage et les terres, je les prends parce qu'ils ne viennent pas de toi. »

Maggie a niché sa truffe dans ma main. Je ne lui ai pas demandé de s'asseoir. Au lieu de cela, j'ai même caressé son oreille, nous scrutions tous les deux Marie, campant sur nos positions. En cet instant, j'aurais accueilli avec joie Taylor, monté sur son cheval, les menottes prêtes. « Allez, qu'on l'emmène, aurait-il dit une fois les mains de Marie entravées. Celle-là, elle nous a donné du fil à retordre. Que les chiens la surveillent de près. »

Je voyais Marie devant nous, épaules recroquevillées, ses pieds la traînant vers la cellule d'isolement qu'elle s'était fabriquée elle-même, quelle que soit la vie qu'elle menait à présent.

Elle devait s'en aller. Et ne plus revenir.

« Je ne veux plus jamais te voir », ai-je dit en me baissant pour ramasser mon tricot là où il était tombé. Maggie est restée debout, toujours attentive à Marie. Je suis revenu vers la table où mon petit déjeuner avait refroidi. Il fallait qu'elle voie les cicatrices profondes que m'avaient laissées la ceinture à chiens.

« Très bien », et j'ai entendu une voix qui ressemblait à un miaulement.

Ses épaules se sont décrispées, et elle a tendu la main à Maggie, son visage redevenu pratiquement identique à celui que je connaissais. « Va-t-elle me mordre ?

— Du calme, ai-je dit à Maggie. Non », ai-je ajouté pour Marie.

Maggie se tenait très raide. « Du calme, ma fille, tout va bien. » Marie a posé la main sur sa tête, elle lui a grattouillée l'arrière du crâne, là où Maggie adore ça. Elle s'est détendue à son tour, ses muscles se sont relâchés, et elle s'est mise à remuer la queue. « Tu te ramollis », l'ai-je tancée, même si cela ne voulait pas dire grand-chose, car moi aussi je m'étais ramolli. Marie s'est agenouillée, son visage à la hauteur du museau de Maggie.

« Je ne savais pas à quoi m'attendre, a-t-elle dit. Ce moment ici, ce matin. Je voulais te convaincre de t'en aller, mais je voulais aussi que tu essaies de me convaincre, toi. C'est bête, hein ? J'ai même imaginé que tu essaierais de me séduire à nouveau. Je nous voyais faire le tour du cottage, puis aller vers ta nouvelle ligne électrique. Tu me parlerais des plantes, et je te parlerais des oiseaux — du moucherolle phébi que j'ai entendu en venant, et des parulines à poitrine baie que j'ai commencé à observer après que tu es parti. » Elle a caressé les oreilles de Maggie. « Et puis ma colère a pris le dessus à nouveau, et tous mes rêves ont disparu. Je me suis souvenue combien tu étais devenu distant après la naissance de Gerald, puis de ta réticence à venir vivre ici. Je voyais ces lignes électriques que tu avais bâties, les mensonges que tu m'avais racontés, que j'avais crus et répétés. Je revoyais le corps de ce garçon, tout noirci et brûlé, et je voyais Wilson dans les mines de charbon. Je voyais son bras, la douleur de Moa. Et toi : je te voyais passer ton temps en prison,

324

et ça aussi ça me met en colère, contre toi, parce que tu t'es infligé ça, parce que tu nous as abandonnés. »

Elle s'est levée lentement, ses articulations protestant à voix haute.

« Je sais que tu as ta liste à toi, Roscoe, de tout ce qui t'a déçu chez moi. »

Elle souriait, et je me voyais presque l'aimer à nouveau.

« Tu me raccompagnes ? » Les traces dans son cou commençaient à bleuir.

J'ai remis mon tricot, las de cette démonstration.

« Je ne sais pas si c'est bien pour toi d'être à nouveau dans la vie de Gerald, mais essaie, essaie de faire les choses bien. » Nous étions à la porte.

« J'essaierai », ai-je confirmé. Et j'essaie toujours.

Marie a hoché la tête, et nous sommes restés ainsi, face à face, Maggie au milieu, tel un pasteur supervisant une cérémonie, présidant à nos adieux. J'aime à penser que nous avons alors ressenti la même chose, que nous avons tous les deux eu envie de nous étreindre l'un l'autre, que nos lèvres se touchent encore une fois, que peut-être même nous nous prenions la main pour aller jusqu'à la chambre, pour être encore une fois mari et femme sur ce vieux matelas où je dormais rarement, et que nous désirions cela malgré les poings serrés, les livres jetés, les griffes sorties et la chair meurtrie. Et comme nous voulions tout autant la tendresse que la violence, nous ne pouvions rien faire d'autre que demeurer l'un l'autre à cette courte distance qui nous séparait, silencieux et immobiles.

Après des jours, des mois peut-être – la poussière s'était accumulée sur nos épaules, les oiseaux nichaient dans nos vêtements, notre peau avait jauni, s'était desséchée, nos yeux s'étaient vitrifiés –, j'ai enfin ouvert en grand cette belle porte que j'avais poncée et huilée moi-même. Marie est passée sous mon bras tendu, nous n'avons rien dit.

Dehors, le soleil brillait de ses rayons obliques, la brise agitait les aiguilles et les feuilles des arbres, des herbes apparaissaient sur la terre noircie, minuscules filets verts. Marie s'est éloignée, mais moi je suis toujours là, debout à la porte de ma maison. Maggie est assise à mon côté, elle est vieille à présent. Le jardin de Jenny a beaucoup poussé, et l'électricité fuse dans les fils au-dessus de ma tête.

REMERCIEMENTS

Je voudrais remercier mes parents, John et Debbie Reeves, de m'avoir élevée dans une maison pleine de livres. C'est vous qui avez lancé le processus. Je remercie ma sœur, Annie Shaw, pour son intelligence et son caractère qui m'ont inspirée. Mes grands-parents, Jim et Terry Reeves, qui m'ont fait découvrir l'Alabama. Merci, Bam, de m'avoir laissé cette porte ouverte. J'aimerais que Paspa soit là pour célébrer l'événement avec nous. Ma tante Terrie et mon oncle Wil m'ont toujours témoigné un soutien et un amour sans faille tout au long de ma carrière dans l'écriture. J'ai la chance d'avoir de mon côté Art et Linda Compton, Dick et Rita Swenson. Ils font partie de la famille de plein droit.

Ce livre n'existerait pas si le Michener Center ne m'avait pas ouvert les bras, en particulier Jim Magnuson, Michael Adams, Elizabeth McCracken, Marla Akin et Debbie Deweese. L'idée de ce roman est née lors d'un cours d'histoire de l'écriture avec H. W. Brands. Mon groupe du Michener Center demeure une force d'inspiration très forte. Je remercie également Ben Roberts, Carolina Ebeid, Kate Finlinson et Shamala Gallagher. Mimi Chubb fut une de mes premières lectrices, et ses commentaires ont bien amélioré ce livre. Kevin Powers m'a permis d'augmenter mon lectorat, et je lui sais gré de son soutien.

Mes collègues et étudiants de la Khabele School ont contribué à la création de ce roman en me donnant leurs opinions et leurs encouragements, et parce que j'ai pu me reposer sur eux. J'ai achevé ce livre avec mes étudiants. Chaque jour, Tyler Clayton me demandait si j'y avais travaillé. Après avoir lu une première version, Atticus Tait m'a suggéré de travailler davantage sur Marie ; les chapitres qui la concernent sont nés de cette idée.

L'incroyable clan Mauro m'a octroyé un espace tranquille et magnifique où achever mes révisions. Eric et Jaclyn Mann, Kelley et Nate Janes, Ryan Phillips, John Mulvany et Ashleigh Pedersen forment le meilleur fan-club qu'on puisse souhaiter. En plus, ce sont des amis formidables.

Mon agent, Peter Straus, est un relecteur et un défenseur hors pair, c'est lui qui a ranimé cette foi en moi-même que j'avais perdue. Mes éditeurs chez Scribner, Nan Graham et Daniel Loedel, sont brillants, et il est très agréable de travailler avec eux. J'ai beaucoup de chance de récolter les bénéfices des observations et intuitions subtiles qu'ils ont eues à propos de ce roman. Je suis devenue écrivaine sous l'égide du poète Loren Graham, il demeure l'un des mes lecteurs et amis les plus précieux. Je remercie tout spécialement Fiona McFarlane, à qui j'adresse toute mon amitié, car elle fut la guide parfaite dans cette grande aventure, et c'est la personne la plus merveilleuse que je connaisse.

Enfin, je remercie ma famille. Margot, merci pour ta discipline exemplaire, tes principes moraux rigides et inflexibles, tes encouragements et ton amour extraordinaires. Hannah, ta maturité et ta sagesse sont incroyables pour ton âge, tu as tracé ton chemin jusqu'au cœur de ce livre de manières qui m'échappent même à moi-même. Enfin, Luke Muszkiewicz, mon plus grand et mon meilleur défenseur. Tu me soutiens et m'oblige à me remettre en cause depuis que j'ai dix-neuf ans, et jamais tu n'as douté de mon travail. Si je suis là c'est grâce à ta confiance, ton amour et ta patience. Merci.

*Cet ouvrage a été composé
par PCA à Rezé (Loire-Atlantique)
et achevé d'imprimer en France
par CPI Bussière
à Saint-Amand-Montrond (Cher)
pour le compte des Éditions Stock
31, rue de Fleurus, 75006 Paris
en mai 2016*

Imprimé en France

Dépôt légal : août 2016
N° d'édition : 01 – N° d'impression : 2023451
20-08-0008/9